Scr

A Michela,
studiosa del mondo
di Alina - questo è
la mia fotografia,
in attesa di vedere
quella bellissima
che scatterai
tu -
Con simpatia
Carlo

Collana Scrittori

ultime uscite

41. Margaret Atwood, *Per ultimo il cuore*
42. Nedim Gürsel, *L'angelo rosso*
43. Philippe Claudel, *Il romanzo del cuore e del corpo*
44. Andrea Inglese, *Parigi è un desiderio*
45. Hubert Haddad, *Una ciotola piena di pioggia*
46. Jacopo Ghilardotti, *Il Viva Verdi*
47. Franco Pulcini, *Delitto alla Scala*
48. Pia Pera, *Le virtù dell'orto*
49. Simone van der Vlugt, *Blu come la notte*
50. Elda Lanza, *Imparerò il tuo nome*
51. Pia Pera, *La bellezza dell'asino*
52. Matteo Nucci, *È giusto obbedire alla notte*
53. Héctor Aguilar Camín, *Tutta la vita*
54. Attilio Veraldi, *La mazzetta*
55. Étienne Klein, *La bicicletta di Einstein*
56. Anna Hope, *La sala da ballo*
57. Guido Mina Di Sospiro, *Sottovento e sopravvento*
58. Ann Patchett, *Il bene comune*
59. Margaret Atwood, *Il racconto dell'ancella*
60. Didier Decoin, *Il magistero dei giardini e degli stagni*
61. Giovanni Arpino, *La suora giovane*
62. Jade Chang, *La famiglia Wang contro il resto del mondo*
63. Ricarda Huch, *L'ultima estate*
64. Margaret Atwood, *L'altra Grace*
65. Jesus Carrasco, *La terra che calpestiamo*
66. Hanne Ørstavik, *A Bordeaux c'è una grande piazza aperta*
67. Pia Pera, *Diario di Lo*
68. Erwan Larher, *Il libro che non volevo scrivere*
69. Bryn Chancellor, *Non sparire*
70. F.M. Colombo, *Il tuo sguardo nero*
71. Margaret Atwood, *Occhio di gatto*
72. Elda Lanza, *Una stagione incerta*
73. Henry Beston, *La casa estrema*
74. Martha Conway, *Il teatro galleggiante*
75. Luigi Ferrari, *Triade minore*
76. Kamila Shamsie, *Io sono il nemico*
77. Rhiannon Navin, *Il mio nome e il suo*
78. Margaret Atwood, *Il canto di Penelope*
79. David Mamet, *Chicago*
80. Emanuele Trevi, *Sogni e favole*
81. Trevor Noah, *Nato fuori legge*
82. Sébastien Spitzer, *I sogni calpestati*
83. Cristina Marconi, *Città irreale*

CRISTINA MARCONI

CITTÀ IRREALE

PONTE ALLE GRAZIE

ISBN 978-88-3331-157-9

Progetto grafico: Ushadesign
In copertina: © Sean De Burca / Corbis / Getty Images

Redazione e impaginazione: Scribedit - Servizi per l'editoria

Ponte alle Grazie è un marchio
di Adriano Salani Editore s.u.r.l.
Gruppo editoriale Mauri Spagnol

Per essere informato sulle novità
del Gruppo editoriale Mauri Spagnol visita:
www.illibraio.it

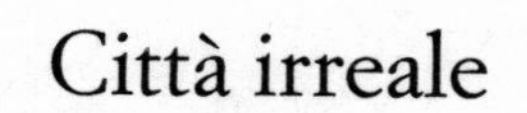
Città irreale

Londra è dove la gente va
per tornarne più triste e più saggia.
MARTIN AMIS, *Il dossier Rachel*

Vorrei sapere esattamente quante persone in questa
città, nel mondo intero, sono più libere di me.
MIHAIL SEBASTIAN, *Da duemila anni*

Mi chiamo Alina e, anche se sono nata a Roma, per molto tempo ho cercato di diventare inglese. Non che non sia legata alla mia città e anzi, se dovessi tatuarmi qualcosa addosso, sarebbe la stella di piazza del Popolo, lo stemma sottile a otto punte sulla porta cinquecentesca che apre su via Flaminia. Ci penso spesso. Quella stella mi piace perché è aguzza, diversa da quelle che disegno io seguendo ancora il metodo dei bambini, con un tratto solo, incidendo un triangolo che diventa prima una tenda indiana, poi un gatto stilizzato e alla fine un astro obeso. Mi piace anche perché è un simbolo quasi irriconoscibile di Roma, e nella mia testa segna il passaggio tra l'immobilità del vecchio centro storico e una città più moderna, con il tram, l'asfalto al posto dei sampietrini e le macchine che sfrecciano verso il Muro Torto. Lo pensavo da piccola e pazienza che la città non lo è mai diventata davvero, moderna: per me sarà sempre così. Però quella stella era lo stemma dei Chigi e visto che mettere porzioni di pelle al servizio dell'araldica o di qualunque altro simbolo che forse un giorno mi annoierà non mi va, quella del tatuaggio è rimasta solo un'idea. Non sono una persona costante, ormai posso dirlo con certezza. Per tenermi viva faccio molte cose, a volte anche sbagliate, ed evito con cura tutto quello da cui non posso tornare indietro. Mi è stato rinfacciato spesso, il più delle volte con rabbia, di non tenere fede alle promesse e di cercare la via d'uscita appena entro in una stanza, ma più passa il tempo e più escludo di poter cambiare. Siccome sono di natura generosa, preferisco farmi in quattro piuttosto che scegliere e se proprio devo, mi avvio sempre verso la strada più serpentina, il vicolo cieco più frondoso. L'Italia l'ho lasciata da molti anni ed è tanto tempo che ho smesso di pensarci ogni giorno: Londra, il posto in cui vivo, mi dà molto da fare.

PARTE PRIMA

Benché non speri più di ritornare

1.

Frangighiaccio

Londra, inverno 2008

La parete del locale, vista da vicino, era piena di crepe e imperfezioni. Sotto la patina di lacca bianca si intravedeva la grana del compensato, i faretti sul soffitto ballavano nei loro buchi, mentre le tendine con gli ideogrammi, anche per me che non sapevo nulla di Giappone, erano troppo satinate per rendere il candore asettico che i gestori del ristorante di ramen di Soho dove ero finita a mangiare per la sesta settimana di fila avevano senz'altro in mente. Ma Miwa, la mia collega, incantata dall'aria di casa, non si accorgeva dei dettagli. E poi quella sera eravamo in tanti, ben cinque, per festeggiare il suo compleanno. Fuori aveva iniziato a nevicare, la serata era splendida e i passanti facevano attenzione a non scivolare sul marciapiede a ogni passo.

Peccato che noi, nel nostro cattivo inglese, non avessimo niente da dirci.

«Ti piace la zuppa?» mi chiese Miwa per l'ennesima volta mentre osservavo l'intrigante rondella rosa e bianca che galleggiava nella ciotola scura. La ragazza era carina con i suoi capelli lucidi come lame e quello smarrimento perenne che combatteva paralizzando l'avversario con dosi enormi di gentilezza. Una trappola di premura in cui ero caduta subito, fin dal giorno in cui, entrando con addosso il completo della laurea nel grande spazio aperto dell'ufficio accanto alla cattedrale di St Paul, era iniziata la mia vita londinese. Non solo Miwa – suono marino o così mi piaceva pensarlo – mi aveva spiegato punto per punto quello che avrei dovuto fare in qualunque circostanza, ma aveva anche deciso di farsi carico di tutto ciò che mi riguardava: mi portava il tè, mi invitava a bere succhi di verdura dopo il lavoro e, se qualcuno mi veniva a parlare, poco dopo arrivava lei con la smania dei suoi «tutto bene?»

«Spero di non alzarmi affamata come le altre volte». Avrei tanto voluto che mi venisse in mente una risposta molto più antipatica, ma il mio inglese era troppo inamidato per permettermi di improvvisare. E poi povera Miwa, lo vedevo che tutti in ufficio la evitavano o le parlavano sempre e solo con la via d'uscita di una cornetta del telefono in mano. Era colpa mia se continuavo ad accettare i suoi inviti anche se l'indifferenza, quella non riuscivo più a nasconderla. Provavo una fitta allo stomaco ogni volta che pensavo che dopo tre anni a Londra la sua vita era in tutto identica a quella da debuttante che vivevo io – giornate a riempire fogli Excel, serate a guardare serie televisive su un lettino singolo e scodelle di zuppe giapponesi al venerdì come unico diversivo – ma alla compassione si era ormai sostituita la rabbia: Miwa stava facendo un pessimo uso della sua assoluta libertà.

«E voi come vi siete conosciute?» chiesi con tutto l'interesse di cui ero capace alla mia vicina di tavolo, una bionda con il viso da falchetto e il maglione a trecce. Era concentrata sul suo piatto e non mi rispose. Tratteggiai un sorriso al ragazzo che mi sedeva davanti, uno scandinavo serio serio, che scosse la testa con uno scatto improvviso, prese la ciotola nera e iniziò a berne il contenuto con un gran risucchio. Miwa sorrideva compiaciuta. Mi ero quasi arresa al micidiale silenzio da anticamera quando la ragazza seduta dal lato opposto del tavolo – Amelia? Emilia? Amalia?, sopracciglia folte e sorriso simpatico – con un semplice «ti piace Londra?» mi tese la mano. Ma sì, peggio di così non può andare, sta chiaramente a me risollevare la situazione, pensai preparandomi a mollare ogni freno diplomatico e linguistico.

E come fa a non piacermi, Londra? Ora mi vedete così, placida e composta, a socializzare per finta in questa comitiva di cui non m'importa niente, e credo neppure a voi che scandagliate in silenzio le vostre zuppe, ma ho grandi progetti per me stessa, io. Progetti grandi come la città. L'ho scelto apposta, questo mastodonte di rotaie con la pancia piena di bitume, questo luogo irragionevole in cui converge tutto ciò che è umano e moderno e che però è costruito come una continua, infinita dichiarazione d'amore alla natura. Ce ne vuole di megalomania per concepire una cosa del genere, non pensate? Altro che New York con i suoi grattacieli, quelli li hanno copiati pure in Asia e altrove, ci sono anche nella tua Tokyo e nella tua Varsavia, ci sono quasi in tutte le città. Qui occupano solo il miglio quadrato della City e sono fatti in modo da stagliarsi, compatti e lucenti, con l'eccezionalità di un castello, senza il solito rigoglio cementizio. Conoscete un altro posto con sette milioni e mezzo di abitanti che appena è sul punto di sembrare finalmente una città, fa un passo all'indietro e va a mimetizzarsi tra le foglie, travestendosi da campagna e facendosi pure carico dell'enorme compito di permettere alle persone di spostarsi come biglie di un flipper in tanta immensità geografica?

Mi piace Londra, sì che mi piace. Avete notato che ha la struttura di una cantilena? Innanzitutto le costruzioni, pure quelle separate da un abisso sociale, esibiscono più cose in comune che differenze, fateci caso. Grandi parchi, giardini sul retro, spazi verdi in mezzo alle piazze, case a schiera, scale esterne, bovindi, porte colorate, due piani, muretti: in città si trovano sempre gli stessi motivi ricorrenti, con variazioni di sostanza ma raramente di forma, e la gente vive in piccoli mondi a schema fisso da riempire come vuole, come uno scolaro che scrive su un foglio a quadretti per non perdersi. O che cambia quaderno per ripartire da zero, sperando questa volta in un buon voto, migliorando di replica in replica, pensando di ottenere sempre una versione migliore di qualcosa di noto. Partire dalla povera Tottenham per approdare tra i diamanti di Chelsea, ma sempre con le rose in giardino e la camera da letto al piano superiore. Come vedete me li sono studiati per bene, l'oriente e l'occidente di questo posto smisurato, non voglio farmi trovare impreparata per quando conoscerò la gente del luogo. Qualcuno in realtà l'ho già incontrato, ma non è facile farci amicizia. Voi parlate spesso con gli inglesi? Vi invitano a casa loro, vi danno appuntamento, vi raccontano le loro cose? Spero che a me succeda molto, molto presto.

Perché io voglio tutto. Voglio tutte le case vittoriane, voglio tutti gli alberi dei parchi, voglio ogni scrivania in ogni ufficio, e pazienza che per ora me ne sto in una stanzetta a casa di Ilaria, sorella della mia migliore amica d'infanzia, una che aveva fatto girare la testa a tutta Roma e che ora fa la mamma, sta al parco con i bambini e non sa più neppure cosa siano un paio di tacchi. Bella casa, eh, un giorno lo vorrò pure io un posto così grande, col giardino e quei divani a fiori dove nessuno viene a romperti le scatole, anche se magari di tanto in tanto l'aspirapolvere lo passerei. Pure il marito non è male, chissà se quell'aria distaccata gli rimane proprio sempre sempre. Ma per ora mi interessa soprattutto il mondo fuori, non mi serve una grossa tana in cui nascondermi bensì un reticolo di strade da percorrere. Mi piace Londra? Sì sì, mi serve a fare quello che voglio fare, mi piace tantissimo Londra.

Io parlo, racconto di me, di quello che ho fatto, anche delle domeniche a casa di Ilaria e James, con i loro amici che mi dicono banalità sull'Italia e ogni tanto mi danno una scossa elettrica con una battuta cattivella a cui ancora non so reagire, ma non mi pare che la mia storia susciti in voi particolare simpatia. Perché mi guardate così? Non avete capito, non parlo abbastanza bene l'inglese, la mia ironia non vi arriva? Oppure fate finta di essere qui per altre ragioni, perché vi piace bere in silenzio frullati di barbabietola a cinque sterline in certi bar biologici che sembrano refettori? Non sarete mica qui solo per i musei gratis o per incontri come questo, che sembrano quelle barzellette in cui c'è un personaggio di ogni nazionalità? Se stiamo qui a prendere pioggia è per una ragione precisa, visto che non stiamo scappando certo da paesi in guerra. Ve lo chiedo sinceramente: per voi esiste felicità senza ambizione? Per me è ipocrita dire il contrario, e vi giuro che ci ho pensato molto.

Lo so, ne ho le prove, che appena dico che sono italiana tutti si immaginano mia mamma col fazzoletto in testa che sbuccia i piselli davanti alla porta di casa tra le vecchie pietre. Non ci potevo credere, ma è proprio così, ed è bene iniziare a riderci sopra da subito perché su un'isola così grande da credersi mondo, con abitanti di leggendaria riservatezza e di indole avversa all'astrazione, è inevitabile che gli stereotipi finiscano con l'avere peso: le sfumature vengono perse e a essere onesti è meglio così, perché non servono a niente. Io stessa mi sto rivolgendo a voi immaginandovi a grandi linee sulla base del vostro passaporto e me ne scuso davvero. Queste serate sono come i discorsi in aeroporto, noiosi ma utili per metterti nello stato d'animo del viaggio.

Però una cosa ve la devo dire: io in Italia avevo un lavoro, un lavoro molto più bello di quello che faccio qui.

Quando sono arrivata, neanche mi ricordavo come si facesse un foglio Excel. Mi ha dovuto spiegare tutto da capo Miwa, perché io nel mio piccolo avevo qualcuno sotto di me che si occupava di queste cose, a Roma. Non lo rimpiango mica, preferisco stare in quel palazzo alto che si dà arie da fucina di talenti con uno stipendio da multinazionale che sottopormi a quel processo di stagionatura lenta che qualcuno in Italia chiama carriera. Soprattutto nel nostro settore, dove non salviamo certo vite umane ma al limite facciamo sapere in giro se qualcuno l'ha fatto, tanto vale fare le cose in grande. Lo so, lo so che ti devo molto, Miwa. Senza di te sarei rimasta proprio sola, anche se il sospetto che gli altri mi evitino perché ci sei sempre tu ce l'ho, che ti credi. Io

non sono come te, non sono venuta qui per fare tutto nel migliore dei modi, quell'errore l'ho già commesso in passato quando credevo che il lavoro fosse una prosecuzione della scuola, con le pagelle e i baci della maestra, e infatti sono dovuta scappare via. Questa volta penserò a me stessa e basta. Non mi prendete male, io non sono cattiva, ma a furia di essere paziente mi stavo addormentando. *Misteriosa morte a Roma, gli inquirenti seguono la pista della noia*, già immaginavo i titoli dei giornali. E se il mio nuovo punto di partenza non è granché, non vi spaventate, l'importante per me è iniziare.

E niente, io pongo quesiti importanti e voi mi chiedete se mi manca il cibo italiano. Me l'aspettavo, lo sapevo che sarebbe successo. No, soffocata sotto lo strato di una lasagna, affogata in una tazzina di caffè non ci voglio stare. Perché a voi mancano le aringhe con l'aneto, i *pierogi* polacchi, vi manca il cibo giapponese? Evidentemente sì, se vi accontentate di queste tendine fasulle e delle bacchette di plastica per combattere la nostalgia. Ma io non sono arrivata qui con un carico di feticci. La colazione più buona della mia vita l'ho fatta il primo giorno di lavoro, non ci capivo niente, ho pagato tantissimo e avevo pure fame quando sono uscita, ma volete mettere la grande catena impersonale, i legni chiari, quel barista che già domani non ci sarà più, quel senso di libertà che ci dà sapere che siamo qui senza legami, per dare il massimo, il meglio di noi stessi, senza farci dettare tempi e modi dal passato?

Londra ha una sua neutralità da pagina bianca. Nel nostro ufficio non ci sono rumori. La moquette attutisce i passi, la centralinista ha uno di quei nomi senza l'appiglio di una consonante solida, morbido come un refolo di vento, Eileen o Shireen, e una voce di panna, nelle stanze non c'è uno spigolo, bisogna guardar fuori per vedere le gru e la cattedrale ispida di scalini e troppe colonne. Non si litiga e non si alza la voce, anche se ci si ferisce, eccome. Sono incantata, e non mi importa se ero solo «la nuova ragazza» per il capo olandese, Wouter, e «Helena» per Sally, quella che mi aveva fatto il colloquio via Skype – a proposito, evidentemente lo schermo sfina, perché a vederla dal vivo è tre volte più robusta, anche se mi piacciono i suoi rossetti sgargianti: sembra sempre che abbia addosso la bocca di un'altra. Sono tutte prime impressioni, quelle che vi sto raccontando. Per me questa è solo un'aurora sociale appena tratteggiata, ma c'è tempo. Arriverò a essere levigata come una londinese, soffice di consapevolezza, capace di non sprecare un movimento come quelle che vedo in giro quando mi stordisco di camminate e guardo le persone nei pub, le osservo che chiacchierano, mi chiedo cosa potrebbero dire a me.

«E a voi Londra piace?» chiesi, girando la domanda agli altri con un sorriso. Ero stanca, dopo tutti quei pensieri raccontati ad alta voce attraverso le maglie sottili dell'inglese. Mi facevano male gli zigomi, forse avevo anche l'aria spiritata.

«Per niente. Torno in Polonia il mese prossimo» tagliò corto la donna falchetto tenendo le bacchette a mezz'aria, una per mano, con la voce annoiata. Poi, prima di richiudersi nel suo silenzio, aggiunse: «Sai quanti ne ho sentiti come te? Tutti entusiasti, all'inizio». Gli altri si guardarono, Miwa non disse nulla, Amelia-Emilia-Amalia fece spallucce. A quel punto la conversazione andò in picchiata, ne prendemmo atto e la lasciammo cadere, affondando i denti in certi dolcetti tondi ricoperti da una polverina troppo sottile anche per essere zucchero.

Una telefonata in arrivo mi fece vibrare la borsa contro la gamba. Diedi un'occhiata, la lunghezza del nome sullo schermo mi diceva che mi stava chiamando mia madre e il mio portafoglio mezzo aperto mi ricordava che avevo abbastanza soldi per pagare la mia parte di conto senza aspettare la ronda delle carte di credito. Mi alzai con l'entusiasmo di una palla che rimbalza.

«Che fai, vai via?» mi chiese Miwa.

«Sì, ragazzi, devo proprio correre, scusate» dissi. Stavo per accampare una scusa ma poi pensai che qualunque cosa mi inventassi mi si sarebbe ritorta contro con una dose aggiuntiva di premura il lunedì mattina. Era meglio lasciare un certo mistero e poi insomma, non dovevo spiegazioni a nessuno.

«Ancora grazie e auguri!» Ero ormai accanto alla porta e una rasoiata di freddo mi colpì il viso mentre uscivo nella neve. Iniziai a camminare rapidamente con passetti goffi sulle lastre di ghiaccio, facendo gran sorrisi complici a chi aveva il mio stesso problema di equilibrio: nessuno ricambiò, qualcuno addirittura mi urtò passandomi accanto. Risalendo per una lurida scaletta che non sapevo dove portasse, mi ritrovai tra gli scintillii di Oxford Street rifranti dal chiarore della neve. Un campo bianco su cui sfilava un inatteso spettacolo di gambe nude sorrette da sandali luccicanti e appena coperte da tessuti tirati sui corpi gonfi di chi beve molto. Mi fermai a guardare quelle calzature di plastica da cui spuntavano piedi viola di gelo e mi accorsi che erano decine le ragazze che avevano deciso di prendere freddo così, in una parodia della sensualità fatta di una scollatura, una minigonna, ciglia, unghie e capelli di spettacolare falsità, tacchi troppo alti, un carnevale di uccelli sgraziati che barcollavano, si sedevano a terra, si strattonavano. Vestite come lucciole, quelle donne non avevano nulla dell'ammaliatrice: la loro tenuta tradiva distacco molto più dei colletti rigidi e dei modi alteri di certe mie colleghe. C'era quella che voleva evocare qualcosa di spagnolo, con i suoi colori accesi, e quella che si era ispirata a una squaw, tra frange e orecchini turchesi. Ero ipnotizzata da loro ma pensai che no, non era quello il posto dove volevo passare la serata e mi infilai di nuovo tra le stradine, piena di libertà, euforica per il freddo. I passanti mi sfioravano, c'erano molte coppie di maschi, un taxi in corsa mi sporcò gli stivali e dall'altra parte della strada stava esplodendo una piccola rissa – due uomini di mezza età enormi e rubizzi si davano colpi frontali di pancia – quando mi voltai e, attraverso una vetrata, vidi gente che ballava. La porta si aprì e, oltre a una coppia, ne uscì della musica che mi piacque. Entrai senza pensarci, mi guardai intorno e diedi volentieri un paio di sterline alla guardarobiera perché mi tenesse giacca e sciarpa. In corpo avevo solo una tazzina di sakè che mi aveva stordita, mi avvicinai al bancone e, sedendomi su uno degli sgabelli alti, ordinai una vodka che mandai giù guardandomi intorno. C'erano coppie e c'erano gruppi di amici, e nessuno sembrava prendere troppo sul serio la propria presenza in quel posto. Neppure io. Mi alzai e con il mio drink in mano iniziai a ballare, come se essere da sola non fosse un mio problema. Mi feci trascinare, la musica mi piaceva, chiusi gli occhi e mi lasciai andare, e ogni volta che li riaprivo c'era più gente intorno a me e tutto mi sembrava più facile. Mi avvicinai di nuovo al bancone per bere e, dopo essermi fatta scivolare addosso il commento volgare di un uomo pelato, tornai a ballare in quello che avevo individuato come il mio gruppo, anche se non conoscevo nessuno. Le canzoni si susseguivano in una serie felice e a un certo punto un ragazzino senz'altro più giovane di me, grazioso con i suoi capelli rossi, mi prese la mano per farmi volteggiare. Iniziammo a muoverci in maniera coordinata, dando spettacolo e creando una complicità intensa e senza fondamento. Stavo interpretando una serie di figure sul ritmo della musica e c'era un'urgenza nel dare forma compiuta a quelle mosse, qualcosa che non potevo interrompere per nulla al mondo. Lui era bravissimo, dinoccolato nei movimenti acerbi, le sue iniziative mi divertivano e le sue braccia sportive sotto la pelle lentigginosa mi facevano uno strano effetto. Prima ancora che la pista iniziasse a svuotarsi o che si facesse troppo tardi, fermando la sua mano sulla mia spalla, me lo portai via.

2.

Aeroscivolante

Londra-Dover-Francia, 1999

«Niente aerei, mica andiamo in America» disse la ragazza mordicchiandosi le unghie della mano destra. Si stava dondolando su una sedia sottile come lei, con piccoli fiori rossi in rilievo sull'imbottitura color crema, incurante degli straziati cigolii della struttura in legno. «Sarà più bello andare a Dover, prendere l'hovercraft per Calais, poi un treno per Parigi e da lì il notturno per Milano. Ho controllato, si può fare».

Il tavolo era ricoperto d'oggetti, non si capiva più neppure di che colore fosse il marmo del ripiano. Il sole di giugno illuminava i granelli di polvere sospesi nell'aria e si andava a posare su alcune guide, tra cui un vecchio Baedeker degli anni Trenta sull'Italia del nord, ritagli di giornale che parlavano dell'Emilia – una meta ancora non toccata dal turismo!, mica come la Toscana ormai inglese – e una cartolina raffigurante un prosciutto spedita anni prima da amici di famiglia. Vicky aveva deciso che bisognava partire lentamente.

«Con tutte quelle valigie?» disse Iain facendo volare un aeroplanino di carta verso il cuore della giovane. Indossava un maglione di lana blu scuro con lo scollo a V che lasciava intravedere le clavicole.

«E allora porteremo meno roba, Iain. Comunque l'aereo costa troppo e non ho voglia di arrivare a Milano dopo tre ore di viaggio. Ho bisogno di più tempo» rispose seria lei scostando un ricciolo dalla punta del naso.

«Andiamo in bicicletta. Non sto scherzando, se abbiamo pedalato fino in Scozia possiamo andare anche in Italia» ribatté lui con entusiasmo e senza ironia, sperando di cogliere due piccioni in un colpo solo: mostrare a Vicky che stava prendendo molto sul serio la sua esigenza di lentezza e perorare la causa del suo mezzo di trasporto preferito, la bici, con cui sognava di arrivare un giorno fino in Asia. Questo tipo di divagazioni erano un vezzo che di solito si concedeva prima di fare esattamente come voleva lei.

«Smettila! Non abbiamo mica così tanto tempo da perdere!» spiegò Vicky allungandogli un foglietto pieno di appunti attraverso il tavolo ovale. «Quando arriviamo a Milano, possiamo fermarci qualche giorno dagli amici dei miei genitori e lasciare la nostra roba da loro fino a quando non troviamo una stanza a Reggio Emilia. Nel frattempo possiamo fare avanti e indietro, sono solo un paio d'ore di viaggio» disse lei.

«Ma l'associazione non ci può aiutare?» chiese Iain, nella speranza che qualche elemento esterno lo aiutasse a mettere ordine in quel vortice di desideri e iniziative.

«È possibile che si liberi una stanza da luglio, ma ancora non ne sono sicuri».

Vicky si alzava, tornava a sedersi, giocava col gatto, afferrava un biscotto al burro e Iain guardandola pensò che avrebbe potuto passare tutto il suo *gap year*, l'anno di transizione prima dell'università, abbracciato a lei sul divano ed essere perfettamente felice. Il viaggio non gli serviva e anzi, se avesse avuto la certezza di non deluderla, avrebbe preferito andare direttamente a Oxford, dove avevano entrambi un posto ad attenderli all'università e dove non vedeva l'ora di iniziare a studiare medicina. Poteva abbracciare Vicky anche all'estero, certo, ma interrompere il felice corso degli ultimi tempi gli provocava più inquietudine di quanto fosse disposto ad ammettere. Diplomato in una scuola privata per soli ragazzi di quelle rigide e all'antica, ci aveva messo molto prima di trovarsi bene tra i suoi compagni e con i professori, e aveva una acuta consapevolezza di come fosse difficile ritagliarsi, tra le regole e gli imperativi del mondo esterno, una nicchia nel quale essere sé stessi e magari anche felici. Passare dai banchi della scuola a quelli dell'università gli sembrava un modo per chiudere il prima possibile con gli anni della formazione, prima di dirigersi verso un futuro adulto, mano nella mano con Vicky.

Non che non lo emozionasse l'idea di avventurarsi con lei nel grande mondo, al contrario: a diciott'anni era ora di iniziare a viaggiare sul serio e l'Italia era una meta quasi familiare nel suo essere stata studiata a scuola, ascoltata all'opera, vista al cinema. Avrebbero potuto fare altre scelte, dirigersi verso l'esotismo di famiglia, quell'India sui cui prati i bisnonni avevano giocato a cricket, o verso l'Australia, che era simile all'Inghilterra ma con il sole, ma avevano preferito restare in Europa, senza la malinconia dell'est o il rischio di andare a prendere freddo in Scandinavia. La scelta finale era stata presa da Vicky, che aveva visto Firenze e Venezia da bambina e che, dopo aver chiesto qualche consiglio a una delle associazioni di volontariato con le quali di solito collaboravano, aveva scoperto l'esistenza di una compagnia teatrale amatoriale che lavorava nelle carceri di Reggio Emilia, una città il cui leggendario progressismo politico e sociale le veniva decantato in continuazione dal padre professore. Iain non aveva protestato e anzi si era mostrato entusiasta fino a quando la partenza era rimasta un orizzonte astratto. Solo ora che la data si avvicinava aveva iniziato ad avere già nostalgia di quello che non aveva ancora perso.

Per Vicky era diverso, pensò Iain guardandola. I suoi tratti si illuminavano in continuazione, andando ad aggiungere grazia dove sembrava non ci fosse più spazio. Era bella? Sul suo viso quasi tutto andava verso l'alto, come il naso, gli angoli della bocca rosa che sembrava piccola quando era chiusa e diventava improvvisamente grandissima quando scoppiava a ridere, le delicate orecchie leggermente appuntite, i riccioli castani che invece di ricadere dalla crocchia scomposta se ne stavano dritti verso il cielo. Facevano eccezione gli occhi celesti, che al contrario di tutto il resto si allungavano sulle gote, perdendosi in una piega che forse un giorno sarebbe diventata una ruga ma che invece per ora, a diciott'anni, era l'unica increspatura di una pelle accesa. Iain sospirò e le diede un bacio sulla guancia, quasi rassegnato: cos'altro poteva fare?

Mitzy, la gatta, saltò giù dal tavolo e si diresse pigra verso il divano a fiori del salotto, aggiustandosi tra i cuscini in modo da esserne quasi ricoperta. C'erano troppi mobili anche per uno spazio così grande, ma la luce di quel giorno, soprattutto in una casa vicina alla grande striscia argentata del Tamigi, sfumava i contorni e faceva sembrare il piano terra della casa dei genitori di Vicky leggero come una serra di Kew Gardens. C'erano i libri e c'era un pianoforte e le pareti erano piene di paesaggi del Norfolk dipinti dalla bisnonna, di foto di viaggio dei genitori e delle varie generazioni di bambini di casa, tutti con quei dolci occhi oblunghi. La carta da parati color crema con piccoli non-ti-scordar-di-me e fiori gialli più grandi rivestiva tutto l'ambiente, salendo lungo le scale di legno fino ai piani superiori, dove c'erano le camere da letto, quella grande dei genitori e le tre più piccole dei figli, di cui una, quella di Vicky, stava per essere convertita in sala da musica. A lei sarebbe rimasto un letto di legno, anche quello in stile Regency, normalmente usato come divano da cui togliere i cuscini e gli spartiti del fratello pianista ogni volta che fosse tornata a casa dei suoi, per Natale o per qualche fine settimana. Il resto lo avrebbero conservato in alcuni scatoloni da nascondere in soffitta in attesa di trovare un nuovo ormeggio.

Il rapporto di Iain e Vicky era nato da un'amicizia tra bambini: lei era la cugina di un compagno di classe di Iain e lui ne era sempre stato innamorato, da quando era stato invitato a una festa di compleanno di David e, accompagnato dal padre nella grande casa di Pimlico in un pomeriggio di pioggia battente di tanti anni prima, si era ritrovato a festeggiare anche quella strana bambina con gli occhi all'ingiù e il volto ridente, che dava ordini a tutti e organizzava giochi dal nulla. Col passare degli anni, quei giochi erano continuati e Vicky ne era sempre stata l'indiscussa regista, a Londra o durante i lunghi fine settimana nella villa di famiglia nel Norfolk, dove si riuniva una comitiva a perimetro variabile di amici e parenti per condividere pasti stracotti, generose quantità di drink, chiacchiere e attività all'aperto, lettura dei pesanti inserti dei giornali della domenica e in generale un senso di consuetudine in cui c'era fiducia ma non confidenza. Un simposio di personaggi chiusi che sostituivano il calore con la prossimità e affidavano alle giovani generazioni e al loro teatro, alla loro musica, il compito di creare movimento: un mondo in cui Iain si trovava bene, anche se le case della sua famiglia erano meno grandiose e i quadri degli antenati molto più recenti.

La svolta era avvenuta un sabato pomeriggio di due anni prima, durante il ponte di fine agosto. La sera precedente i ragazzi avevano trafugato alcuni degli alcolici appoggiati sul grande tavolo di legno del salone e li avevano portati in giardino, dove avevano montato le tende per festeggiare fino a tardi, lontano dalla polvere delle vecchie camere da letto a loro disposizione. Vicky aveva preparato una torta alla carota e rubato del tabacco e aveva organizzato una dispensa ben fornita all'interno della tenda che condivideva con la cugina quattordicenne Fiona. Iain avrebbe dormito con i fratelli e con il suo amico Macca in una vecchia canadese di cerata verde. La serata era fresca, i grilli cantavano e se si stava molto attenti si poteva anche sentire il rumore del mare.

Iain era consapevole di essere innamorato e non se ne vergognava davanti al mondo, ma solo davanti a lei. Le aveva dedicato qualche poesia anni prima e un giorno aveva anche provato a dirglielo – «Vicky, io ti amo» – ma lei aveva abbassato lo sguardo ed era corsa via, tornando poco dopo con in braccio Mitzy e un coniglio di pezza per farla giocare. Era seguita un'altra eternità, durata un paio d'anni, da migliori amici. Poi qualcosa era cambiato e, dopo un Natale trascorso a letto con il morbillo, Iain si era alzato con la felice novità di una Vicky fin troppo premurosa nei suoi confronti. La ragazza aveva preso a comportarsi come se il legame speciale tra di loro fosse un dato di fatto di cui nessuno poteva dubitare. Anche gli amici e i parenti iniziarono a prendere Vicky e Iain come qualcosa che andava insieme – non si poteva ancora parlare di coppia – e per Iain questa era una situazione di idillio, anche se tra di loro non erano mai tornati su quella dichiarazione, su quel momento. Erano giovani, dovevano studiare, fare sport, andare a dormire presto. Ma c'era un legame che li teneva stretti senza che si fossero mai neppure presi per mano. Iain, dopo aver chiuso il libro la sera, pensava a Vicky e si emozionava molto. All'inizio aveva cercato di dissociare le pulsioni fisiche dall'amica, concentrandole su figure più lontane, ma non riusciva a tradirla neanche con il pensiero. Ci aveva ragionato a lungo, a cosa fosse più rispettoso, ma non aveva scelta: per lui tutte le donne erano Vicky, e allora tanto valeva sognare Vicky anche quando la sera non riusciva ad addormentarsi.

Quella sera nel Norfolk Iain aveva portato delle lanterne comprate a Chinatown per poche sterline. Attento a mettere delle batterie nuove nel vecchio stereo della casa di campagna che leggeva solo le cassette, aveva preparato della musica che piacesse a tutti, come Kate Bush e i Kinks. Vicky gli aveva proibito di portare gli Oasis, spiegando che avrebbe dovuto rivelare al mondo, e soprattutto ai suoi fratelli, che li adorava.

«E quando li ascolti a casa? Se ne saranno accorti, no?»

«No, solo con il lettore portatile, sto attenta a non farmi scoprire. Ascolto anche altre cose tremende».

«Tipo? Dimmi dimmi. Ma cose che puoi ballare?»

«Non te lo dico. Ma leggo anche libri orribili e sogno di vestirmi in modo vistoso. Non sono mica come voi, che amate solo quello che già piace a tutti, che vi confortate a vicenda con i vostri gusti prevedibili».

«Cosa ti piace, dimmelo!» le chiese facendole il solletico per convincerla a parlare. Nella confusione di un gesto molto lontano dal loro repertorio, Vicky perse l'equilibrio e cadde tra le braccia di Iain, paralizzandosi davanti a quel contatto fisico inatteso. Dapprima non le dispiacque, anche perché non c'era nulla di inopportuno nel modo in cui Iain la stava stringendo, ma poi pensò a quello che sarebbe venuto dopo e che quell'avvicinarsi avrebbe portato con sé. Era pronta? Guardò il ragazzo negli occhi con aria grave e poi, piombando in un silenzio che era già angoscia, si staccò lentamente da lui.

«Vicky, cosa devo fare con questa?» li interruppe Macca con in mano un cesto di frutta da cui spuntavano fragole, limoni, mele e un cetriolo. La sua voce era talmente cambiata durante le vacanze che ogni volta che apriva bocca gli amici si giravano a vedere chi stesse parlando, con l'accento scozzese come unico indizio. L'adolescenza lo aveva colto tardi e con veemenza: il suo viso largo si era coperto di acne e peluria ramata, il corpo tozzo si era fatto enorme e i suoi interessi erano bruscamente passati dal mondo dell'equitazione a quello delle ragazze, senza che la competenza raggiunta nella prima sfera sfiorasse anche la seconda.

«Grazie Macca, li usiamo per il Pimm's. Hai portato anche un coltello?» chiese Vicky. Era la prima volta che cercavano di imitare i loro genitori con una bevanda così elaborata, di solito si accontentavano di versare del rum nella bottiglia di plastica della Coca-Cola da far girare nel circolo di commensali seduti per terra. Macca alzò le spalle e Vicky si allontanò spedita verso la casa per andare a cercare quello che mancava.

«Che ha Vicky?» chiese Macca a Iain, chinato a raccogliere sassi per delineare il perimetro del falò.

«Niente, mi pare, perché lo chiedi?»

«Mah, sembrava strana» disse, senza che la sua osservazione risvegliasse interesse da parte di Iain, ancora attraversato dalle onde elettriche di quel contatto. Macca rimase un istante in silenzio e poi decise di seguire Vicky per vedere se poteva aiutarla in qualche modo, magari portando una caraffa o della soda. Percorse la vasta porzione di prato che li separava dalla casa, erba verde senza alberi né cespugli che si estendeva fino alla siepe ordinata, messa lì a stringere l'antico edificio in un abbraccio rispettoso. Le voci degli adulti risuonavano dalla veranda e Macca si diresse verso di loro e verso la cucina, dove però non c'era nessuno oltre alla confusione allegra del cibo ancora da preparare. Aprì il congelatore, prese due contenitori pieni di ghiaccio pensando che sarebbero senz'altro serviti e, lasciando che le sue dita si incollassero al metallo gelido, decise di dare uno sguardo in casa alla ricerca di Vicky. Nel salotto non c'era nessuno, solo Mitzy che dormiva sul divano, e per un istante, sentendo un piccolo lamento soffocato, Macca pensò che fosse la gatta che russava. Le si avvicinò, osservando il suo ventre grigio gonfiarsi per poi ritirarsi placido, e prese atto che era un movimento del tutto silenzioso.

La porta del bagno di casa Norman, storta da secoli, era di quelle che non si chiudono mai del tutto. Il misterioso suono si nascondeva dietro quell'elegante legno ormai nero.

«Vicky, sei tu?» chiese Macca, cercando di controllare il volume della sua nuova voce.

Per qualche istante non ci fu risposta, solo il respiro fitto di chi cerca di calmarsi.

«Chiunque tu sia, tutto bene lì dentro?» rilanciò, aggiungendo con dolcezza: «Sono io, sono Macca».

«Sto per uscire, tutto bene, aspettami fuori» ordinò Vicky con la voce nasale e lacrimosa.

Qualche minuto dopo la porta era ancora chiusa e i rumori sempre confusi.

«Vicky, non mi umiliare costringendomi a sfondare questa porta, sarebbe come chiedermi di fare a botte con un vecchio» disse calcando l'accento scozzese.

Macca si accorse che, nonostante le lacrime, Vicky aveva colto il suo tentativo di ironia: una piccola risata soffocata interruppe per un istante il pianto.

«Mi fai entrare?» le disse, ottenendo di nuovo silenzio. «O sono costretto ad andare a chiamare tua madre?»

«No, per carità, entra» disse lei muovendo il chiavistello. Poi, prima di aprire la porta, aggiunse: «Ma resta tutto tra noi vero?»

Vicky aveva le labbra screpolate dal pianto. Abbozzò un sorriso rassegnato, stringendo le braccia esili intorno al petto con un gesto che non era suo. Macca guardò il ripiano del lavandino e vide che, tra le saponette e certi asciugamani minuscoli che erano la passione anche della sua, di madre, scintillava un coltellino da cucina, di quelli seghettati che si usano per tutto. Poggiò il ghiaccio che si stava sciogliendo, andò a richiudere la porta e si avvicinò nuovamente a Vicky.

«Che stavi facendo?» Era spaventato.

Lei rispose mostrandogli il braccio, su cui scintillavano alcuni taglietti di recente fattura, ancora rossi di sangue pulito male, accanto ad altri che avevano ormai la consistenza setosa delle cicatrici. Tutto il piccolo bicipite era segnato così, come se, consumandosi, la pelle di Vicky stesse lasciando affiorare i fili di un'imbottitura inattesa.

«Santo cielo». La voce di Macca era profonda e scozzese, ma non voleva far ridere.

«Mi capita di farlo, non è niente» disse lei ricomponendosi. «Non significa nulla, non ti devi preoccupare» aggiunse dirigendosi imperiosa verso la porta. Macca la trattenne, pentendosi subito dopo di averle toccato il braccio ferito.

«E perché proprio oggi? Siamo qui per fare festa, sei con noi, c'è Iain che ti aspetta, siamo i tuoi amici!» Oramai era lui a piangere e le sue lacrime, copiose e innocenti, non facevano niente per nascondersi.

Vicky gli si avvicinò e, dopo aver esitato per un istante, lo abbracciò.

«Mi dispiace di averti fatto impressione, è che qui sta cambiando tutto, non solo la tua voce».

Dopo aver recuperato il coltello e il contenitore del ghiaccio e verificato che non ci fosse nessuno in corridoio, prese la mano di Macca e lo portò fuori, in giardino. Rimasero seduti in silenzio sugli scalini di pietra, passandosi sugli occhi i cubetti di ghiaccio resi ormai minuscoli dal calore, l'uno accanto all'altra.

«Vicky, dimmi solo una cosa: c'entra Iain con quello che hai fatto?» chiese Macca.

«C'entriamo solamente io e le mie paure, stai tranquillo» tentò di rassicurarlo lei.

Mentre gli adulti – ma anche loro stavano diventando adulti, ormai – apparecchiavano la tavola all'interno e continuavano a versarsi generosi bicchieri di gin tonic tardoestivo, i ragazzi portarono fuori un barbecue da campeggio e iniziarono a cucinare, rispettando i compiti che Vicky era tornata ad assegnare a ognuno. Poi si sedettero per terra all'interno del cerchio formato dalle tende, con le loro giacche pesanti e le gambe scoperte, e mangiarono le salsicce, gli hamburger nel pane inumidito dall'aria, finirono due caraffe di Pimm's piene di frutta e iniziarono a ridere senza perdere davvero il controllo, anche perché la cugina Fiona non stava mai, ma proprio mai, al gioco.

Tutto di quella serata rimase per sempre impresso nella mente di Iain, soprattutto il momento in cui Vicky gli prese la mano e gli diede un bacio sulle labbra, sancendo che la loro infanzia era davvero finita.

Partirono la settimana successiva, accompagnati fino a Dover da Macca, l'unico nel loro gruppo di amici a cui insieme alla patente fosse arrivata anche una macchina nuova: come tutti i regali che venivano dalla famiglia, gli dava un misto di fierezza e vergogna, soprattutto per il fatto di essere così appariscente – era rossa – ed evidentemente costosa. Da quando l'aveva ricevuta, Macca dava passaggi a tutti nella speranza di renderla presto più vissuta, più simile al suo modo di fare defilato da ragazzo timido, e gli amici approfittavano di tanta generosità, anche se nel caso di Vicky e Iain c'era un affetto vero e profondo e, in quel giorno così importante, il presagio umidiccio delle lacrime che sarebbero arrivate prima di separarsi per un anno. Macca aveva deciso di passare la maggior parte del suo *gap year* in Scozia a lavorare nell'azienda di famiglia e di andare a fare vela nel tempo libero, tenendosi un paio di settimane a settembre per salpare verso le isole Ebridi insieme ai cugini. Non c'era nessun altro con cui volesse passare del tempo oltre a Vicky e a Iain, ma quando lei l'aveva invitato a unirsi a loro nel viaggio in Italia, aveva subito rifiutato. Non solo sentiva di non avere nessuna vocazione a fare del bene invece di godersi la libertà, ma aveva deciso di dare saggiamente seguito alla sua intuizione che per Iain e Vicky sarebbe stato meglio essere soli, visto che in fondo, nonostante tutto, erano una coppia e come tale andavano trattati.

La macchina rossa arrivò a Dover in tarda mattinata dopo un breve viaggio con i finestrini aperti e la musica alta. Sulla città incombeva il grande castello e il disordine urbano del porto lasciava intravedere di tanto in tanto qualche piccola strada curata in cui anche l'aria, per pochi istanti, sembrava non sapere più di nafta e di umidità. Parcheggiarono vicino al mare, davanti a un locale di fish and chips con una tenue insegna al neon azzurrina accesa nonostante fosse giorno, e presero un tavolo davanti alla finestra, il più lontano possibile dalla friggitrice.

«Godiamoci questo merluzzo, temo che non ci piacerà mai più così tanto» osservò Vicky proponendo di brindare con il lungo pezzo di pesce dorato che ciascuno aveva nel piatto. «All'ultimo fish and chips!» aggiunse ridendo.

«Io non ti tradirò mai, fidati di me» promise Macca alla sua porzione, prima di sbranarla. Tutti risero, anche il silenzioso Iain.

Siccome era presto e avevano ancora tempo, decisero di bere un'ultima birra nel pub più brutto che trovarono, antro di desolazione portuale con i muri rossi e la luce dei flipper che si perdeva tra le pieghe delle pesanti tende cariche di polvere.

«Al futuro!» disse Vicky.

«Al futuro!» disse Macca.

«Massì, al futuro» concesse Iain.

Nel primo pomeriggio si imbarcarono sull'hovercraft per la Francia, il *Princess Margaret*, una gigantesca papera galleggiante bianca e blu che si muoveva sull'acqua con gran dispendio di spruzzi, rumore, schiuma, senza aprire la ferita netta di una nave ma avanzando matronale sui flutti sfiorandoli appena. Dopo l'emozione di essere salita sull'insolito mezzo, che si era poi gonfiato fino ad alzarsi da terra e iniziare a correre verso il mare opaco come un bagnante sovrappeso, sospinto e sollevato da quattro grosse eliche sulla tettoia, Vicky si era rabbuiata.

«Non si vede niente» disse affondando in una delle poltroncine azzurre all'interno dell'imbarcazione. La sala era vuota, era un mercoledì, nessun altro aveva deciso di partire a quell'ora e, anche per cercare di distrarsi dall'aria satura di tutto quel carburante rimasto al chiuso, Iain aveva preso a leggere cartine e indicazioni. Essere su quel galleggiante gli dava uno senso di nausea, anche se la duttilità del mezzo lo rassicurava, come se l'hovercraft avesse potuto muoversi anche di lato o mettersi a correre tutt'a un tratto verso casa. Man mano che procedeva, il disagio si faceva più forte e si trasformava quasi in qualcosa di voluttuoso, come se il viaggio, nella sua sgradevolezza, volesse dargli ragione: vedi che era meglio non partire? Uno stordimento in cui c'era ancora spazio per ravvedersi, pensò Iain mentre il mezzo avanzava, la costa francese si avvicinava e la voce di Vicky segnalava di aver finalmente trovato un punto buono per fare una foto. Tornare indietro non era possibile, ragionò districandosi dai suoi pensieri e cambiando fantasticheria: se l'hovercraft fosse salito sulla terraferma e avesse continuato la sua avanzata verso Reggio Emilia come un carrarmato avrebbe dovuto solo lasciarsi andare e aspettare di arrivare a destinazione. E invece no, bisognava alzarsi, prendere altro vento, fare un altro passo consapevole lontano da quella vita così perfetta.

Mentre la ciambella di gomma che li aveva tenuti a galla si sgonfiava e tutto il loro mondo si abbassava, Vicky si aggrappò al braccio di Iain. Il contatto con quel caro corpo gli diede una scossa di piacere che lo risvegliò da tutte le riflessioni inebriate dall'odore del kerosene.

«Perché invece di stare a Reggio Emilia non prendiamo una casa in campagna?» suggerì Vicky, con gli occhi e il naso arricciati per proteggersi dal vento forte e disordinato.

«Che c'entra la campagna, ora?» rispose Iain, più brusco del solito. La capacità di Vicky di cambiare sempre il fuoco delle situazioni continuava a spiazzarlo e, a volte, non riusciva a contenere l'irritazione. Se ne dispiacque. La mano di lei, sottile e setosa tranne per le punte delle dita, ruvide di pellicine mangiate e ricresciute, fece uno scatto nella sua, che la conteneva tutta.

«Possiamo muoverci in bicicletta, potremmo avere una casa più grande, un giardino. Non sarebbe bello, avere il nostro giardino?» disse Vicky. La voce che faceva progetti aveva qualcosa di spento mentre li pronunciava e Iain si sentì in dovere di contenere quel fuoco di fila di idee. Le diede un bacio sulla mano e, cercando di suonare leggero, disse:

«Reggio Emilia ti sta già stretta? Vediamo prima com'è, no?»

«In parte lo immaginiamo com'è, dai!» rispose lei. Per quanto fosse avventurosa, Vicky si fidava molto della conoscenza che le veniva dallo studio, soprattutto quando intorno alle nozioni aveva costruito nel tempo un'idea forte. E l'Italia l'aveva studiata bene, pensava. Aveva guardato i film di Fellini, di Visconti, dei neorealisti, aveva letto tutto quello che era riuscita a trovare in edizione bilingue e che una scultrice di mezza età di nome Armida, incontrata l'anno prima all'Istituto Italiano di Cultura di Londra e subito arruolata come precettrice, aveva suggerito loro. Iain si era concentrato sulla grammatica, che invece Vicky, cresciuta in una famiglia di musicisti e con una bella voce, aveva affrontato imparando a memoria i testi delle canzoni di Mina, col risultato che la sua padronanza della lingua era tutta incentrata sul mondo dei sentimenti e delle pene d'amore. A Iain quella passione esibita metteva addosso un certo imbarazzo, ma trovava Vicky nella sua versione di ardente cantante italiana ancora più buffa, ancora più bella.

Fossero stati bendati, l'avrebbero capito subito che erano sul continente e non più nella loro isola. La Francia sembrava fatta della stessa materia dell'Inghilterra, solo diluita, meno rimaneggiata, come se tutto fosse stato lasciato al caso e il caso avesse di suo un ottimo gusto. La gente parlava più che dall'altra parte della Manica, e tutti sembravano volerti catturare con la loro bellezza e con la loro antipatia, come se la seconda fosse il cane da guardia della prima, messo lì a difenderla e, al tempo stesso, a darle risalto anche quando ce n'era poca. In treno Vicky e Iain si sorpresero a guardare la splendida monotonia del paesaggio cercando di capire come fosse possibile che due alberi e un prato volessero dire cose così diverse a seconda che fossero in un paese o nell'altro. Nella natura inglese trapelava lo sforzo collettivo, una maniera che i fiori avevano di mettersi a disposizione del risultato finale, mentre in Francia ogni albero sembrava cullarsi nella sua solitudine, nel suo essere l'unico albero dell'unico prato. Un posto di cui innamorarsi e soffrire, mentre in Inghilterra anche i boschi sembravano dire: vieni a nasconderti tra di noi. Era questo il corso che i pensieri di Iain avevano preso quando il treno arrivò a Parigi e le prime luci elettriche della sera iniziavano a stagliarsi contro un cielo ancora chiaro. Vicky guardava dalla finestra con la testa appoggiata alla spalla di Iain e le orecchie immerse nel lettore musicale, dalle cui cuffie fuoriusciva il brusio disordinato di quello che stava ascoltando: musica leggera italiana, di cui ripeteva il testo a fior di labbra, lasciandosi scappare di tanto in tanto una nota ad alta voce. Aveva un odore di avena e quando si alzò per prendere il suo zaino, oltre al piccolo lutto di non averla più addosso, Iain sentì per la prima volta da quando erano partiti quella mattina lo slancio del viaggio farsi strada nella sua testa. Scese per primo, aiutando Vicky a saltare giù dal predellino con la sua giacca di velluto, troppo calda per la stagione ma troppo pesante da tenere in borsa.

Nella grande voliera vociante della Gare de Lyon, comprarono due *baguettes* farcite, pesanti come piombo, e una copia di

Libération da leggere sul treno notturno per Milano. Nel loro scompartimento c'erano due viaggiatrici francesi di mezza età, un ragazzo norvegese con uno zaino ancora più grande del loro e un uomo italiano con i capelli bianchi che era stato a trovare la figlia. Mangiarono, fecero finta di interessarsi al giornale stancandosi dopo due articoli e prepararono i loro letti, con i soldi e le cose di valore in una borsetta da tenere sotto la maglia e i piccoli plaid sintetici che scivolavano sulla superficie di finta pelle. Presero le cuccette più in alto e prima di addormentarsi le loro mani rimasero per qualche istante strette in un nodo bianchissimo che, nel buio, seguiva i movimenti del serpentone metallico che li stava portando via.

3.

Attraverso lo specchio

Londra, 2008

Un giorno di inizio marzo Sally, che come molti nel mio uffico aveva il titolo di «manager», entrò in ufficio reggendo con baldanza due grandi scatole azzurre con il coperchio trasparente. Dentro c'erano dei dolci avvolti in un abitino di carta plissettata e ricoperti da elmetti di zucchero variopinto, decorati come il sogno di una bambina di otto anni. Come al solito lei aveva il rossetto, fucsia questa volta.

«Ho portato questi per voi» annunciò appoggiando le scatole sul tavolo accanto alla fotocopiatrice. Si mostrava indaffarata, forse per nascondere la cura che ci aveva messo a scegliere come celebrare sé stessa.

«Complimenti Sally, che pensiero dolce da parte tua festeggiare la tua promozione insieme a noi!» le disse Ben, un ragazzo nero con cui aveva condiviso a lungo grado e scrivania, senza nascondere la vena ironica nella voce bassa. Qualcuno le passò accanto congratulandosi, altri le dissero un «brava» da lontano, e lei rispose a tutti con un sorriso tirato e una raffica di «grazie, grazie». Poi, senza dire niente, prese una delle due scatole e si diresse verso l'ufficio di Wouter e degli altri capi con passo deciso. Nessuno si stupì e ciascuno si scelse con cura una *cupcake* senza neppure interrogarsi sui gusti. Io ero rimasta incantata da un cespuglio di rose di zucchero rosso su un fondo verde chiaro e aspettai con apprensione il mio turno. Fortunatamente nessun altro lo voleva.

Quando Sally ritornò ondeggiando sui tacchi, avevo staccato appena tre rose dal mio dolcetto dopo aver scansionato una serie di documenti. Ripose con un sorriso trionfale la scatola sulla fotocopiatrice che avevo appena finito di usare e, passando accanto a me e a Ben, che mi stava dettando i contratti da catalogare, disse cospiratoria:

«Sabato faccio una festa da me. Tu e la tua ragazza ce la fate a venire?» Poi si guardò intorno, incrociò i miei occhi, fece una smorfia di affettato stupore e aggiunse: «Anche tu Alina, dai!»

Pensai subito al mio vestito blu elettrico, quello che mettevo quando volevo farmi notare.

«Mi raccomando, dovete venire travestiti, il tema è 'icone pop degli anni Novanta', datevi da fare!» annunciò fiera.

«Grazie Sally, ma non possiamo, siamo via nel fine settimana» rispose Ben, sinceramente dispiaciuto. Trattenni il fiato. Cosa dovevo fare, tirarmi indietro anche io? No, no, io dovevo andare.

«Molto gentile Sally, io invece ci sarò» dissi con un sorriso che lei ignorò mentre accendeva il computer e armeggiava intorno alla sua scrivania. Poi, quando la mia risposta sembrava essersi inabissata nell'indifferenza, all'improvviso tirò le sue labbra dipinte in un sorriso enfatico.

«Oh, Alina, sono così *eccitata* che ci sarai» disse guardando lo schermo che si illuminava.

Mai quanto me, pensai.

Che nella strada ci fosse una festa si capiva appena svoltato l'angolo. Il rumore della musica e delle risate risuonava nella serata gelida di un quartiere di case morbide e si andava a perdere nel buio infinito di Hyde Park, che respirava placido lì accanto. Ci avevo messo un'ora ad arrivare da Victoria Park, un'ora di cambi di metropolitana in cui le scarpe di vernice nuovissime avevano disseminato sui miei piedi una serie di ferite e taglietti che continuavano a bruciare nonostante il freddo. Con in una mano una bottiglia di vino, un Chianti che avevo trovato nel supermercato della mia zona, e nell'altra un pacchetto con un paio di orecchini apparsi al termine di un pomeriggio di ricerche nei grandi magazzini di Oxford Street, avanzavo emozionata, perplessa solo dal mio abbigliamento. Sdraiata tra i cuscini del suo letto matrimoniale, Ilaria, la mia padrona di casa, molto colpita dal mio invito a Notting Hill, si era dedicata con entusiasmo a darmi istruzioni su come affrontare la serata.

«Devi prenderlo sul serio, questo tema» mi disse buttandosi sulla coperta a fiori. «Hai chiesto in giro, come si vestiranno gli altri?»

«Credo di essere l'unica dell'ufficio ad andare, figurati se una come Sally dice a me cosa ha in mente. Ma non posso mettermi qualcosa di strano da poter poi togliere?» chiesi con apprensione.

«Non stare al gioco è da antipatica, anzi, peggio, da persona noiosa» rispose dirigendosi verso l'armadio. Col ricordo tornai a quei pomeriggi di molti anni prima in cui, nella stanzetta di sua sorella minore Carla, mia grande amica d'infanzia, Ilaria aveva impartito alle nostre giovani menti lezioni immortali su cosa significasse mettersi in tiro. Sebbene la persona a cui dai sette ai diciassette anni avrei fatto di tutto per somigliare fosse rimasta tale e quale nel fisico e nei tratti, l'allegria strascicata da romana si era in parte persa, le sue consonanti avevano preso a tintinnare come quelle del marito James, i suoi bambini biondi parlavano malissimo l'italiano e in casa sua si respirava un'aria molto lontana dall'appartamento in cui l'avevo vista crescere, quello in cui il salotto si usava solo nelle occasioni importanti e in cui i soprammobili scintillavano anche in penombra. Le avevo chiesto ospitalità pur di non accettare la camera che la mia nuova azienda mi aveva messo a disposizione. Una soluzione, quest'ultima, che mi provocava misteriosamente più imbarazzo che andare a stare per qualche giorno a casa di una persona che non vedevo da anni. Con Ilaria sapevo come sdebitarmi – le avevo portato sei bicchieri colorati che lei aveva guardato come venissero da un altro mondo – mentre nei confronti dell'azienda e della sua lusinghiera offerta di lasciarmi l'uso di una stanza della foresteria per una settimana mi sarei sentita in difetto: a chi avrei dovuto mandare i fiori, scrivere un biglietto di ringraziamento, ricambiare il favore?

«Io però vorrei mettere il mio vestito blu elettrico, mi fa sentire bella, te lo faccio vedere» affermai correndo a prendere l'abito in camera mia nella speranza di convincerla a smetterla con quella storia del travestimento.

«No, troppo scollato» rispose perplessa. «Poiché vai da sola e non conosci nessuno non devi esagerare, ma non puoi neanche tirarti indietro. Ci saranno dieci Spice Girls e venti Take That, alcuni avranno affittato i costumi, rischi di sentirti a disagio. Però ho un'idea: te la ricordi Lisa Stansfield, quella di *All Around the World*, con i capelli corti e il berretto con la croce?» proseguì aprendo cassetti e spalancando ante fino a quando non tirò fuori un basco di velluto nero, un giubbotto di pelle e, dal comodino accanto al letto, degli orecchini a forma di crocifisso. «Ti metti il rossetto scuro e vai tranquilla» concluse soddisfatta.

Con il mio vestito blu elettrico sotto, pensai, anche io felice.

«Non mi pare di essere eccessiva, dai» le dissi ridendo prima di uscire, dopo aver riprodotto in maniera attentissima le foto della Stansfield che avevo trovato su internet. Non era famosa come altre, però la sua aria distaccata e ribelle catturava una delle mille ragioni per cui ero lì a Londra: mi sarei attaccata addosso un'atmosfera, più che un personaggio in particolare.

«In bocca al lupo, e ricordati che quando ti chiedono come stai tu devi solo rispondere: bene, e tu? Nessuno si aspetta un resoconto della tua vita» mi avvertì Ilaria ridendo, come se trovasse esilarante il compito di trasferirmi la saggezza accumulata negli anni e di rivelarmi le assurde regole di Londra.

Mi trattenni dal chiederle come avrei potuto fare amicizia, se non parlando di me e ascoltando quello che gli altri avevano da raccontarmi di loro, e uscii cercando di non pensare troppo alle sue parole, che nella mia testa equivalevano a un invito a partire per la guerra deponendo l'arma che io, e pure Ilaria nel suo lontano passato romano, usavamo ogni giorno, ossia la confidenza, quel far nascere fatue fratellanze o più spesso sorellanze dal nulla, da uno stato d'animo, da una piccola vicenda personale, da una lamentela comune. Sul momento funzionava sempre ma col tempo mi capitava molto spesso di pentirmi di aver detto qualcosa di me a qualcuno che conoscevo appena e ricordando con un brivido un paio di episodi particolarmente negativi – pettegolezzi usciti fuori controllo, ritorsioni insensate per parole fraintese – mi dissi che mi potevo anche trasferire nel mondo del riserbo, oltre che a Londra.

Il quartiere dove viveva Sally aveva una consistenza diversa rispetto a quello di Ilaria, che tutt'a un tratto mi apparve povero, sguarnito. Dalle mie passeggiate avevo imparato molte cose, e se degli inglesi avevo capito poco, mi colpiva però il modo di vivere che avevano scelto, come se su ciascuno di loro ci dovesse essere il cartellino del prezzo: amavano le stesse cose e si definivano attraverso la qualità della versione che si potevano permettere, in un sistema di gradazioni che mi faceva impressione. Quella sera, tra i fantasmi cremosi di Notting Hill, sentii per la prima volta acuto un divario che avevo finora cercato di ignorare.

Accanto alla porta laccata di nero c'era un citofono dorato con tre bottoni indicati laconicamente come A, B e C in bella calligrafia. Quando premetti il terzo, sentii la scampanata metallica perdersi nel vociare festante dell'ultimo piano. Nessuno rispose. Esitante, dopo un minuto riprovai spingendo il pulsante due volte, anche questa volta senza fortuna. Feci due passi indietro per vedere se c'era qualcuno alla finestra, ma nessuna delle sagome in movimento mi sembrò abbastanza vicina da essere raggiunta dalla mia voce. Riprovai col campanello, e a ogni squillo la distanza da quel mondo cresceva, le scarpe mi sembravano più lucide, il berretto di velluto più ridicolo e i due regali che portavo un peso enorme da sostenere davanti a tutta quell'indifferenza. Si fecero largo anche i dubbi. Forse avevo esagerato a vestirmi, a dare retta a Ilaria e da ultimo anche ad accettare un invito che mi era stato esteso senza convinzione né calore. Guardai l'orologio, non erano neanche le dieci, pensai che prima o poi qualcuno sarebbe arrivato ad aprirmi. Subito dopo, con ben altro sollievo, pensai anche che potevo andarmene via senza essere vista e senza protrarre inutilmente quella sensazione di freddo che mi si arrampicava su per le gambe. Sospirai e feci il mio ultimo tentativo sfiorando appena il campanello, che ripeté il suo trillo argentino. Stavo ormai per scendere i cinque scalini dell'ingresso quando il rumore della festa uscì come da un altoparlante attraverso la grata dorata del citofono e una voce maschile tuonò allegra: «Terzo piano!» Io, che a quel punto allegra non ero più, avevo deciso di far finta di niente e di cedere alla tentazione di fuggire quando il boccaporto sonoro si spalancò di nuovo e la stessa voce aggiunse: «Si è aperta la porta?» Dopo venti minuti al freddo di una sera di marzo tutta questa premura mi convinse a tornare sui miei passi e ad andarci, a quella festa.

Salendo per le scale di legno, ammirai la carta azzurrina sul muro lasciato scoperto dai pannelli di legno antico e, dallo spiraglio della porta socchiusa, intravidi i toni caldi di una stanza ben illuminata. La casa di Sally aveva le pareti di un arancione acceso, i divani di pelle e una serie di oggetti decorativi e insulsi come una scritta luminosa LOVE appoggiata su uno scaffale, una pila di libroni d'arte dall'aria intonsa disposti su un tappeto a pelo lungo come a creare l'effetto di un tavolino e riproduzioni di foto ormai troppo famose, come la lacrima di Man Ray, disseminate in giro nel tentativo di rafforzare le credenziali intellettuali di chi la abitava. Dopo averci lavorato fianco a fianco per un paio di mesi, era esattamente quello che mi aspettavo da lei. Lo stesso colpo d'occhio mi mostrò la padrona di casa ridere mentre apriva una bottiglia accanto alla cucina, con i capelli scuri coperti da una parrucca bionda e un vestito corto con una

Union Jack in *paillettes* addosso. Ecco la prima Spice Girl, riconobbi con un brivido. Intorno a lei ci saranno state circa venti persone, forse di più, tutte con tenute assurde che non seppi subito decifrare, distribuite tra il salottino e l'angolo cottura. Forse qualcun altro era in corridoio o in una stanza che non riuscivo a indovinare, pensai, prima di accorgermi che tutte le altre componenti della girl band di Sally erano in realtà maschi travestiti. Stavo divorando ogni dettaglio quando mi venne incontro un ragazzo minuto con una giacca a righe attillata e degli occhiali con montatura spessa e lenti gialle che mi ricordavano qualcosa.

«Eri tu al citofono prima? Spero che tu non abbia aspettato troppo, si sente malissimo» si informò con un sorriso.

«Stavo quasi per andarmene» risposi.

«Ah, ho capito, mi dispiace. Io una volta sono rimasto giù mezz'ora» aggiunse. Gentile, pensai, e sorrisi.

Nel frattempo Sally si avvicinò, regina di disinvoltura a piedi nudi.

«Alinaaaaa, sei venuta, fantastico» disse con la voce acuta e l'aria di chi aveva già bevuto parecchio.

«Sì, che bello. Qui c'è del vino italiano e questo è un regalo per te» dissi allungandole il pacchetto che avevo preparato io stessa, visto che a Londra, come avevo scoperto nel pomeriggio, nessun negozio farà mai una confezione regalo. «Sei bellissima» le dissi cercando di suonare convinta.

«Anche tu!» rispose prendendo il vino e appoggiando gli orecchini sullo scaffale accanto alla scritta LOVE. Speravo mi chiedesse da cosa fossi vestita, ma non lo fece. «Il cappotto puoi lasciarlo in camera da letto» aggiunse guardando perplessa le mie scarpe. «Togli queste, per favore? Non vorrei che graffiassero il parquet».

Entrai in camera da letto e cercai un angolo libero per appoggiare le mie cose fuori dalla montagna nera di soprabiti che si era creata. Mi guardai allo specchio e mi girai subito dopo: mi trovavo bella, ma anche fuori luogo. Pazienza. Tolsi le scarpe con sollievo, ma appena appoggiai il piede per terra mi accorsi che le mie calze avevano agganciato un chiodo o una scheggia di legno del vecchio parquet. Cercai di muovermi con cautela, ma non ci fu niente da fare: la smagliatura scalò la mia gamba come una fiamma e si fermò alla metà del polpaccio. Pensai di togliere le calze, ma mi ricordai dei piedi arrossati dalle scarpe. Mentre ragionavo sulla soluzione più onorevole, la porta della camera si aprì ed entrò una coppia.

«Non c'è più spazio» disse la ragazza.

«Boh, mettiamoli qui per terra» suggerì il ragazzo.

«Qui, nell'angolo libero» confermò lei.

Senza neanche salutarmi si tolsero i cappotti, li appoggiarono al suolo e tornarono verso il salotto, dove qualcuno aveva alzato la musica e abbassato le luci. Abbastanza da permettermi di avventurarmi fuori, calcolai.

Uscita dalla stanza, qualcuno mi allungò una birra.

«O preferisci del vino?» mi chiese una giovane donna vestita di scuro che disse di chiamarsi Katie e di essere la sorella di Sally. Presi la birra e le sorrisi, commentando che effettivamente si somigliavano.

«Da cosa sei vestita?» mi chiese squadrandomi. Lei aveva i capelli cotonati, gli occhi molto truccati e molti strati confusi di veli neri addosso.

«Io da Lisa Stansfield, te la ricordi?» risposi cercando di non ridere.

«E come fai a conoscerla? Ascoltate quella roba nel tuo paese?» Aveva un volto tagliente e la stessa pelle ambrata della sorella, ma il suo volto era libero dalla pletora di smorfiette con cui Sally affrontava la vita. «Vieni dalla Spagna, vero?»

«No, da Roma, sono arrivata da un paio di mesi. Londra mi piace molto» dissi per farle risparmiare tempo.

«Mah, si corre come topi e alla fine della giornata resta poco, ma è qui che succede tutto». La musica era sempre più alta e facevo una fatica enorme per capire quello che mi diceva. Intanto Sally aveva preso a parlare a voce molto alta e a emettere una serie di gridolini – «fantastico, stupendo!» – per dare il benvenuto a un gruppo di ragazzi appena entrati. Qualcuno si stava occupando di togliere i pesanti libri d'arte dal centro della stanza per creare uno spazio in cui si potesse ballare e io, senza neppure accorgermene, avevo appena finito la mia birra. Chiesi alla mia interlocutrice se voleva un altro drink.

«Ottima idea, andiamo» disse dirigendosi verso il bancone della cucina, dove erano appoggiate alcune bottiglie vuote, tra cui il mio Chianti, e piatti di carota e sedano tagliati accanto a coppette di salse calcificate. Io presi un'altra birra mentre lei si riempì il bicchiere di vino bianco e lo bevve quasi tutto d'un sorso. Poi se ne versò ancora.

«Tu da cosa sei vestita, invece?» le chiesi per interrompere tutto quel tracannare.

«Boh, da rockstar generica» rispose svogliata, prima di aggiungere: «Ma anche alle feste in Italia si incontrano solo coppie?» Ci misi qualche istante ad accorgermi di aver colto la sua domanda – non mi capitava spesso quando c'erano tanti rumori di fondo – e iniziai una risposta articolata, quando vidi che stava perdendo interesse e che anche lei si stava dirigendo verso il gruppo di ragazzi appena entrati. Mi guardai intorno interrogandomi sul senso di quello che mi aveva chiesto: c'erano coppie, forse più che in Italia, però il quadro non mi sembrava così definito. Alla nostra età era una cosa alla quale facevo a malapena caso, se c'erano coppie era sicuramente una situazione temporanea che presto sarebbe stata stravolta. Strano che lei ne fosse preoccupata, pensai. Nel frattempo la gente aveva iniziato a ballare, ma io questa volta mi ero data un'altra missione: parlare, trovare amici, avere qualcuno da chiamare il lunedì successivo. Al di là dell'arredamento insulso, quella casa mi piaceva e pensai che finalmente ero al di fuori del girone del ramen, delle conversazioni legnose e degli arrosti che Ilaria cucinava di domenica per i suoi amici e i loro figli piccoli.

Qualcosa stava incominciando e io andai a cercare un'altra birra per festeggiare.

Katie tornò caracollando già ebbra tra i suoi drappi neri. Accanto a lei c'era un ragazzo con un giubbotto di pelle, gli occhiali da sole rotondi e una parrucca scura con frangetta corta e basette lunghe. Era molto più alto di me.

«Lui è il mio amico Iain, lei è...», disse Katie.

«Alina», la aiutai. «Sei vestito come il cantante degli Oasis, vero?» aggiunsi cercando di indovinarne le fattezze sotto il travestimento. Le labbra erano morbide e si allungavano verso due fossette forse scolpite dalla risata, forse dal tormento. I denti irregolari seguivano la logica della bocca e del sorriso largo, e menomale che nessuno aveva provato ad allinearli, pensai. Alla ricerca di altri indizi sul ragazzo che si muoveva in maniera così singolare davanti a me, mi accorsi di un neo sul collo e notai che quel collo era forte come le spalle, le braccia, i polsi e le mani, nonostante la magrezza. Il naso, in parte camuffato dalla parrucca e dagli occhiali, aveva una piccola gobba appena percettibile e la pelle, seppur chiara, non sembrava suggerire una capigliatura bionda.

Ora devo vedere gli occhi, pensai con un senso di urgenza.

«Sì, io sono Liam, Noel è da qualche parte che prepara un gin and tonic» disse guardando verso il tavolo. «E tu sei quella che ha scritto una sola canzone, qualche anno fa si sentiva dappertutto, parla di lei che gira per il mondo... Lisa Qualcosa?»

«Sono io, lo ammetto» risposi sorniona.

Sally, che a quel punto si muoveva saltando sgraziata per la stanza, iniziò a dimenarsi davanti a me, mi prese la mano e mi disse «Balla, dai!»

«Arriviamo, lasciaci finire il nostro drink» le rispose Katie senza girarsi. Non lo diedi a vedere, ma gliene fui grata.

Guardai l'orologio appeso in cucina, erano le undici e un quarto, pensai che non c'era motivo di correre verso la metropolitana per l'ultimo treno. Potevo prendere un bus notturno oppure addirittura regalarmi un taxi, primo vero lusso dopo due mesi da reclusa. Ricordandomi del consiglio di Ilaria, stavo cercando un modo non troppo invadente di proseguire la conversazione quando Katie mi chiese dove abitassi.

«Per ora a Victoria Park con una famiglia».

«Sono tuoi parenti?» La sua domanda mi sorprese.

«No, no, mi ospita la sorella di una mia amica, starò lì finché non capirò dove voglio vivere».

«Sei venuta da sola?» domandò Iain. Nel frattempo si era tolto gli occhiali da sole, confermando uno sguardo blu di cui a quel punto ero intimamente certa. Non sapevo trovare i contorni di quegli occhi, forse per via delle sopracciglia folte e castane, forse perché era la loro luce assorta, indulgente, così inattesa in quel contesto carnevalesco, a catturare l'attenzione, rubando la scena alla minuzia delle forme e dei dettagli. Sembrava veramente felice della nostra conversazione a tre e non faceva nulla per nasconderlo, mi riempiva di domande restando comunque libero e sfuggente, andava e veniva salutando i suoi amici, dicendo qualcosa a tutti quelli che passavano. Il suo era un modo allegro di mettermi al centro del suo girovagare. Aveva da poco finito gli studi di medicina, era un paio d'anni più grande di me, abitava in un quartiere di cui non avevo mai sentito parlare e lavorava in ospedale. Se lui era Liam Gallagher, suo fratello Noel era un suo amico scozzese che tutti chiamavano Macca, anche lui con parrucca e occhiali. Il suo ingresso nella nostra comitiva mi mise improvvisamente a disagio perché, per quello che riuscivano a cogliere le mie orecchie inesperte, si mangiava quasi tutte le parole. Non che chiacchierasse molto, al contrario: l'ultimo arrivato era una presenza taciturna e al contempo estremamente rumorosa. Aveva una gran risata baritonale che però, essendo timido, veniva inframmezzata da una serie tentativi di contenersi, di essere meno fragoroso o esplicito nel proprio buon umore. Solo che quei tentativi non riuscivano, e finivano col produrre rumori strani: risucchi, colpi di tosse, rantoli, e, ne ero sicura, una volta anche un peto. Le sue maniere gentili lo aiutavano a redimere l'impressione ruvida e, guardandolo meglio, restai stupita da quanto fosse vestito bene nonostante il mascheramento. Erano cose a cui, da figlia di «Sergio Guerra abbigliamento per uomo», facevo caso: la sua maglia era splendida, anche se mi sembrava di aver visto l'oblò lasciato da una tarma, e le sue scarpe di pelle erano così consumate che se fossero state di qualità inferiore si sarebbero già decomposte.

Parlammo a lungo tutti e quattro e dopo due ore che mi sembrarono cinque minuti, mi accorsi che la stanza si stava svuotando ed eravamo rimasti quasi solo noi. Presa da un accenno di panico, pensai che fosse giunto il momento di andare via. Non volevo essere l'ultima, non volevo sembrare inopportuna, o insidiosa, o insinuante, o qualunque cosa di cui mi potessi pentire il lunedì mattina e quindi andai a recuperare cappotto, borsa e scarpe cercando di passare il più possibile inosservata. Salutai Katie, Macca e Iain con promesse di telefonate e dopo aver fatto cenno a Sally da lontano – era avvinghiata sul divano a uno col fisico da rugbista – mi ritrovai sul pianerottolo da sola a cercare di infilarmi le benedette scarpe di vernice, che sul mio piede nudo e gonfio proprio non volevano entrare. Mi sedetti sulle scale per riprendere fiato quando la porta dell'appartamento si aprì e emerse Iain. Me l'aspettavo, e lo desideravo anche, ma solo in parte: non avevo dubbi che ci saremmo rivisti e in quel momento avevo soprattutto fretta di essere sola, rivivere la serata nella mia testa, capire dove mi avrebbe portata.

«Come torni a casa?» mi chiese con un sorriso, illuminato solo dalla flebile luce proveniente dall'interno della casa. Si era tolto la parrucca, i capelli erano castani.

«Prenderò un taxi». Tentai di eliminare ogni ammiccamento dalla mia risposta.

«Allora mi raccomando, non ti addormentare e tieni gli occhi aperti, è il modo più bello di vedere la città». La sua voce suonava diversa nel silenzio, era più bassa. A un tratto il vago sollievo provato per essere riuscita a salutarlo come tutti gli altri mi sembrò solo maleducazione da parte mia. Cercai di alzarmi ma non ci riuscii, i piedi facevano troppo male e rischiai di cadere. Lui mi sorresse e il contatto inaspettato mi piacque, mi abbandonai per un istante nella sostanza di quelle braccia come se avessi scoperto qualcosa e, dopo avergli sussurrato un «buonanotte» affettuoso, come promesso a me stessa, andai via.

4.

Nel sole rosso

Milano-Reggio Emilia, 1999

Arrivarono a Milano la mattina presto, faceva già caldo. Lasciarono gli zaini al deposito bagagli e presero un cappuccino e una brioche in un bar dentro la stazione mentre i piccioni ci volavano dentro. Appena l'orologio suonò le nove andarono a comprare delle lire all'ufficio cambi, visto che il caffè lo avevano pagato con un biglietto da diecimila che gli aveva dato Macca prima di partire, avanzato da un viaggio dei suoi in Sicilia. Presero dei gettoni e chiamarono Jack e Sandra, gli amici dei genitori di Vicky, che li invitarono ad andare a dormire da loro per qualche giorno, in attesa di trovare una sistemazione a Reggio Emilia.

«Grazie mille. Possiamo arrivare questa sera? Prima vorremmo girare per la città, e non vogliamo disturbarvi» disse Vicky con la sua voce perfetta da ragazza educata.

Era grande e alta, grigia e assolata, Milano. Con un traffico tossico e disordinato ma piena di pasticcerie decorate come scrigni, a Vicky e Iain sembrò una città di carta vetrata, non il soffice approdo italiano che avevano immaginato. Videro Brera, il Duomo, mangiarono un gelato sui Navigli, rimasero colpiti da come nel centro ci fosse di tutto, lavoratori e casalinghe che facevano la spesa gli uni accanto agli altri, senza quella distinzione di vite, quartieri e direzioni che invece esisteva a Londra. Presto si misero a fare l'imitazione dei milanesi che camminavano spediti, Vicky riprese a cantare canzoni di Mina e Iain le spiegò tutto sul Cenacolo, chiuso per restauro da tanti anni. Alla fine di una giornata che sembravano cento, tornarono in stazione. Il cielo era rosso e quella luce stava bene a Vicky, pensò Iain mentre la guardava rollarsi una sigaretta di tabacco seduta sul suo zaino blu.

«Mi sembra strano essere qui senza i miei fratelli» disse lei.

Quelle parole arrivarono addosso a Iain come una vespa arrabbiata. Non c'era scampo: per la sua ragazza essere in coppia voleva dire far parte dell'asse più saldo di un collettivo, anche quando erano mano nella mano al tramonto in una città italiana.

«Vicky, posso chiederti una cosa? Ma tu sei felice di essere qui con me?» Il cuore lo sentiva premere sul pomo d'Adamo, gli faceva quasi il solletico tanto era vivo.

Lei si voltò verso di lui meno indispettita dalla domanda di quanto Iain, in cuor suo, aveva sperato.

«Mi dispiace che ne dubiti» disse con uno dei suoi improvvisi cambi di tono. «Non pensavo ti succedesse mai».

«Sei sempre felice di tutto, ma sembra anche che vorresti essere in un altro posto, come se quello che hai non ti bastasse mai». La sfera arroventata nella gola di Iain continuava a bruciare mentre Vicky parlava. Non voleva che dicesse altro, solo che gli prendesse la mano e dimenticasse la sua idea stupida di fare domande così personali per tornare indietro a quando tutto poteva essere taciuto o affogato in una tazza di tè.

«Per me la felicità è dove ci sei anche tu, Iain. Ti voglio bene» aggiunse lei dolce. E lo abbracciò forte alzandosi sulla punta dei piedi.

Presero i loro bagagli e salirono sull'autobus per andare verso la casa di Sandra e Jack, che si trovava a Brera. Attraversarono di nuovo le strade che avevano visto poco prima a piedi, come per fare un ripasso rapido della prima giornata nel nuovo mondo, sorridendo a ogni cosa che riconoscevano. L'autista gli indicò la fermata alla quale dovevano scendere, ultima arteria trafficata prima del reticolo di stradine eleganti dove, dopo pochi passi, trovarono l'indirizzo degli amici dei loro genitori, un pesante portone verde dietro il quale c'era un piccolo Congo condominiale. Salirono lungo una scala aperta sulla voragine dell'androne, nudo e attraente, e quando arrivarono all'ultimo piano trovarono la porta semiaperta e Sandra, con lo spesso casco di capelli neri che Vicky ricordava da quando era bambina, affacciata ad aspettarli.

Li accolse con distaccata cordialità, invitandoli a seguirla lungo il corridoio sul quale si aprivano più stanze di quante i ragazzi potessero contare, lucide di parquet verso l'apertura di un terrazzo che dava su tutta la città. Jack era lì seduto sotto una buganvillea arancione con un libro e una bottiglia di bianco in un secchiello di ghiaccio. Li invitò a unirsi a lui e chiese alla minuscola cameriera asiatica di portare altri due dei bicchieri mentre Sandra faceva risuonare i suoi passi decisi per la casa, aprendo porte seguita da Vicky, che osservava divertita tutto questo movimento, tutti questi ambienti pieni di quadri, lacche, oggetti taglienti. La loro stanza era accanto allo studio di Jack e, oltre a un letto matrimoniale e a uno scrittoio, conteneva anche un divano a larghe righe grigie, con le pareti gialle che si vedevano appena dietro le librerie di radica. C'era un bagnetto con maioliche scure che faceva capolino da dietro una porta e l'odore di tabacco e sandalo nell'aria mise a loro agio i ragazzi, subito capaci di immaginarsi in questo e in chissà quale altro mondo, ospiti benvenuti e vezzeggiati della novità. Dopo la generosa cena di pesce sulla terrazza, circondati da una bellezza che non era mai abbastanza, andando a cercare un'altra bottiglia di vino in frigorifero, Iain trovò Sandra che si fumava una sigaretta da sola in cucina.

«Oggi pomeriggio ho telefonato ai Norman per salutarli e dirgli che siete arrivati. Jane mi è sembrata inquieta» dichiarò guardandolo attraverso gli occhiali rossi dalla montatura geometrica. Era severa, attenta. «Dice che spera che Vicky stia bene, ma non sembrava convinta, mi ha detto che ha avuto nuove crisi. Tu starai molto attento a quella ragazza, vero?»

«Certamente, starò attento» assicurò Iain guardando le gru in lontananza.

5.

Il sentiero bianco

Londra, primavera 2008

Nel carrello erano già stati messi lenzuola, cuscini, un contenitore per le posate e alcuni vasetti per la cucina. Katie continuava ad annotare con una piccolissima matita le sigle di quello che dovevano ancora recuperare – una scarpiera, un mobiletto per il bagno – mentre passeggiavano tra le ipotesi di casa pensate dal grande negozio svedese. Avevamo vissuto con poco o niente per quasi due settimane, usando solo le cose che erano state messe a disposizione dal padrone di casa o che Katie si era portata dietro, ma quando ormai eravamo entrate abbastanza in confidenza l'una con l'altra da poter arredare insieme una casa ci eravamo dirette verso Ikea, tempio laico dove si celebrano le convivenze. Io ci ero stata solamente una volta, a Roma, per accompagnare un'amica che cercava una libreria e mi era piaciuta l'atmosfera costruttiva che si respirava nel negozio, come se tutta la progettualità umana si fosse data appuntamento in uno di quei capannoni fuori porta. Ma ora avevo uno spazio tutto per me e mi esaltava il fatto di poter riempire il carrello di oggetti che avrebbero dato un'atmosfera alla mia vita, come quel vicino di casa dalla cui finestra potevo scorgere una grande libreria interamente ricoperta di piante. Uno spunto a cui io, romana abituata a prendere poche iniziative rispetto alla bellezza della mia città, non avrei mai pensato.

Grazie all'ospitalità di Ilaria e James, ottenuta in cambio di un modesto affitto e di qualche serata a tenere i bambini, non mi ero dovuta porre subito il problema di trovarmi una casa a Londra, dove per i primi tempi non mi ero sentita in grado di prendere decisioni: non la capivo, era troppo grande e fluida e io solo una debuttante a un ballo di danze esotiche. Pochi giorni dopo la festa, Sally era venuta da me tutta sorridente e mi aveva suggerito di chiamare sua sorella Katie, con cui avevo «fatto amicizia», secondo una descrizione che accolsi con fierezza. Cercava qualcuno con cui condividere due piani di una minuscola palazzina vittoriana in una strada bianca e calma a Shepherd's Bush, quartiere dell'ovest della città, vicino al fiume.

Visitai l'appartamento un giovedì sera davvero freddo di metà marzo. Lo presi subito, non perché fosse bellissimo, ma perché a differenza degli altri che avevo visto, mozziconi di abitazioni raffazzonate, aveva l'aria di una casa di bambole, contenuta e accogliente, in cui iniziare a costruire fin da subito una vita. Dopo aver salito alcuni gradini a scacchi bianchi e neri e aver spinto in avanti la porta verde, si entrava in un piccolo androne con i muri color magnolia e due porte di cui una, la nostra, si apriva subito su una stretta rampa. In Italia era raro che ci fossero le scale all'interno degli appartamenti e questo mi dava il senso di poter possedere molto più spazio di quanto in realtà ce ne fosse, un pezzo di mondo, una versione in miniatura di quel qualcosa di bello e grande che ero venuta a cercare. La prima camera, quella che avrei dovuto prendere io, conteneva appena un letto doppio e un armadio, ma era chiara e luminosa, con una finestra a scorrimento di legno bianco che occupava buona parte della parete e il piumino del letto anch'esso bianco che dava all'insieme un'aria eterea. Al posto dell'*abat-jour* c'era una ghirlanda di lucine, come quelle che si usano a Natale ma con forme stilizzate, e anche la moquette, alle cui condizioni avevo deciso di non prestare troppa attenzione, segnava ai miei occhi una rottura con il passato: niente di quella camera ricordava Roma. La seconda stanza era più grande e Katie, avvocatessa con ben altro stipendio rispetto al mio, se ne era già impossessata. Era anche quella molto bianca, con la stessa *sash window* e il letto col piumino soffice e la moquette beige chiaro a pelo lungo, ma in più aveva una scrivania, un armadio a muro e una poltrona. Sul piano ammezzato si apriva il bagno, anch'esso incredibilmente ricoperto di moquette fino al bordo di una vasca su cui facevano bella mostra una serie di piccoli portacandele color latte, in tinta con il resto della stanza, della casa, della città. Lo stile candido proseguiva in salotto, e sul tavolo di legno chiaro, attraversato da una fascia di tessuto bianco che ne lasciava scoperti i lati, troneggiava un oggetto dalla forma squadrata in cui andavano infilate le stesse candeline con la base d'alluminio che si ritrovavano ovunque nell'appartamento. Quei lumini erano ridicoli nel loro voler essere solenni. Come si prendono sul serio questi inglesi che non sanno disporre le cose in un grazioso caso se non nei loro giardini, pensai mentre, interrompendo Katie che mi illustrava i pregi della stanza, le dissi che la prendevo.

Un sabato che eravamo entrambe libere – lei soprattutto, visto che i miei weekend scorrevano ancora per lo più indisturbati – decidemmo quindi di dare forma e sostanza al nostro appartamento. Osservai Katie mentre si destreggiava con il carrello tra i vari modelli di librerie e scaffali. Aveva una maniera di darsi importanza che riprendeva il suo modo di parlare: c'era una forte intenzionalità in tutto il suo essere. I capelli erano rosso scuro, ma non aveva una carnagione da rossa. Sua nonna era indiana e questo in lei si vedeva soprattutto negli zigomi alti, negli occhi nerissimi e nella pelle che tendeva al dorato, come quella di Sally. La bocca era tirata e le labbra assottigliate dalla continua ginnastica della sua pronuncia sopraffina.

«Di che colore vogliamo prendere i piatti?» chiese con cortesia.

«Non so, Katie, scegli tu, cosa ne pensi?» le risposi sperando di raccogliere qualche elemento che mi permettesse di capirla meglio.

«Facciamo bianchi e poi prendiamo i bicchieri azzurri. Non darebbe un'aria molto mediterranea, tutto bianco e azzurro?»
Sorrisi. Tutto sommato, pensai, Katie non aveva torto.

Appena tornata nel sottotetto di Ilaria, la sera in cui visitai la casa, andai su Skype per chiamare i miei genitori. AlinaWar1982, la cui icona era una mia vecchia foto dell'università con gli occhi semichiusi, iniziò a mandare le sue onde a FamigliaGuerra5, che rispose quasi subito. La connessione claudicava, mia mamma appariva come una nuvola indistinta di capelli biondi con in mezzo il riflesso dei grandi occhiali che si ostinava a portare per vedermi, anche se non permettevano a me di vedere lei. Mio padre si muoveva lento sullo sfondo delle vecchie maioliche di terracotta di finto artigianato e a me familiari almeno quanto i tratti del mio viso. Era sempre curato e attento nell'abbinare i vestiti e gli accessori, tra il vezzo di una pochette con motivi cashmere e del dopobarba fresco a segnare l'aria intorno a lui. Mi sembrava di sentire il suo odore anche attraverso lo schermo. Lo si diceva un bell'uomo, e sebbene lo amassi senz'altro più di chi lo diceva, da bambina non riuscivo a indovinare un nesso tra il suo viso maturo, gli occhi castani trasparenti, la bocca sottile con gli angoli amari e ciò che io scoprivo man mano di giudicare bello nel mondo in cui stavo crescendo. Lo trovavo forte, profumato, dolce, lo trovavo tutto quello che di buono c'era al mondo, ma di quel «Sergio è un bell'uomo» che sentivo ripetere da tutti non riuscivo a venire a capo da bambina, anche se mi faceva piacere sentirlo, perché ogni cosa bella verso di lui era una come una carezza a me. Non aveva cambiamenti d'umore discernibili agli occhi di una ragazzina e nel suo mondo concentrato e assorto il gioco non era mai escluso: da uno scontrino poteva nascere in qualunque momento una papera origami, una mollica di pane era la materia prima per forgiare un orsetto e un fazzoletto di seta annodato poteva mettersi a danzare all'improvviso come Oriella Dorella. Quando era stato costretto a sostituire il vecchio registratore di cassa del negozio, me l'aveva regalato, disattivato e innocuo, per imparare a fare di conto e per tenerlo sulla mia scrivania, complice metallico di cento giochi con Carla e mio fratello Marcello, che siccome era proprio un bambino veniva sempre costretto a fare il cliente e a recitare le battute che decidevamo noi. Ancora oggi, quando ho la febbre alta, sento le mie mani scorrere su quei tasti convessi, dallo scatto deciso, con il cassetto che si apre con un trillo allegro e la dolcezza di quel pezzo di mondo adulto regalato col vocione da fumatore di mio padre, che in quel momento, visto di spalle attraverso il filtro del computer, mi apparve finalmente per quello che era: un bel signore, magro, alto, con il volto aperto e i capelli brizzolati corti e soffici.

«Amore, la casa com'era?» chiese mia madre col tono premuroso. La nota aspra di scetticismo la sentivo solo io.

«L'ho presa!»

Mio padre, senza girarsi, mi chiese di nuovo com'era.

«Bella, pulita, senza topi. Vado a stare con la sorella della mia collega, ti ricordi?» dissi lentamente, come per lasciar loro il tempo di orientarsi nella mia nuova vita.

«Sì, certo, Sally e Katie».

Le parole erano scandite con cura, con l'accento romano che ne avvolgeva ogni lettera e spiccava ancora di più nel pronunciare due nomi stranieri, anche se semplici.

«Ti serve una mano con l'affitto, amore?» Era sempre lui che parlava, e non si era ancora voltato. Sorrisi: non me l'avrebbe mai chiesto, a Roma, se avevo bisogno di soldi per l'affitto, perché mia madre non gli avrebbe mai permesso di farsi complice di quella che per lungo tempo, ben oltre ogni ragionevolezza, aveva ritenuto un'uscita di casa prematura e innaturale. La stanza di Shepherd's Bush di per sé era costosa, ma me la potevo permettere; la fierezza di essermi conquistata da sola quel covo soffice di tappeti e cuscini in cui nessuna madre e nessun buon senso a me noto avevano messo mano mi inebriava. Era un luogo senza storia, in cui vedevo solo futuro, e pazienza se i divani bianchi si sarebbero sporcati e la moquette in bagno inzuppata a ogni doccia, se gli armadi erano piccoli e se le finestre lasciavano entrare l'aria gelida. Avrei potuto trovare un mio spazio in ogni imperfezione di quel promettente luogo pieno di errori, poco distante dalla vena lucida del Tamigi, ben connesso con il resto della tentacolare città che ancora non conoscevo.

Con quello che pagavo per l'affitto, a Roma ci avrei preso un appartamento da sola, appena più grande di quello in cui abitava Carla, la sorella di Ilaria, dove per aprire i cassetti bisognava saltare sul letto e tutto funzionava secondo un perverso sistema di incastri. Ma era in un vecchio palazzo del centro e si vedeva tanto cielo.

«Vogliamo mettere delle foto in salotto? Che dici, hai delle foto del tuo cane?» chiese Katie con una strana eccitazione.

«Che ci vuoi fare con le foto del mio cane?» risposi sorpresa.

«Beh, mica vorrai mettere delle foto nostre, sarebbe imbarazzante. Io ho tante foto del mio cane, se vuoi possiamo mettere quelle» disse con il tono di chi aveva avuto una grande idea.

«Meglio, anche perché se io guardo quelle del mio mi metto a piangere, è morto quando ho iniziato l'università» dissi notando che a distanza di quasi dieci anni mi salivano ancora le lacrime pensando a Rufo.

«Oh, mi dispiace tanto» disse Katie suonando più dolce del solito.

Appena tornate a casa dopo aver noleggiato un furgone, Katie suggerì di aprire una bottiglia di rosé mentre mettevamo in ordine le cose che avevamo comprato. Alla radio passava musica pop brutta, forse la stessa di Roma, ma con la differenza che a Londra aveva un'aria di specialità locale, come se si ascoltasse il tango in Argentina.

Finito di sistemare i mobili, cedetti volentieri alla richiesta di Katie di cucinare un piatto di pasta prima di uscire. Feci una carbonara con il bacon dolciastro della colazione e il parmigiano che mia madre mi aveva infilato a tradimento in un pacco di vestiti, e, già euforica per via del rosé, fui felice di mangiare nei nuovi piatti con le posate dal manico bianco nella casa bianca con i bicchieri azzurri – effetto Mediterraneo garantito – e il sentiero luminoso di candeline come unico ornamento sul tavolo spoglio.

Dopo cena alzammo il volume della musica e andammo a prepararci, ballando e schiacciando a colpi di danza i cartoni che ingombravano l'ambiente. Il pezzo era bellissimo, sincopato, cantato da una voce maschile alta e vellutata, e quell'anno lo si sentiva ovunque. Cantammo ad alta voce il ritornello e invidiai Katie che conosceva anche il resto delle parole, pensando che per lei tutto questo era accessibile come per me una canzone di Anna Oxa. Sorrisi dell'accostamento e mi diressi verso la mia stanza per prepararmi, finalmente più consapevole degli usi di quella città e di quell'ambiente sociale, simulando quella disinvoltura che piano piano sentivo scivolare dentro di me come il ritmo della canzone.

Pungolate dal freddo ci dirigemmo verso la metro, direzione Oxford Circus, per andare a raggiungere certi amici di Katie in un pub di Soho. Era la prima volta che uscivamo insieme. Katie era di buon umore, si vedeva che l'alcol aveva già iniziato ad avere effetto su di lei e che l'avvocatessa tirata e nervosa stava facendo spazio alla ragazza del weekend. Si era truccata poco, ma sul suo viso sembrava subito molto, e la sua bocca aveva gli angoli più rilassati, quasi morbidi.

Passò un gruppo di ragazze vestite come quelle che avevo osservato qualche settimana prima a Oxford Street. Faceva freddo, loro erano quasi nude.

«Bevono molto, queste ragazze» disse Katie. «E ogni tanto muoiono».

«Come muoiono? Di cirrosi?»

«No, no, di freddo. Se ne vedi una addormentata per strada devi chiamare l'ambulanza. L'assideramento ha gli stessi sintomi dell'ubriachezza, sai? Ti senti sonnolento e confuso, solo che poi muori».

«Ma perché non si coprono?» chiesi.

«Perché per loro è da deboli coprirsi. E poi per non pagare il guardaroba in discoteca e avere sempre il loro vestito in bella vista. Ci mettono tanto, a conciarsi così, credo che per loro sia la parte più divertente della serata».

«Ma poi rimorchiano?»

«Mah, si beve tanto, sicuramente qualcuno alla fine lo incontrano».

Nel vecchio pub di Soho quella sera c'era un fumo denso e pesante e tutti, ma proprio tutti, avevano una sigaretta in una mano e una pinta di birra nell'altra. Il grande ambiente unico con i soffitti altissimi era soffocato dalle pesanti decorazioni di legno vittoriano e da un bancone centrale all'interno del quale si agitavano quattro ragazzi con l'aria da studenti, indaffarati a rispondere a tutte le richieste. Sotto le finestre di vetro opaco c'era una lunga fila di panche ricoperte di velluto che seguivano il perimetro della stanza. Uomini e donne tendevano a starsene in disparte gli uni dalle altre e tra i clienti non c'era l'uniformità umana che ci si sarebbe potuti aspettare da un locale del centro di una grande città. Cinquantenni con l'aria di non aver mai avuto un lavoro chiacchieravano tra di loro seduti ai tavolini rotondi accanto all'uscita, felici di essersi accaparrati quei posti che, da un punto di vista sociale, erano vicoli ciechi: per i più giovani era imperativo restare in piedi per cambiare interlocutore, anche se non ero mai stata in un posto in cui cercare di parlare con un individuo dell'altro sesso fosse un'attività così poco centrale. Stavo cercando di mettere a fuoco la mia osservazione, che mi sembrava incontrovertibile, quando mi si parò davanti Iain. Aveva addosso solo una camicia e una giacca, nonostante il freddo. I capelli erano cresciuti dall'ultima volta in cui l'avevo visto e così, folti e mossi, sembravano più chiari.

«Ciao» disse. «Che bevi?»

«Ho già una birra, guarda» dissi sollevando il boccale semivuoto all'altezza del viso con un gesto inavvertitamente brusco.

«Sì, ma ora è troppo calda, te ne prendo un'altra. London Pride?»

«Non so cosa sia, ma grazie».

«Di che parte dell'Italia sei?» chiese Iain in un italiano radiofonico e piacevolmente accentato.

«Roma, e tu di che parte dell'Italia sei?» civettai.

Rise forte e mi raccontò di aver vissuto per un anno a Reggio Emilia prima di iniziare l'università. Aveva lavorato come volontario per un'associazione che faceva teatro nelle carceri, insegnando inglese. Una serie di elementi che messi insieme mi stupirono così tanto che mi sembrò l'avessero appena inventata, Reggio Emilia.

«E come ci sei finito?»

«Sai che noi dopo la fine della scuola spesso prendiamo un anno di pausa prima di iniziare l'università? E quindi sono andato in Italia».

«Pensavo andaste tutti in India. Sbagliavo?»

«No, tanti ma non tutti. Volevo vivere per qualche tempo in Italia, imparare la lingua e continuare a fare teatro come avevamo fatto fin da piccoli. È stato molto bello, ancora mi scrivo con tante persone di lì. E ho pure imparato a cucinare decentemente».

Mi colpì il senso di normalità che emanava da quelle parole e la semplicità con cui raccontava di aver voluto fare una cosa e di averla fatta. Ma soprattutto mi sembrò di essere a casa mentre parlavo con quel ragazzo che mi diceva cose nuove nella mia lingua. Sorrisi, lo ascoltai, e mentre lo guardavo pensai a come la mia esperienza fosse diversa dalla sua e per la prima volta da quando ero arrivata nel Regno Unito mi venne davvero voglia di parlare di me, sebbene tutto quello che mi passava davanti sembrasse un treno troppo veloce per essere preso di corsa. Non che non avessi fatto tante cose, a mia volta, ma tutto appariva frutto di una grande conquista, di un grande lavorio interiore e soprattutto di lunghissime trattative con i miei genitori, che avevano riposto talmente tante aspettative in me e in mio fratello da non permetterci di perdere tempo in attività che non fossero lo studio e la lunga marcia verso la sicurezza economica. Non mi ero mai fatta tante domande su quale fosse la mia estrazione sociale come da quando ero nel Regno Unito. Molti miei amici avevano lavorato durante l'università perché ne avevano bisogno, mentre a me, che venivo da un contesto più agiato anche se certo non ricco, era stato proibito in modo tacito, come se lavorare potesse riportare indietro la mia famiglia nella scala sociale e non, in modo semplice, permettermi di guadagnare qualcosa e fare esperienza. Le ripetizioni di latino e greco non contavano, era il contatto con il mondo esterno e lo sviluppo di un certo pragmatismo nelle relazioni con gli altri che mi avrebbe fatto bene, pensavo. Che bello venire su in un paese che lascia i propri figli liberi di crescere e uscire di casa, ragionavo mentre il nome «Reggio Emilia» continuava a lampeggiarmi nella testa. Magari anche con genitori più distaccati dei miei, presenti a ogni tappa, pronti a sgomberare la via da germi e problemi e ora ricompensati da una figlia lontana, che fino a tre mesi fa si credeva giovanissima e ora, tutt'a un tratto, si era risvegliata centenaria e con molto tempo perso da recuperare.

Le birre e la presenza di Iain ci misero poco a smussare gli angoli di questi pensieri. Andai in bagno scendendo una scala sconnessa e il grande specchio con la cornice di legno davanti ai lavandini sudici mi rimandò l'impressione benvenuta di una persona felice come quelle che fino a un paio di settimane prima guardavo con invidia attraverso le vetrate dei locali. Mi fermai a osservare quello spettacolo – un volto allegro, il mio volto allegro – con la scusa di ripulire la matita nera che si era sciolta sotto gli occhi e quando riemersi nel rumore della grande sala, mi sembrava di avere un appuntamento con qualcosa. La musica era alta, troppo per parlarsi e non abbastanza per ballare, ma era perfetta per coprire i vuoti di conversazione di chi era ancora nel pub e non aveva ancora deciso cosa fare, sebbene le luci si stessero accendendo in seguito al gong con cui si annunciava l'ultima ordinazione, come se la regina volesse mandare tutti a dormire. Jacob, il ragazzo di Sally, stava raccontando una storia e tutti lo ascoltavano divertiti. Iain era appoggiato al bancone e lo incalzava con dettagli e domande, facendo ampi movimenti per descrivere le cose di cui parlava. Prese atto del mio ritorno con un sorriso, mi allungò l'ennesimo drink e Katie, che gli stava vicino, dopo uno sguardo d'intesa si spostò appena per farmi spazio lì accanto a lui.

«Quell'acqua non mi convince, ha uno strano odore».

«Dai, tuffati, da qui è bellissimo» disse Iain. Le sue gambe erano bianche come ectoplasmi mentre si muovevano nello stagno torbido di Hampstead. A pochi centimetri dalla sua testa tre papere nuotavano serafiche in fila indiana, frangendo la sottile coltre di guano e foglie che ricopriva il laghetto. Rimasi accovacciata sul molo di legno dove c'era solo una coppia anziana a prendere il sole. Il mio ragazzo aveva fatto una ordinatissima pila con i suoi vestiti, il libro di psicologia che stava leggendo e i suoi occhiali, a cui diedi una pulita mentre lo guardavo nuotare. Era una domenica mattina di luglio ed ero stata a prenderlo all'ospedale dopo il turno di notte. Non aveva dormito affatto, ma prima di andarsi a riposare nella stanza che sua cugina gli affittava vicino al parco aveva suggerito di fare un bagno.

«Come Smiley, la spia di Le Carré!»

Da ragazzino, Iain era appassionato di storie di spionaggio e aveva iniziato a leggere i romanzi di John le Carré all'età in cui io ero ferma ad Agatha Christie. Mi raccontava con una certa fierezza di un suo lontano parente che aveva lavorato per l'MI6, o almeno così si diceva in famiglia, e che parlava bene sette lingue, tutte imparate a certi specialissimi corsi per agenti segreti che io, alle prese con il mio accento italiano indelebile, sognavo di frequentare. Anche Iain era portato per le lingue ed ero io a dovergli chiedere di parlare inglese, perché il suo italiano già aveva ripreso vita ed espressività da quando stavamo insieme. Lui, a differenza di Katie, mi correggeva volentieri e aveva preso molto sul serio la mia ambizione di arrivare a suonare come una madrelingua.

«*London London London*» mi ripeteva guardandomi fisso negli occhi, mentre dalla sua bocca il suono che usciva era «Landon Landon Landon». Non riuscivo a imitarlo, quella *o* che si faceva *a*, seppur necessaria, era una perdita di controllo che non mi concedevo. Ogni volta che facevo l'errore, sempre lo stesso, l'unico davvero grave secondo Iain, lui iniziava a farmi il solletico in ricordo di quella volta che tra le risate convulse avevo colto la vocale giusta, pronunciando per la prima volta davvero il nome della mia nuova città. L'importante era non pensare, ragionai mentre osservavo le evoluzioni del suo corpo nell'acqua nera. Peccato che di norma pensassi, anche troppo.

Dopo quella sera al pub all'inizio della nostra convivenza, sulla via del ritorno, Katie, resa meno riservata dalla sesta birra, mi aveva detto che era tanto tempo che non vedeva Iain così allegro. Ne fui felice, ero allegra anche io e se non fosse stato per il fatto che la mia compagna d'appartamento era in condizioni pessime, incapace di reggersi in piedi e di prendere il bus da sola, sarei volentieri rimasta con lui. Non che l'occasione si fosse davvero presentata: nel pub eravamo stati vicini tutto il tempo e quando la comitiva si era diretta verso un locale per ballare, noi eravamo rimasti fuori a chiacchierare, perdendoci in mille discussioni ebbre sulla musica italiana, sui nostri gusti letterari, su quello che ci piaceva, sui nostri studi. Quando eravamo in gruppo ci stringevamo l'uno all'altra, mentre da soli ci allontanavamo, non riuscivamo a guardarci, io fumavo molto, lui si faceva più serio. Questa situazione andava avanti da più di un'ora quando Sally uscì portando per mano una Katie incapace di camminare dritta, istupidita dall'alcol ma ancora cosciente.

«Cosa facciamo? Non può andare a casa da sola» disse Sally con fare nervoso. Io respirai forte. Strapparmi a quella scalinata sudicia e alle sue stelle era una crudeltà, ma mi sembrò anche l'unica cosa da fare, sia perché abitavo con Katie e in quelle condizioni nessun tassista l'avrebbe accettata come passeggera, sia perché sapevo che oramai ero parte di qualcosa, di una strana comitiva in cui alla domanda «come stai?» si rispondeva solo con un «bene, e tu?» ma non ci si lasciava soli, ed era bene comportarmi di conseguenza. Guardai Iain, facemmo tutti e due spallucce con una rassegnazione piena di promesse e ci sfiorammo le labbra in un fugace piccolo bacio.

Iain mi telefonò il lunedì sera, con quel fare diretto al quale non smettevo di pensare, e mi invitò a vederci il giovedì. Tardi, certo, avrei preferito il mercoledì o anche la sera stessa, ma avevo smesso di avere fretta, quel sentimento bello che fossimo ormai in contatto non mi lasciava mai. Il contrasto con gli incontri notturni o con gli inviti pieni di allusioni che mi capitava di ricevere a Roma da parte di qualche collega, o amico di amici, non poteva essere più netto: non c'era pressione, non c'erano sottintesi nella maniera schietta con cui mi aveva proposto di bere una cosa e magari di andare a cena, ma solo una gran voglia di vedermi, che poi era la stessa che avevo io. La settimana trascorse nell'euforia dell'attesa, occupata dal lavoro e da una cena di ramen che fui io stessa a proporre a Miwa per raccontarle della nuova casa e ricambiare tutta la sua gentilezza del passato. Ero così allegra che la serata fu quasi divertente: le feci mille domande sul Giappone, sui suoi vestiti, sulla sua famiglia e ascoltai le sue risposte con vero interesse. Per un attimo mi illusi di essere ormai abbastanza disinvolta da spezzare le catene della premura e diventare sua amica. Immaginavo un rapporto normale, in cui ci saremmo potute vedere di tanto in tanto per confrontarci sulle nostre vite, magari facendo shopping per imparare da lei l'arte di vestire in quella maniera così poetica. Poi, rientrando verso la metro, mi disse con aria solenne:

«Ma sei sicura che giovedì verrà all'appuntamento? Se non viene puoi chiamare me, tengo il telefono acceso, ci divertiremo comunque. Anzi, ho un'idea: ti accompagno».

Scappai verso il mio binario quasi senza salutarla, cercando di esorcizzare la prospettiva che mi aveva appena descritto con una risata isterica. Quando rientrai a casa, incontrai Katie per la prima volta da qualche giorno. Era stanca, lavorava tanto e, per evitare ulteriori intromissioni, decisi di non dirle nulla del mio appuntamento con il suo amico Iain.

La sera, dopo il lavoro, ci incontrammo in un pub vicino a Brick Lane, non troppo lontano da casa di Ilaria e dagli itinerari delle mie prime passeggiate. Iain mi aspettava seduto sul bordo esterno della finestra, da cui spuntava una sorta di panca di legno, e in mano aveva un libro più grande di quelli che si leggono di solito quando si aspetta una ragazza davanti a un pub. Era assorto e avvicinandomi ebbi modo di osservarlo da solo per la prima volta: mi sembrò familiare, amico. Quando mi vide, chiuse il volume con un gesto lento e alzò le sopracciglia in segno di riconoscimento. Mi venne incontro con un sorriso a labbra strette, gli occhi allegri e quella maniera che hanno gli inglesi di sciogliere il ghiaccio per poi ricomporlo subito dopo. In Iain era declinata in modo gentile e sul suo volto intelligente e assorto sorpresa e piccoli disgeli si susseguivano mentre lo guardavo sotto la luce ancora chiara di una sera fredda di inizio primavera.

Entrammo nel locale, pieno e fumoso. Per la prima volta noi due eravamo molto in imbarazzo, anche perché il fatto di avere all'attivo già due serate passate a parlare fitto poneva il problema di cosa fare con tutta quell'intimità. Sentivo il mio corpo muoversi a scatti, come una macchina nelle mani di un principiante, e continuavo a inciampare, a far cadere la birra, a non trovare le sigarette nella borsa, mentre lui mi sembrava un idoletto buddista con i suoi sorrisi e la sua calma. Dopo qualche sorso alle nostre pesanti pinte, iniziammo a parlare.

«Allora, ti piace Londra?» disse in italiano.

«Ti prego, Iain, possiamo parlare inglese? Meglio non essere sospesi tra due mondi, no?» Mi rassicurava l'idea di concentrarmi sulla lingua, piccola àncora per non andare alla deriva.

«Va bene, come vuoi tu».

Sembrava esserci rimasto male. Eravamo alle prese con quella particolare qualità di timidezza di chi ha troppo in comune per affrontare bene le tappe intermedie di una conoscenza. Una tortura. Fino ad allora, ci avevano aiutato la musica alta, l'alcol e il fatto di essere in mezzo ad altra gente, ma stavolta non avevamo nulla per nasconderci. Mi feci avanti.

«Se ci mettiamo a parlare italiano non sarò mai veramente a Londra. E poi scusa, con tutta la fatica che faccio per evitare i miei connazionali!» dissi. Lui mi guardò incerto.

La nostra conversazione continuava a perdere quota come un giovane aquilotto. Continuavo a tremare, ma la prospettiva di far morire tutto in uno scambio di battute mal riuscito mi avviliva.

«Katie cosa ti racconta? Stiamo andando bene, mi pare, anche se lavora così tanto che non la vedo mai. E anche nel fine settimana sparisce». Il pettegolezzo mi metteva a mio agio, non potevo farci niente.

«Ah, sì, dice che sei divertentissima e che cucini bene, anche se sei ossessionata dalla pulizia». Fece una pausa, mi guardò. «Secondo me le stai facendo bene, anche Sally lo dice» disse tamburellando le dita sul bordo del bicchiere.

«Beve tanto, vero? Io non mi rendo conto di quale sia la soglia, perché per me qui bevete tutti molto, però lei l'altra sera stava male davvero».

Iain mi raccontò che era molto tempo che che il problema andava avanti. Anche i genitori avevano cercato di intervenire perché era successo troppo spesso che arrivasse a non capire più niente. Questo non le aveva impedito di fare una carriera brillante, anzi: l'alcol, in mancanza d'altro, era l'unica sostanza in cui diluire un perfezionismo affilato e alla fine tutti avevano accettato che Katie funzionasse così.

«E Macca? Che tipo è?» gli chiesi.

«Sono sei anni che tutte le domeniche viene da me in bicicletta e andiamo a fare gite lungo il fiume. Non è certo un introspettivo, lui, e quindi, non avendo molto da dire, andiamo in bicicletta» raccontò quando ormai le pause nel discorso non erano più un motivo di panico.

«Si vede che è una persona buona. Certo, io non capisco niente quando parla, ma sono sicura che ti vuole molto bene» osservai.

«Sì, nella sua maniera scozzese è vero. E poi ci capiamo: anche mia madre è di Edimburgo, ecco perché non mi chiamo semplicemente Ian».

«Mi chiedevo da dove venisse quella lettera in più».

Restammo un attimo in silenzio, guardandoci. Occhi così sereni non li avevo mai visti.

«Posso chiederti una cosa personale, Alina? Se non vuoi rispondermi va bene» disse Iain, e davanti a un mio cenno proseguì: «Perché sei venuta fino a Londra a fare la segretaria? Sei intelligente, laureata, colta...»

Lo interruppi subito, in imbarazzo ma anche lusingata che avesse notato qualcosa di strano nel mio essere lì.

«Ho capito: Sally ti ha detto quanto sono brutti i miei fogli Excel» dissi facendo rotolare il tondino di cartone con il logo di un birrificio artigianale sul bordo del tavolo.

«No, al contrario, Sally mi ha chiesto se sapevo perché una ragazza come te fosse finita a farle da segretaria» mi disse guardandomi negli occhi con le sopracciglia di nuovo alzate.

«In Italia avevo iniziato a scalare la montagna sbagliata. Capita, ma ho deciso di ricominciare tutto daccapo, qui» risposi elusiva, sperando di passare presto ad altri argomenti.

La birra era finita, era ora di andare a scegliere un posto dove mangiare. Ci avvolgemmo nei cappotti – anche Iain ne indossava uno quella sera – e ce ne andammo verso i mille ristoranti di curry di Brick Lane, quel mondo rutilante di uomini impomatati e di cene che volavano rapide per lasciare il tempo a chissà cos'altro. Ne scegliemmo uno dove non servivano alcol perché, secondo Iain, doveva essere necessariamente più ambizioso sul cibo e ci sedemmo in un angolo vicino alla vetrata, avventandoci con poca grazia sui *poppadoms* da immergere nel *chutney* di mango, in una salsa bianca e verde chiamata *raita* e nelle altre coppette piene di cibi dai sapori pungenti che, uniti al tono di allegria scomposta che aveva preso la nostra conversazione, mi facevano arrossare gli occhi. Il pollo era talmente piccante che iniziai a piangere e l'acqua fece poco per estinguere l'incendio di un peperoncino finito intero nella mia bocca. Iain mi allungava pezzi di *naan* lucidi di olio col tono di un medico che presta le prime cure a un ferito al pronto soccorso. Quando riuscii a riaprire gli occhi, lo vedevo che mi guardava sorridente, pieno di attenzione e di premura, incerto se poter manifestare divertimento per l'episodio. Mi prese la mano e sorrise. Gli altri argomenti di quella serata affondarono nell'oblio felice del primo, lunghissimo dialogo sul nostro mondo nascente.

6.

Il bene pensato

Reggio Emilia, 1999

Ci vollero tre giorni e tre notti senza sonno perché Vicky e Iain si convincessero a risalire su un treno e a lasciare Milano, che avevano visitato in lungo e in largo ma di cui avevano apprezzato soprattutto gli spazi vuoti, i momenti di silenzio. Attraversarono nell'afa il vasto paesaggio piatto e nella loro testa non c'erano più Londra né Milano, ma solo l'ultimo posto che avevano visto, come se la loro memoria stesse progressivamente cancellando i ricordi per fare spazio a quello che sarebbe arrivato. Il caos della grande città fiera della sua modernità era così distante da quello che si ritrovarono davanti a Reggio Emilia, una composizione ariosa di pietra dorata e biciclette, tutta colorata da un grosso sole lucido come un tuorlo d'uovo, un quadro di operosa quiete e serenità vociante. Come se la spigolosa Milano si fosse sciolta e fosse tornata indietro di qualche decennio.

Ad aspettarli nell'atrio della stazione c'era Paolo, il fondatore dell'associazione con la quale erano in contatto, e la sua compagna Dorina, che aveva le unghie dipinte di blu scuro. Paolo prese lo zaino di Vicky e, in un inglese non privo di efficacia, diede loro il benvenuto. Facendo tintinnare un mazzo di chiavi, li invitò a seguirlo verso casa. Passarono per il centro, strade che sembravano fatte apposta per non farti sentire solo e sui cui marciapiedi camminavano persone rallentate dal caldo di inizio luglio. Guardandosi intorno, a Vicky sembrò di assaggiare per la prima volta gli ingredienti singoli di qualcosa che conosceva solo in una versione elaborata e fasulla, accattivante ma oscura, e non valeva solo per gli odori nell'aria, ma anche per i colori, i suoni. Tutto le sembrava più nitido, in Italia, un tratto netto e armonioso pronto a essere riempito come il sottotetto che Paolo e Dorina mostrarono loro. Aveva il cotto per terra, i muri spessi e i mobili più grandi di quelli a cui era abituata.

«Stasera vi va di venire a cena da noi?» chiese Dorina mentre tirava fuori lenzuola che sapevano di chiuso da una grande cassapanca sbeccata. «Così conoscete subito alcuni dei nostri amici».

Vicky guardò Iain implorante: sapeva che lui avrebbe preferito restare solo con lei, magari anche per recuperare quell'intimità persa nelle vorticose giornate milanesi, ma già sentiva il rimpianto che avrebbe provato se non avesse passato la serata insieme a quella coppia così stralunata.

«Grazie mille, volentieri, se non è un disturbo per voi» si affrettò a dire. Questa volta fu Iain a guardarla implorante e leggermente seccato.

«Ma non avevi detto che volevi stare a casa stasera?» le disse il ragazzo appena Dorina e Paolo furono andati via.

Era vero, l'aveva detto e l'idea le era anche piaciuta molto prima che fosse sostituita subito dopo dal piacere preventivo dell'ingresso in un nuovo mondo fatto di chissà cosa. Restava quel disagio sottile che le dava il continuo prevaricare su Iain, un dispiacere freddo e puntuto che rovinava, ma forse sotto sotto accresceva anche, la voluttà con la quale da tempo continuava a vivere e rivivere lo stesso schema tra di loro. Si avvicinò a lui per consolarlo del male che pensava di avergli appena fatto e si allungò sulle punte dei piedi per dargli un bacio dietro alla nuca. Lui sentì una scossa che era energia ma anche abbandono, si girò e dopo aver lasciato che lei gli mordesse il mento, le sollevò le gambe portandosele intorno ai fianchi. La abbracciò forte per un attimo, ma non voleva che questo momento si fermasse in tenerezza. Si avvicinò alla vecchia cassettiera scrostata da cui poco prima Dorina aveva tirato fuori le lenzuola, un mobile alto e solido. Ma Vicky preferì non appoggiarsi sul ripiano e restò aggrappata a lui a farsi graffiare le guance bianche dalla barba appena accennata e a infilare la sua lingua dove capitava, arrampicata sul suo enorme corpo con il suo così leggero. Lui la trasportò fino al davanzale e chiuse i vetri della finestra protetta solo dagli scuri prima di viaggiare fino al grande letto di mogano nero e sdraiarcisi insieme a Vicky. Conclusero lì, accaldati e ridenti, uno di quei loro rapporti così diversi dalla coppia che erano. Vicky si alzò prima di quando Iain avrebbe voluto e andò a riaprire la finestra, sedendosi sul davanzale per rollarsi una sigaretta di tabacco. I rumori della strada riecheggiavano lontani dal loro sottotetto.

«Nuda?» chiese Iain allungandosi a prendere un cuscino. La rete del letto emise un lamento metallico.

Lei lo guardò senza dolcezza.

«La finisci di avere sempre paura di tutto, tu?» rispose fredda.

Lui non disse niente, concentrandosi sul mondo sotterraneo dei rumori del mogano, della stanza e della città che li chiamava da fuori. Funzionò per qualche istante, fino a quando iniziò a immaginare che le molle del vecchio materasso potessero uscire dalla loro imbottitura e infilarglisi nella pelle e, di puntura in puntura, si rese conto che Vicky ancora una volta gli aveva fatto male e che questo dolore tagliente iniziava a essere il suo compagno di viaggio. Quello che era appena successo ai loro corpi non aveva ancora finito di evaporare e lui già aveva freddo. Si alzò e andò a studiare come fare una doccia. Le vecchie maioliche cerulee gli diedero un immediato senso di nostalgia, anche se non somigliavano a nulla che avesse mai visto prima. Si buttò sotto il getto d'acqua flebile del vecchio telefono calcificato e mentre la saponetta iniziava a emanare il suo profumo secco di violetta industriale, Iain si accorse che stava piangendo.

L'appartamento di Dorina e Paolo era all'ultimo piano di una casa popolare appena fuori dalle mura della città. Ci arrivarono senza parlare, seguendo una cartina che li portò fuori dal dedalo di strade del centro fino a una zona più nuova e moderna. Subito dopo aver citofonato, l'umore di Vicky cambiò: il silenzio elettrico dell'ultima ora venne sostituito da una parlantina che prese la rincorsa per le scale e si unì festosa a quella degli altri ospiti della serata. L'ambiente era raccolto e c'era un forte odore di incenso nell'ingresso, che si apriva subito su un salotto illuminato da poche lampade sparse. Una serie di cuscini appoggiati per terra a mo' di divano circondavano un tavolinetto basso di bambù su cui erano poggiate ciotole piene di cibo e molti bicchieri di vino.

«Vuoi darmi la tua borsa, la giacca?» disse Dorina prendendo la mano di Vicky, che subito ricambiò il gesto affettuoso.

«Non ho né l'una né l'altra, solo un pensiero» disse facendo comparire una bottiglia di rosso.

«Grazie, vieni che vi presento a tutti i nostri amici». Non conoscendo bene l'inglese, Dorina aveva preso a parlare italiano molto lentamente e a sorridere ancora più del solito. Tutta la sua persona tintinnava di orecchini e braccialetti e Vicky non riusciva a smettere di osservare quell'espressione dolce sui tratti sgraziati, coperti da una pettinatura arruffata che le nascondeva la fronte e parte degli zigomi, quei vestiti esotici e leziosi come la gonna indiana decorata con piccoli specchi, il gilet viola fatto all'uncinetto, i sandali di cuoio con i fiori cuciti sopra. Le venne voglia di essere come lei, a suo agio in una vita piena di bene e di giustizia, a fare cose socialmente utili in una città splendida, circondata da amici dall'aria pensosa e affabile. Capitava spesso che Vicky si immergesse nelle vite degli altri e si immaginasse di viverle, ma quel primo sguardo a casa di Dorina e Paolo le diede una sensazione più forte del solito, qualcosa che decise su due piedi di non dimenticare mai a nessun costo.

Gli ospiti erano pochi, appena due oltre a loro, un uomo e una donna che non sembravano stare insieme, ma tutti parlavano talmente tanto che Vicky e Iain ebbero l'impressione di essere in mezzo a decine di persone.

«Che spettacolo avete in mente per quest'anno?» chiese Marianna, amica giovane di Dorina, capelli neri spessi e frangetta lucida tagliata netta a metà fronte, mentre rollava tabacco.

«Non so, tu cosa dici? L'anno scorso Brecht era piaciuto tanto, sai Vicky?» disse Dorina girandosi verso le due ragazze.

«Non ho mai letto Brecht, ma il *Sogno di una notte d'estate* è sempre un testo bello» disse Vicky nel suo italiano migliore. «Con la gente che sta in carcere, fa piacere sognare qualcosa no?»

Paolo, che stava finendo di condire un'insalata in cucina, si affacciò sul salotto.

«Tu dici che dobbiamo farli sognare? E se li facessimo riflettere invece?» disse guardandola negli occhi con una punta di severità.

«Paolo, come sei pesante!» disse Dorina con la sua cantilena conciliante. «Vicky non ha torto, magari con una cosa più divertente viene anche più gente a vedere lo spettacolo».

Vicky appariva smarrita, in parte perché la lingua non le permetteva di difendersi, in parte perché era la prima a non volersi difendere: che stupida, certo che non siamo qui a divertirci. Però al tempo stesso lei quelle cose – il bene – le sapeva fare, le aveva fatte da sempre, probabilmente più di tutti, dai pomeriggi in parrocchia con la nonna alla scuola privata in cui si facevano spettacoli di beneficenza all'organizzazione caritatevole intitolata al bisnonno e impegnata ad aiutare i senzatetto. Chissà cosa pensava Iain, rimasto in cucina con Paolo. Li sentiva ridere. Di lei, forse?

«Perché pensavi al *Sogno di una notte di mezza estate*, Vicky? Lo conosci bene?», le chiese Marianna con il chiaro intento di riparare alla durezza con cui le aveva parlato Paolo.

«Sì, da noi si fa spesso, a scuola ma anche quando si organizza uno spettacolo è quasi sempre il *Sogno*. Lo so a memoria, ho fatto già i costumi più volte, anche Iain forse sa ancora tutta la parte di Oberon, mentre io so sia Puck che Titania». E più si descriveva efficiente, più iniziava a sentirsi inadeguata.

«Bene, ci penseremo, ma qui non siamo a scuola, Vicky. Te ne accorgerai domani quando ci accompagnerai alla casa circondariale. C'è gente che ha sofferto, che ha sbagliato e che ora sta facendo un percorso» proseguì Paolo, che continuava ad appoggiare pietanze sul tavolino basso. Ora erano tutti seduti per terra sui grandi cuscini e Vicky invidiò per un istante Iain che, ne era certa, si era conquistato la stima del padrone di casa mentre armeggiavano in cucina.

Paolo versò del vino ai suoi ospiti e propose un brindisi per i due nuovi arrivati. Fuori era già buio e l'aria era piena di zanzare attratte dalle tante luci dell'interno.

«Chissà che idea avete voi inglesi del volontariato, me lo sono chiesto spesso», osservò mentre, per ultimo, riempiva il suo piatto.

«Mia nonna diceva che è nostro dovere regalare uno spiraglio di luce a chi soffre» rispose Vicky, smaniosa di recuperare gli errori che pensava di aver fatto. «Per me si tratta più del dovere di aiutare in maniera pratica chi ne ha bisogno», aggiunse poco dopo, accorgendosi che la prima risposta non aveva scaldato l'animo a nessuno.

«Ma aiutare qualcuno è sufficiente a cambiargli la vita?» replicò lui.

«Secondo me no, contro le ingiustizie bisogna lottare, non tamponarle» disse Marianna poggiando il piatto sul tavolo per aggiungere dell'olio. «Se il volontariato può servire a tenere gli altri per mano ben venga, ma sono altre le cose che contano: l'azione politica, innanzitutto» proseguì rannicchiandosi e portando l'insalata vicina al viso.

«Che bella questa cosa di tenersi per mano. E tu, Iain, cosa ne pensi?» gli chiese Dorina.

«Se c'è una cosa che so fare e che posso insegnare agli altri, mi fa piacere. Di più non so, non ci ho pensato, però voglio diventare medico, non so se vale» disse Iain con semplicità. «E per voi, Paolo e Dorina, cos'è il volontariato?» chiese.

«Io sono d'accordo con Marianna, se c'è qualcuno che sta per finire in un angolo bisogna andare innanzitutto a cercarlo», rispose Dorina. «E poi di tanto in tanto le carte della società vanno rimescolate o il progresso sparisce, la storia lo dimostra. Ma io sono meno radicale di Paolo e ammetto che il volontariato, insieme all'insegnamento, mi rende felice, mi riempie la vita di sorprese» proseguì. Il suo tono ottimista mise tutti di buon umore, anche Vicky che avrebbe voluto nascondersi dietro i cuscini per aver tirato fuori la frasetta antiquata della nonna. Sia perché sentiva di aver fatto la figura della stupida, sia perché le dispiaceva aver tirato in ballo l'unica parente che le era davvero cara in una discussione in cui la sua frase le apparve per la prima volta per quello che era: ridicola.

«Comunque, se credi, al *Sogno di una notte di mezza estate* possiamo pensare, Vicky, parliamone bene anche con i ragazzi del carcere, se a loro va bene perché no?» aggiunse Paolo accendendosi una sigaretta. «Non è che gli farebbe male un po' di grazia, in quelle vitacce malandate».

Dopo poche settimane a Reggio Emilia, Vicky iniziò ad avere una sensazione spiacevole e persistente: non sarebbe stato meglio essere lì da sola, completamente esposta alla scoperta di un mondo nuovo, senza il caro filtro del rapporto con Iain? L'idea, di cui non era fiera, aveva iniziato a farsi avanti già durante le ultime settimane a Londra, quando più di una volta aveva cercato di moderare il suo entusiasmo per la partenza, almeno nelle parole, per non tirare troppo la corda che la legava al più riluttante Iain e che, temeva, iniziava a dare segni di logorio. Era un esercizio che faceva spesso, stringersi fino a lasciarsi contenere tutta dalla razionalità di lui, e il più delle volte la rassicurava, la faceva sentire radicata e protetta, incapace di sbagliare con la guida di una persona tanto salda. Ma ora che partenza e progetti futuri avevano iniziato a liberare le loro energie, le riusciva sempre più difficile limitarsi al perimetro amorevolmente delineato da Iain – le sembrava di fargli una violenza, eppure si trattava solo di andare a fare qualcosa di utile in un paese splendido – e far finta che tutta la cautela di lui fosse un'aria che era pronta a respirare per sempre. Iain non era cosa da poter mettere in discussione: era il miglior compagno di qualunque azione in cui ci volesse compagnia e questo, unito alle fiamme che le salivano in testa quando si toccavano, le era sembrato per molti anni un quadro ideale dal quale non staccarsi mai. Navigava serafico tra le stravaganze di Vicky e della sua famiglia, non si scomponeva davanti alle follie di sua madre e anzi le sapeva mitigare, amava fare le stesse cose che piacevano a lei, la faceva ridere per giorni con le sue osservazioni acute. In generale non c'era una sola giornata che non potesse dirsi migliore con Iain accanto. Poi la assecondava molto, anche se nel suo assecondarla c'era sempre un tentativo di portarla verso una versione più razionale dei suoi desideri con un movimento gentile che però adesso, nell'anarchia del loro nuovo inizio italiano, aveva preso a sembrare più goffo e vistoso. I giorni a Milano erano stati belli e ancora sospesi nel loro essere già viaggio ma non ancora destinazione, mentre a Reggio Emilia, fin dalla prima sera a casa di Paolo e Dorina, aveva sentito uno strano disagio, come se la sua percezione accesa della nuova realtà che avevano intorno andasse in qualche modo censurata. Non che lui lo avesse detto esplicitamente, ma lei sentiva che era così, e più passavano i giorni e più faceva fatica a imbrigliare la sua gioia e la sua curiosità per non lasciare indietro Iain.

Un giorno la situazione diventò incontrollabile.

Era un bel pomeriggio estivo e, dopo un paio di settimane passate a organizzare gli aspetti burocratici dello spettacolo, a mettere insieme i fondi, a definire con il regista quello che si sarebbe potuto fare, erano iniziate le audizioni per distribuire le parti. Alla fine l'idea del *Sogno* era stata scartata a favore di un altro Shakespeare, un *Mercante di Venezia* con tre soli personaggi femminili, di cui due quasi sempre travestiti da uomo, e per questo più adatto a un cast tutto maschile. Iain dedicava al progetto del teatro un impegno solido e senza slanci, mentre si era appassionato molto di più all'altro compito che gli era stato assegnato, insegnare l'inglese a due classi di una decina di persone, due volte a settimana. Seguendo un consiglio di Vicky, aveva deciso di partire dalla musica, chiedendo ad ognuno dei suoi maturi studenti di indicare una canzone che avrebbero voluto imparare a memoria in lingua originale, col risultato che i suoi corsi, dopo una prima parte passata sull'inevitabile grammatica, si trasformavano in un karaoke di gruppo. Lui non era del tutto a suo agio con questa deriva, ma doveva ammettere che funzionava bene e che gli allievi erano sempre piuttosto motivati, anche quando li riportava nel terreno a lui più congeniale delle spiegazioni sui tempi verbali e sul vocabolario. Pensava molto alle vite di quegli uomini, che aveva imparato a conoscere per le loro personalità prima che per i loro crimini: inizialmente aveva avuto bisogno di pensare che avessero tutti commesso un errore e che fossero lì per sbaglio, mentre nel giro di poco tempo la consapevolezza di quello che avevano fatto, spesso cose gravi, in alcuni casi delitti di sangue, aveva iniziato a renderlo progressivamente più rigido nei loro confronti, allontanandolo laddove la consuetudine li avrebbe dovuti avvicinare. Più il suo italiano migliorava, più capiva le sfumature e vedeva emergere in lui un bisogno di giudicare, a volte anche provare orrore davanti al loro passato. Vivere sapendo che qualcuno era morto per colpa loro, come era possibile?

Quel giorno Dorina, Paolo, Vicky e il regista avevano passato ore a parlare con i detenuti più anziani per cercare di trovare il miglior Shylock o, meglio, per scegliere tra i vari Shylock potenzialmente perfetti quello che più si adattasse all'idea che avevano in mente. L'atmosfera era informale, il regista era provocatorio nella sua maniera di lasciar parlare le persone facendole reagire a qualche battuta e Vicky, con gli spessi occhiali a nasconderle il dolce sguardo all'ingiù, sembrava una persona diversa rispetto a quella del mese prima: non solo si rifiutava di usare l'inglese tranne che con Iain, con cui comunque parlava sempre meno, ma aveva sostituito il piglio compassionevole del passato con uno molto più ruvido, frutto dell'evidente urgenza di essere presa sul serio. Verso la fine delle audizioni, quando avevano ormai quasi deciso, entrò Iain con una guardia e alcuni dei suoi allievi del corso di inglese: erano quattro uomini di cui uno anziano, uno molto alto e muscoloso e due più giovani, un polacco e un italiano, che stavano parlando animatamente ed erano rimasti più indietro.

«Ettore vorrebbe recitare» disse Iain articolando bene ogni sillaba e indicando con il braccio l'uomo con i capelli bianchi ricci, il volto molto abbronzato e i lineamenti pesanti.

«Piacere» disse con una voce rocciosa e lenta. «Facevo le recite da bambino, mi dicevano che ero bravo» aggiunse come fosse una battuta.

Il regista si alzò, gli si avvicinò e iniziò a osservarlo da vicino. Nel frattempo gli altri tre rimasero in piedi in silenzio, imbarazzati da tanta concentrazione. Vicky notò che uno di loro, il più basso, aveva gli occhi molto azzurri sotto la pelle scura. Rimase sorpresa da quel colore così marino e sentì l'istinto di guardarlo una seconda volta. Lui alzò la testa e i loro sguardi si sovrapposero per un secondo di troppo.

«Volevo presentarvi anche Franco e Pawel, sempre del mio corso, e Dario, che ha iniziato solo oggi» disse Iain indicando i suoi allievi. «Volevano saperne di più sul progetto: non sono attori, ma sanno lavorare come elettricisti e Dario sa fare il carpentiere».

«Falegname! Il carpentiere non so neanche cosa sia, *Iànn'*» disse l'uomo, con un forte accento del sud, sgranando gli occhi acquamarina sotto le sopracciglia spesse. «Comunque piacere, sono Dario» disse allungando le mani verso gli altri. Un gesto che Ettore, ad esempio, non aveva pensato di fare. Quando prese quella di Vicky, lei sentì un fremito nella nuca, un nonnulla appena registrabile.

«Signorina» disse lui mentre scuoteva con energia la manina nella sua, grande per un uomo di quella statura.

Ettore, il regista e Dorina si erano messi a parlare, mentre Paolo aveva preso a fare domande agli altri su quello che sarebbero stati in grado di realizzare.

«Vicky, domani porteresti qui i disegni che hai fatto per i costumi, così iniziamo anche a ragionare sulla scenografia?» chiese Paolo. «Anzi, possiamo fare proprio una riunione tutti insieme, così vediamo cosa è fattibile e cosa è meglio lasciar perdere?»

Appena capì che avrebbe rivisto Dario così presto, fu così felice da avere subito molta paura.

Tornando verso casa con Iain in bicicletta, cercò una scusa per restare fuori più a lungo e prendere aria.

«Vorrei andare a comprare un libro, ti serve qualcosa?» gli chiese facendogli un cerchio intorno con la bicicletta.

«Non direi. Inizio a cucinare intanto?» rispose lui con calma. La solita inconsapevolezza innocente, pensò Vicky irritata prima di pedalare via verso piazza San Prospero e buttarsi giù dalla bicicletta ancora quasi in corsa sulle scale della chiesa. Respirò profondamente, cercò la borsetta indiana nella quale teneva il tabacco da rollare e si guardò intorno: la città era arancione e lei, immersa in quel grande raggio, si sentiva così viva e così piena da non riuscire neppure a ricordare come fosse quella sua vecchia conoscenza, l'infelicità. Non c'era dubbio, si poteva solo salire rispetto allo stato di grazia nel quale si trovava, non c'era una *way back*, una strada per tornare indietro. Doveva solo trovare un modo di coinvolgere, o meglio di avvolgere Iain in questo momento, di fargli capire che non si poteva proprio passare un anno a Reggio Emilia senza lasciarsi andare.

Tornò a casa eccessivamente euforica. Aveva comprato il libro che cercava e, su consiglio del libraio a cui aveva chiesto qualcosa di adatto a un aspirante medico, aveva deciso di regalare a Iain *Cristo si è fermato a Eboli* di Carlo Levi, che era dottore. Glielo regalò con un bacio che si protrasse fino a quando furono costretti a rialzarsi dal letto e a rivestirsi di fretta dalla scampanellata della vicina, a cui era finito l'olio. L'insalata preparata da Iain era buona e pure il bicchiere di vino rimasto dalla sera prima, tanto che decisero di andare a berne un altro fuori, mano nella mano, chiacchierando di tutto tranne che della casa circondariale. Poi, quando poco dopo la mezzanotte si ritrovarono di nuovo nel letto della loro soffitta buia, che davvero buia non era mai, Vicky chiese a Iain:

«Iain, te la ricordi Miss Butler? Non trovi che Dario, il tuo studente, le somigli molto?» L'intuizione le era venuta mentre salivano gli altissimi scalini del loro palazzo: la pelle di Dario era spessa quanto quella di Miss Butler, insegnante della sua scuola per signorine di Pimlico, era soffice di rughe mai abbronzate, ma la bocca disegnata con un tratto netto, l'attaccatura del naso e gli occhi allungati come quelli di un pesce bizantino erano, per Vicky, sorprendentemente identici. Ecco perché era rimasta così incuriosita da lui, pensò: era sicuramente per via di una di quelle inspiegabili somiglianze tra persone lontane.

Iain non sembrava d'accordo.

«Dimmi solo da che punto di vista, Vicky» disse rigirandosi nelle lenzuola.

«Gli occhi, la bocca, la forma del viso. Me la ricorda tanto, com'è possibile che non balzi agli occhi anche a te» rispose lei come se stesse dichiarando l'ovvio.

«Faglielo presente la prossima volta che la vedi, le farà sicuramente piacere» aggiunse lui prima di addormentarsi, lasciandola sola con l'entusiasmo della sua scoperta, persa come una falena intorno a una lampadina incandescente.

Il giorno dopo Vicky si svegliò presto, prese la sua cartella da disegno con i quaderni e i colori e dopo aver fatto una rapida colazione nella sua pasticceria preferita – «Ciao bella, come la vuoi la brioche?» le aveva chiesto la signora dietro il bancone suscitando una di quelle vampate di gioia che solo uno straniero in Italia può provare – prese la bicicletta e andò a sedersi su una panchina che le piaceva molto, né città né parco, solo giardinetto, per lavorare e ragionare. Ricordò tutti i *Mercante* che aveva visto in vita sua, ed erano tanti: la nonna aveva abbonamenti a tutti i grandi teatri di Londra e da quando aveva otto anni le chiedeva sempre di accompagnarla a vedere spettacoli, balletti e opera. Ripensò a quelle serate, alla nonna con le ossa indiamantate che la presentava ai suoi amici decrepiti, ai commenti che faceva alla fine dello spettacolo e a quella ritualità in cui non c'era proprio nessun segno di affetto se non il fatto che erano lì, insieme, l'anziana Gill e la giovane nipote, una nei velluti candidi e l'altra con le scarpette di vernice sotto la gonna scozzese, ogni settimana, con un programma patinato in mano e un bel posto nelle prime file. Il giorno dopo la mamma di Vicky la costringeva a scrivere un biglietto di ringraziamento alla nonna in bella calligrafia su un cartoncino spesso su cui dipingeva qualche fiore, una foglia o un uccellino e che faceva spedire per posta dalla cameriera. In cambio la nonna le mandava ritagli di giornale con le recensioni dello spettacolo in modo da avere qualcosa di cui parlare durante l'intervallo, poiché di andare a prendere una bibita o un pasticcino come tutti gli altri non era questione e gli aneddoti di casa non le piacevano: di tutta la famiglia sopportava solo Vicky e irrigidiva il labbro al solo sentir parlare del genero.

Pensò ai costumi indossati dagli Shylock della sua vita, al Dustin Hoffman ancora giovanile e barbuto, con un cappotto intarsiato sulla veste nera, che le sembrò Gesù quando aveva dieci o undici anni e che indignò Gill al punto che dovettero lasciare la sala a metà spettacolo, e peccato perché per una volta Vicky si stava divertendo per davvero, al vecchio Laurence Olivier della versione televisiva con l'aria da banchiere, e immaginò Ettore, l'anziano detenuto che aveva conosciuto il giorno prima, vestito allo stesso modo: non andava, non funzionava, poteva essere Shylock ma doveva restare anche sé stesso. Doveva parlargli, capire meglio il suo mondo, e solo dopo decidere se camuffare i mezzi limitati della loro produzione dietro l'elaboratezza di un costume generoso o preferire qualcosa di semplice e evocativo.

Era ormai metà mattinata e iniziava a essere caldo. Vicky riprese la bicicletta e pedalò per una ventina di minuti attraverso i vialoni anonimi che si irradiavano dal centro della città fino ad arrivare al carcere. Trovò Dorina che fumava una sigaretta davanti all'ingresso del teatro e si unì a lei.

«Ma tu li conosci tutti, quelli che sono qui dentro?» le chiese Vicky.

«Sì, la maggior parte, diciamo che non c'è tanto ricambio, almeno in uscita» disse Dorina attorcigliandosi la lunga collana di granaglie intorno alle dita.

«E hai capito perché sono finiti in un carcere?» proseguì Vicky facendo di tutto per non lasciar intuire che c'era una storia, solo una, che le interessasse davvero.

«I crimini sono tanti, ma dopo quindici anni mi sembra che la ragione per la quale questa gente finisce qui sia sempre la stessa: una vita in cui a un errore se ne somma un altro e giorno dopo giorno finiscono fuori strada. Sono persone che partono male, che vengono da ambienti in cui le cose non sono giuste o sbagliate come per me e te, e la loro morale cresce intorno a quella realtà. La maggior parte sono sfortunati. Poi certo, qualcuno di veramente cattivo c'è» spiegò Dorina con la sua voce sottile e acuta. Vicky rimase colpita dal fatto che non volesse mettere distanza tra lei e i detenuti: non era lì per giudicarli, ma per aiutarli, due cose distinte.

«Ma ad esempio Ettore che storia ha? E i due ragazzi di ieri, il polacco e quello alto e grosso?» chiese Vicky, domandandosi subito dopo se l'aver escluso Dario dai suoi quesiti non suonasse di per sé sospetto.

«Furti, usura, rapine a mano armata, qualche delitto politico. Vicky, dentro c'è di tutto, ma fai una cosa, cerca di conoscere queste persone per quello che sono, e non per quello che hanno fatto. Ti assicuro, all'inizio è meglio così» aggiunse la donna mettendo la sua mano sulla spalla della giovane amica e guardandola dritta negli occhi. «Sai quanti volontari si sono spaventati e non sono più riusciti a fare niente? Vedrai che col tempo sarà tutto più facile». Spense la sigaretta sotto i sandali con la zeppa e aspettò che Vicky la seguisse dentro gli uffici, che sembrarono nerissimi dopo essere state tanto a lungo al sole.

Lì c'erano Paolo e un detenuto che era stato selezionato per fare Shylock. Non era Ettore.

Era anziano e grinzoso, tarchiato, con i capelli lunghi e gli occhi piccoli, neri, furbi e lucidi. Vicky lo guardò e pensò che una palandrana nera sarebbe stata perfetta addosso a lui. Costumi semplici con qualcosa di ricco sopra: un corpetto, un cappello, una giacca, un gilè, un colletto. Iniziò a pensare a quello che le serviva, alle perline finte e alle cordicelle dorate o argentate, al vellutino sintetico, a molti bottoni. Si sedette e tirò fuori il blocchetto da disegno, quando sentì la porta aprirsi e quella voce estiva di Dario riempire l'aria insieme ai passi di più persone. Il cuore le fece due colpi di seguito e poi, fino a quando non si salutarono, più nessuno.

«Signorina Vicky» disse lui dandole la mano con un sussiego pieno di ironia, volgare e intenso, e facendo arricciare le rughe profonde sulla fronte giovane per schiarire lo sguardo verso di lei, che ricambiò con un «buongiorno» senza direzione. Si sedettero tutti intorno al tavolo. Paolo iniziò a spiegare l'idea che lui e il regista avevano in testa, Dorina aggiunse di aver scoperto un detenuto che suonava benissimo la chitarra classica, Vicky raccontò quella sua idea di costumi, il regista disse che come sfondo voleva pannelli scuri con uno solo verde come l'acqua di Venezia e Dario aggiunse che si poteva pure avere un pannello di quel colore ma bucherellato e con le luci dietro per fare lo scintillio dell'acqua di Venezia, città che non aveva mai visto, e a Vicky sembrò una cosa bellissima. Decisero di mettersi all'opera subito e Dario, che ridendo fece presente di avere molto tempo libero, suggerì di fabbricare innanzitutto un modellino per avere un'idea chiara di come sarebbe stato il palco. In quel momento arrivò Iain, accaldato dalla corsa in bici sotto il sole, e Vicky pensò che quel ragazzo, il suo ragazzo, portava luce e gentilezza con sé ovunque andasse. Peccato che quel pensiero la lasciasse indifferente.

Appena arrivò settembre e Reggio Emilia iniziò a ripopolarsi, Vicky e Iain si ritrovarono a uscire ogni sera. Dalla cerchia ristretta di amici di Paolo e Dorina il loro gruppo si allargò e quando a novembre ricominciarono i corsi all'università, la giovane coppia decise di andare a seguire quelli di letteratura italiana nella vicina Modena, visto che erano aperti al pubblico. Lì conobbero nuove persone, gente della loro età, ragazzi che li invitavano a cena a casa dai loro genitori in campagna e nel fine settimana li portavano a fare gite a Bologna, dove si dormiva tutti sul divano di qualcuno di semisconosciuto e ci si risvegliava con la testa pesante in appartamenti coi soffitti alti e le porte di vetro opaco, tanti libri e qualche bandiera di Che Guevara. Lì o a Modena o a Reggio, Vicky e Iain si abbandonarono a una processione infinita di volti nuovi e bicchieri di vino rosso, di concertini dove si ballava tantissimo e di chiacchiere infinite con persone di cui scordavano subito il nome. Era tutto troppo divertente per lasciare spazio all'introspezione o al ragionamento su quello che erano diventati loro due tra una serata in piazza e una cena a perimetro molto variabile ospitata nel loro sottotetto. La realtà stava prendendo una piega imprevista. Dei due, ad aver abbracciato la nuova vita con più entusiasmo era Iain, che vivendo con un disagio indelebile il progetto del teatro, si concentrava sull'università e sulle letture che gli consigliava il proprietario della libreria sotto casa, Jacopo, con cui passava sempre più tempo a parlare di tutto. Non era facile capire quanti anni avesse il suo nuovo amico, che aveva i capelli lunghi e fulvi e la barba da icona russa. Non era sposato e, a quanto aveva capito Iain, aveva avuto molte fidanzate, tutte serie, tutte durate un paio d'anni al massimo. Con una aveva fatto un figlio, un ragazzino di dieci anni che passava pure lui molto tempo in libreria quando la mamma era al lavoro. Jacopo e Iain erano entrati così tanto in confidenza che una sera, in una vineria con i tavoli di marmo, parlarono addirittura di Vicky.

«Posso chiederti una cosa? Ma voi state ancora insieme?» gli chiese a bruciapelo Jacopo guardandolo negli occhi.

A Iain tanta schiettezza giunse inattesa. Era una domanda che si era fatto anche lui qualche volta, ma poiché si era accorto con sincero panico che non gli faceva male, aveva smesso di darle spazio. Da una parte lui e Vicky non avevano mai fatto tante cose insieme, dall'altra era vero che la felicità di quel periodo non era in comune tra loro. Erano due felicità che si incontravano la sera, si raccontavano le cose e che scopavano volentieri come se la cosa non li riguardasse. Non era il loro solito equilibrio, ma era comunque un equilibrio e nel bel mezzo di quell'anno rivoluzionario a nessuno dei due era sembrato il caso di alterarlo.

Dapprima decise di difendersi, poi cedette:

«Siamo diversi da prima, questo è sicuro. Ma penso che stiamo ancora insieme» disse guardando il suo bicchiere di vino.

«Lei è veramente molto carina, ma ogni tanto ho l'impressione che siate più amici che altro. Attento che quella è una brutta china ed è difficile tornare indietro» osservò Jacopo portandosi alla bocca un pezzo di pane con formaggio e marmellata di cipolle.

«In parte lo immaginavo che si rischiava questo venendo in Italia» disse Iain, aggiungendo, con una certa paura di non essere creduto: «Quello che non mi immaginavo è che la cosa non mi facesse soffrire».

«Dici che non sei più innamorato?» chiese l'amico.

«No, questo no, però mi va bene così. Credo che sia la stessa cosa per lei, da quando siamo qui litighiamo poco» rispose Iain, che fino a quel momento non aveva mai messo a fuoco questa verità: i loro battibecchi si erano smorzati, non c'era niente di quello che Vicky diceva che lo facesse arrabbiare abbastanza da interrompere il viaggio che stava facendo, a cambiarne il fuoco, a trasformarlo da un periodo di scoperta al teatro di una separazione che in teoria non voleva, ma che non poteva escludere si stesse preparando anche per lui.

Da quando erano arrivati aveva visto Vicky prendere una strada completamente diversa dalla sua, abbracciare uno zelo politico e redentore che non l'aveva sorpreso ma che all'inizio gli aveva lasciato addosso una forte inquietudine. La conosceva troppo bene per non sapere quanto fosse facile per lei perdersi e le raccomandazioni fatte da Sandra, l'enfasi con cui gli aveva ordinato di non perderla di vista quella sera a Milano, erano lì a ricordarglielo. Sapeva come funzionava la testa di Vicky e sapeva che a una fase di euforia e onnipotenza seguiva spesso una crisi, ma non voleva che queste considerazioni si mischiassero alla gelosia che aveva provato all'inizio nel vederla così felice e animata in mezzo agli altri, e soprattutto così diversa dalla ragazza di Londra che era riuscito finalmente a conquistare dopo averla amata fin da bambino. Ma poi l'euforia di Vicky si era trasformata in un entusiasmo più sereno, che non mancava di premura nei confronti di Iain ma che lo escludeva da qualcosa che lui non aveva capito e che, col passare del tempo, aveva smesso di importargli. Stava bene, stava bene anche lui a leggere per ore sulle panchine, ad alternare la solitudine dei lunghi giri in bicicletta per la pianura al piacere intellettuale delle conversazioni con Jacopo e al senso di libertà che gli davano quelle serate di musica e scoperta, di teatro, spettacoli e baretti. Gli piaceva seguire i corsi all'università e fare per un anno lo studente di lettere sapendo che era un'esperienza a termine.

Lo divertiva anche andare in carcere a insegnare, anche se era difficile imprimere qualcosa di nuovo in quegli uomini adulti. L'unico che si impegnava davvero era Dario, che anzi stava facendo progressi enormi considerando che quando aveva iniziato non sapeva neppure una parola di inglese. Forse dipendeva dal fatto che era più giovane degli altri: aveva circa trent'anni, di cui gli ultimi tre passati in carcere dopo una vita di spaccio e di piccoli furti culminata nella brillante idea di partecipare al sequestro di un imprenditore emiliano. L'operazione era riuscita particolarmente male, tanto che dopo appena ventiquattr'ore l'uomo era scappato e aveva fatto arrestare i suoi aguzzini. Dario non era la mente né uno dei capi, però era lì e Iain non riusciva a fare a meno di pensare a tutta la violenza a cui il giovane uomo era abituato e lui no. Non era certo il crimine più efferato tra quelli commessi dai suoi allievi, il suo: c'era chi aveva ucciso moglie e figli, chi era abituato a sparare, chi aveva ordinato omicidi. Però erano persone a metà di un percorso di redenzione e Iain aveva deciso di concentrarsi su quell'aspetto. Dario era diverso: innanzitutto non aveva mai ucciso, o almeno non l'avevano mai scoperto, e poi soprattutto per forza di cose aveva avuto una carriera criminale relativamente breve dalla quale sembrava intenzionato a uscire. Si era messo a studiare per prendere un diploma e aveva iniziato a leggere molto, oltre a voler imparare più cose possibile, a partire dall'inglese. Era simpatico, affabile, e in classe era sempre il primo a intervenire, a sgridare i compagni facendo il buffone quando non si applicavano o si mettevano a parlare tra di loro. In aula era diventato una sorta di assistente per Iain, che ne apprezzava il supporto pur conservando un forte, consapevole istinto a mantenere le distanze. C'era qualcosa di troppo smanioso in Dario, una volontà di ingraziarsi l'interlocutore così efficace da diventare sospetta: era bravo a nascondersi dietro la sua gentilezza e a far finta di non avere desideri che non fossero quello di ammirare la persona che aveva davanti. Ma essendo in più molto spiritoso, cedere alla sua piaggeria veniva facile, e resistervi complicato come evitare di scivolare sul ghiaccio o di lasciarsi portare da una corrente. Una volta conquistato terreno nella conoscenza degli altri, era anche quello che faceva le osservazioni più acute e pungenti, magari anche critiche, ma mai offensive né irritanti per chi le riceveva poiché erano sempre minime rispetto alle oceaniche professioni di stima con cui avvolgeva l'altro.

Il risultato, pensava Iain, era inquietante.

«Ma sei stato mai innamorato di un'altra, Iain?» gli chiese Jacopo mentre passeggiavano per il centro verso un bar ancora aperto dove avrebbero bevuto l'ultimo bicchiere, o bottiglia, prima di andare a dormire.

«No, no, è nato tutto con lei» disse sincero ma parziale, nascondendo una parte importante e irriferibile della sua risposta: questa si sta trasformando in una storia di sesso e di responsabilità, due gabbie in cui non sono più sicuro di voler rimanere per sempre.

L'autunno Vicky lo trascorse a casa di Dorina a cucire costumi. Dopo le prove dello spettacolo, tutti i pomeriggi, le due procedevano una in motorino e l'altra in bicicletta verso il condominio fuori dalle mura della città. Arrivate a casa, lei e Dorina accendevano la radio, rollavano un paio di canne, aprivano una bottiglia di vino e restavano lì a chiacchierare e a cucire per ore, spesso raggiunte da Marianna, l'amica con la frangetta corta incontrata alla cena dell'estate prima, e poi infine da Paolo, che arrivava stanco dopo aver insegnato alle scuole serali. Per cena Dorina cucinava sotto lo sguardo attento della sua ospite inglese le cose che Vicky comprava la mattina sotto casa: funghi e zucche soprattutto, di ogni colore e di ogni forma, acquistate in quantità abbastanza piccole da essere portate in giro per tutto il giorno e, soprattutto, da permettere a Vicky di ripetere ogni mattina il rito del mercato, la passeggiata tra i generosi banconi colorati, il cappuccino al bar come unica colazione, la lettura attenta dei giornali, la chiacchierata breve con la fruttivendola che le regalava una mela, il profumo di quella confusione armonica e di un'ottobrata piena di promesse. Era il suo momento preferito, l'unico che avesse ancora bisogno di condividere con Iain per far sfiatare l'entusiasmo enorme che le provocava. Era anche l'unico momento in cui l'Italia era esattamente come l'avevano sognata: qualcosa da guardare e respirare, niente che dovesse andarli a scuotere nel profondo come in realtà stava avvenendo.

Frutta e verdura restavano tutto il giorno in una grande sacca di tela che Vicky metteva nel cestino della sua bici e che poi, una volta arrivati in carcere, veniva portata in ufficio. Qualcosa finiva nel frigo per tutto il giorno, qualcosa si mangiava per pranzo e il resto veniva rimesso nel cesto della bici e sballottato in giro fino a sera, a volte fino al sottotetto in cui abitava con Iain: Vicky aveva iniziato a collezionare piccole zucche dalla forma curiosa e le allineava tutte sul tavolo della cucina. Un giorno, il primo veramente freddo dell'anno, mentre sistemava alcuni porcini pagati a peso d'oro in uno scolapasta, trovò un biglietto azzurro di carta ruvida e porosa, chiuso con lo scotch. Dapprima pensò a uno scontrino dimenticato, poi, incuriosita, dopo esserselo rigirato tra le mani alla ricerca di qualche indizio, lo aprì: «È la prima cosa che ho imparato a dire in inglese: you are very beautiful. D.» Tremò, come se quel biglietto lo avesse sempre aspettato. La lettera puntata non aveva segreti, l'aveva scritto Dario, e Vicky sorrise a pensare a quanto fosse stato pazzo ad affidare il suo messaggio a una sporta della spesa, piantandolo tra i porcini, proprio lì dove poteva vederlo chiunque.

7.

La bella campagna

Cornovaglia, agosto 2008

Dopo pochi mesi che stavamo insieme, Iain mi chiese se avevo voglia di andare in Cornovaglia nella sua casa di famiglia. Era il compleanno di sua madre e oltre ai genitori e al fratello ci sarebbero state così tante persone che non dovevo preoccuparmi, l'attenzione non sarebbe stata tutta su di me, mi assicurò. A me la prospettiva di quell'attenzione non dispiaceva affatto, per la verità, ma non ritenni di doverlo dire a Iain, a cui misi in chiaro che la presentazione ai miei, di genitori, avrebbe richiesto tempo. Non se ne dispiacque, o almeno così mi sembrò.

Dopo tre ore e mezzo di macchina – era l'auto della madre di Iain, il ritorno l'avremmo fatto in treno – arrivammo al punto in cui intorno a noi non c'era niente, solo una generosa campagna e qualche animaletto che ci attraversava la strada tra le siepi di un panorama in cui l'uomo aveva messo ordine senza costruire nulla di visibile. L'asfalto perfetto con la sua grana grossa come quella di un tweed si interruppe bruscamente quando svoltammo su un percorso sterrato che si inerpicava e che portava a un cancello aperto senza muro né recinzione, con solo due colonne di mattoni sormontate da anfore bianche ricolme di edera a sostenerlo. Poco distanti, tra la vegetazione, scorsi due lapidi sbilenche divorate dal muschio e un tempietto neoclassico diroccato e dopo qualche minuto di tragitto apparve quella che Iain si ostinava a chiamare la «casa» ma che, con le lunghe siepi scure che incorniciavano la costruzione di pietra sul cui corpo centrale spiccava un colonnato neoclassico abbracciato da un glicine, mi sembrò qualcosa di più. C'erano macchine parcheggiate sulla ghiaia, quasi tutte appartenenti a un'altra epoca, e le finestre del pianterreno erano illuminate da una luce color pergamena. Un enorme cane nero ci venne incontro abbaiando e si mise a fare le feste a Iain appena lo riconobbe. Mentre stavamo ancora prendendo le borse nel bagagliaio, si aprì la porta e uscì una signora con gli occhi di Iain e l'aria svagata, i capelli ramati e una bella bocca dalle linee allungate. La sua ossatura sottile sembrava caricata da troppo peso ed era vestita senza cura, ma non c'era equivoco possibile: la dama della grande dimora era lei.

Il figlio le diede un bacio sulla guancia, poi si girò e, prendendomi la mano, le disse:

«Mamma, lei è Alina. Alina, lei è Rachel, mia madre».

Rachel baciò l'aria accanto a me, mi diede il benvenuto dando una sistemata alla siepe e, simulando il gesto di chi ha freddo, ci esortò a entrare. Era agosto e c'era ancora luce.

All'interno regnava un disordine morbido ma, a differenza delle altre case che avevo visto, era un disordine di oggetti pregiati, che sembravano appoggiati lì da molto tempo. Avrei voluto avere il tempo di guardare meglio ma per ora dovevo seguire Rachel, che aveva stretto la mia mano nella sua grassoccia e fredda e mi aveva trascinata in salotto, dove c'erano John, versione anziana e imperiosa del figlio, e due amici comodamente seduti sui vecchi divani. John, vestito come chi è appena sceso da una montagna, si alzò, mi diede una stretta di mano energica e bofonchiò qualcosa. Ruvido com'era, mi rassicurò più della moglie con il suo benvenuto formale.

«Vi preparo un altro drink? Lei è Alina, l'amica italiana di Iain» proclamò senza cerimonie.

Cercai di immaginare gli amici dei miei genitori sprofondati sui divani in calzettoni a bere superalcolici sotto i ritratti degli antenati e trattenni un sorriso. Nessuno mi sembrava particolarmente simpatico in quella sala con le pareti di legno dipinte del colore che prende il latte quando ci si versa dentro una goccia di sciroppo alla menta, ma l'atmosfera tra di loro era così rilassata che cercai di trovare un mio spazio e di lasciarmi andare. Chiesi un gin and tonic e mi sedetti su una poltrona, non troppo vicina a Iain per apparire disinvolta e per poter comunicare con lui attraverso lo sguardo. Mi sorrise, mi sentii meglio. L'altra donna nella stanza era appena più anziana di Rachel e, al contrario di lei, magrissima, con i capelli bianchi molto corti. Tra calze, maglione e camicia aveva abbinato una serie impressionante di indumenti a righe. Si chiamava Clare e con mia grande soddisfazione si rivelò ciarliera.

«Stavamo parlando della situazione politica in Italia. Che disastro, ma come fa un paese così bello a eleggere gente così spaventosa?» chiese con enfasi.

Stavano parlando di me, quindi, e per farlo avevano scelto il più trito degli argomenti, il più desolante dei punti di vista. Ormai non eravamo più neppure uno stereotipo, ma la caricatura di uno stereotipo, esili sagome di cartone usate come bersaglio mobile di un'ironia ridanciana e di analisi sommarie alle quali non era possibile ribellarsi per implorare l'uso di un chiaroscuro, l'àncora di un distinguo. Che le critiche fossero condivise o meno, fondate o meno, era irrilevante: l'unica era tentare la fuga in avanti e cercare di passare a parlare d'altro il prima possibile.

Iain mi guardò e fece spallucce.

«È terribile e totalmente incomprensibile. Speriamo resti un problema tutto italiano e che non succeda mai nel resto del mondo» risposi ieratica.

Non mi chiesero del mio lavoro e questo mi fece pensare che Iain li avesse preparati sul fatto che c'era poco da dire. La cosa sembrava rendermi trasparente e questo mi indispettì. Iniziai a parlare della società per la quale lavoravo, senza specificare che, nonostante la promozione, ero ancora solo l'assistente personale di Sally. Accennai ai miei studi e alle mie letture e notai con soddisfazione che quelle munizioni, usate senza eccessi, colpivano nel segno, suscitando quell'interesse che altrimenti sembrava impossibile ottenere. Purtroppo tutto quello che dissi quella sera in Cornovaglia venne interrotto dalla madre di Iain che notava come già qualcun altro – e giù a citare nomi di gente che non conoscevo – glielo avesse raccontato. Ero troppo grata che la conversazione scorresse senza imbarazzo per offendermi, ma gli interventi di Iain per aiutarmi a capire quel mondo – Jean è la figlia della cugina di Clare, lavora nell'agenzia Y, Steve è un collega di mio padre e sua moglie è italiana – mi confermavano che in casa c'era una certa abitudine alla sufficienza e che lui stava cercando di tamponarla. Io sorridevo, rispondevo, ero gentile ma senza esagerare. Poi si andò tutti a dormire nelle grandi stanze con le lenzuola e le coperte ispessite dall'umidità. Iain mi abbracciò di spalle e mi diede un bacio sulla nuca.

«Come stai?»

«Bene. Non credo di aver mai dormito in una casa così bella».

Il peso della trapunta ricamata che avevo addosso mi ricordava che il divario non era solo estetico e che anzi, da italiana, su quel fronte non avrei mai avuto nulla da temere. L'eleganza spaiata delle vecchie lenzuola fatte a mano e il corrucciatissimo antenato Oldfield che vegliava su di noi dai confini della sua cornice dorata erano lì a raccontarmi qualcosa di nuovo su Iain.

«Lo sai che io e te veniamo da posti molto distanti, vero?» sussurrai dopo un momento di silenzio.

«Non ti far ingannare. I miei genitori sono più come te li ho descritti io che come li hai visti ora. Ma sono bravi a sembrare freddi, lo ammetto».

«No, non è quello che volevo dire. Mi devo solo abituare ad associare tutto questo a te, è molto diverso da come me lo aspettavo».

«È solo una bella casa con molti quadri e molti cani».

Ci addormentammo abbracciati e nudi tra il rumore dell'orologio in corridoio e un odore sfiatato di sacchetti di lavanda.

La mattina dopo, dalla lama luminosa sotto le tende di velluto, si capiva subito che sarebbe stata una bella giornata. Ci preparammo rapidamente – non funzionava l'acqua calda e l'idea della doccia non mi sfiorò neppure – e scendemmo a colazione. Sul grande tavolo di legno erano disposti tanti vasetti di marmellata, alcuni fatti in casa e altri con le etichette familiari che si incontravano al supermercato, tutti dall'aria appiccicosa e vissuta. Il servizio di piatti era sbeccato, con molti pezzi mancanti e sostituiti alla rinfusa, così come le vecchie posate d'argento. Le tazze da tè erano tutte diverse, ma, a differenza che a casa di Ilaria, tutte provenienti da servizi pregiati. Eravamo gli ultimi a fare colazione, la tavola era stata già quasi tutta sparecchiata ed era in parte occupata dai giornali del weekend, con quelle decine di inserti che ci sarebbe voluta una vita per leggerli. Il padre di Iain era assorto in un volume di storia sulla sua poltrona e la madre era già andata a lavorare il giardino. Si vedeva il suo cappello bianco agitarsi tra le punte colorate di fiori che non avrei saputo nominare e che, disposti con studiata noncuranza, cancellavano i confini di uno spazio enorme ma non immenso, movimentato da pendenze dolci che anticipavano senza fretta l'orizzonte marino di quella regione costiera. Le uniche geometrie venivano dalle siepi, pareggiate appena, e dal casotto in cui Rachel teneva i suoi attrezzi da giardinaggio.

«Hai visto come siamo sensuali quando curiamo le piante?» osservò Iain mentre stendeva un pezzo di burro sul pane fatto in casa.

«Non sono del tutto d'accordo, ma ammetto che c'è un fondo di verità» gli dissi dandogli un bacio sulla guancia. «Tua madre ci sta mettendo un'energia fisica che non credevo avesse, con quei polsi sottili e quelle mani delicate» aggiunsi mentre la guardavo che spostava alcuni sacchi di terra.

Stavamo finendo il nostro tè quando il rumore di una macchina sulla ghiaia annunciò l'arrivo del fratello di Iain. Mentre gli andavamo incontro nell'aria fredda e primaverile, mi sorpresi a ritrovare le colonne neoclassiche, della cui esistenza mi ero quasi scordata.

Il primo a scendere dall'auto fu Alastair, una versione più massiccia del fratello, con i capelli cortissimi di chi ha da tempo iniziato a perderli e i lineamenti che amavo, riconoscibili nonostante l'abissale differenza di portamento. Poi, dal lato passeggeri, spuntò come una sorpresa una persona bionda su cui i miei occhi d'istinto cercarono, e non trovarono, un solo difetto. La ragazza in questione non era dissimile da quelle che si vedevano in giro per Londra, quelle inglesi bionde di altezza media con i tratti piccoli e gli occhi chiari. Solo che in lei tutto si univa nella grazia immacolata dell'ovale, con il naso drittissimo, la pelle trasparente, gli occhi enormi di un celeste acceso, le labbra piene con le fossette ai lati e quel sorriso in cui la bocca si apriva appena più da una parte che dall'altra, irresistibile difetto su un quadro impeccabile. Avevo visto donne con più fascino, donne più appariscenti, volti più sorprendenti, ma non avevo mai visto nessuno di cui pensassi che anche solo un teschio, se ritrovato tra un milione di anni, avrebbe rivelato senza margine di errore una bellezza fuori dal comune. Doveva essere abituata a essere osservata come un prodigio e sorrise, ma da quelle alture estetiche non aveva bisogno di darsi arie.

«Piacere, sono Mary. Eccoti finalmente, Alina!» disse con una stretta di mano energica e un accenno di abbraccio che, goffamente, non intercettai. Aveva un cappotto di lana cotta color smeraldo e mocassini marroni con una fibbia dorata. Iain la salutò con molto affetto. Prese la sua borsa, liberarono il cagnone che si erano portati dietro e ci dirigemmo tutti verso la casa.

«Finalmente ti conosciamo» disse Alastair, più timido di quanto il fisico statuario suggerisse.

Eravamo rientrati nella casa, che alla luce del sole mi sembrò ancora più disordinata che di sera, con l'aria satura di polvere. Il padre di Iain alzò appena gli occhi dal suo volume per salutare i nuovi arrivati, mentre Rachel fece un enfatico cenno con la mano coperta da un guanto di cerata verde lungo fino ai gomiti e tornò di corsa alle sue foglie. Nulla di particolarmente affettuoso, neanche nei confronti di Mary, che però rispetto a me sembrava avere il vantaggio di non curarsene, pensai osservando attenta ogni dettaglio di quella ragazza.

«Qualcuno porti fuori il cane» tuonò il padre, della cui affabilità tanto decantata dal figlio non avevo avuto fino a quel momento molte tracce. La bestiola in questione, a differenza degli altri che avevo visto in giro, era un fox terrier stizzoso. Iain lo chiamò e lui gli corse incontro con un topo di pezza in bocca.

Decidemmo di fare una passeggiata lungo la costa. Indossammo tutti stivali di gomma e io presi in prestito quelli di Rachel. Anche se era quasi autunno, negli ultimi giorni aveva piovuto e la campagna era più accesa che mai.

Iniziammo camminando tutti e quattro insieme, poi io e Alastair rimanemmo indietro con i cani, Cara, Monty e Fenton, entusiasti dell'escursione e già sporchi di fango. Il fratello di Iain aveva una cortesia metodica, che non suonava falsa e dava la sensazione che si sarebbe fatto cavallerescamente carico di ogni eventuale silenzio. Mi venne facile venirgli incontro e la nostra chiacchierata fu piacevole, o almeno così mi sembrò visto che il mio inglese fluiva leggero. Come per incanto, trovai sempre tutti i termini per esprimere quello che volevo dire. Anche dopo un periodo lungo a Londra, quando mi capitava di parlare bene era un trionfo personale che non mancavo mai di festeggiare tra me e me. Alastair mi raccontò che lui e Mary si erano appena trasferiti in un appartamento a Notting Hill, vicino al lavoro di lei, direttrice di un teatro in piena fase di rilancio. Rimasi stupita. La sua fidanzata sembrava una bambina ed era sperimentale quanto poteva esserlo, che so, la statua dell'ammiraglio Nelson a Trafalgar Square. Alastair, invece, aveva da poco lanciato una sua società, una start-up che si occupava di fare incontrare domanda e offerta nel settore dei trasporti in una maniera che capii abbastanza da trovarla astutissima, ma che dimenticai subito dopo.

Volevo sapere di Mary, gli feci qualche domanda. Mi raccontò di come avesse recentemente messo in scena un *Servitore di due padroni* accolto con entusiasmo dalla critica. Nella mia testa sfilavano immagini di questo essere splendido mentre sistemava i costumi in una produzione molto casalinga della commedia, dimostrando una creatività così rara da attirare un immediato interesse. Ero incantata da lei, ironica e aperta, molto diversa rispetto agli altri personaggi del mondo in cui ero entrata. Favoleggiavo della sua infanzia senza ombre: la famiglia calorosa, il talento precoce, le probabili doti da sportiva tradite dal fisico asciutto. Tutto in lei parlava di consapevolezza e agio.

«Che coraggio, andare via dalla tua città! Sei avventurosa, ti ammiro» mi disse lanciando un bastone a Monty, un labrador nero con il pelo setoso e i tratti morbidi del cucciolo. Me l'aveva già detto qualcuno, ma da lei sembrava sincero.

«Tu non ci hai mai pensato?» le chiesi, pentendomi subito dopo di quella che mi parve una domanda scema.

«No, per quello che faccio io ci sarebbe solo New York, ma mica ce l'ho il coraggio di ricominciare daccapo come te». Mi fece arrossire. «No, no, lo penso davvero» proseguì accarezzando le orecchie nere di Monty, che gongolava di felicità. «Comunque evviva il tuo coraggio e meno male che ti abbiamo intercettata, o Iain sarebbe rimasto per sempre in casa a deprimersi» aggiunse rialzandosi, con il profilo perfetto che si stagliava contro un mare turchino quasi come il Mediterraneo.

Non era la prima volta che qualcuno suggeriva che avessi salvato Iain. Una sicuramente era Katie, ma non riuscivo a ricordarmi da dove fossero arrivati gli altri commenti. Forse era un modo enfatico di sottolineare il fatto che prima di incontrare la persona giusta siamo tutti un po' infelici, pensai. Mi girai a guardarlo e in lui, come sempre, non vidi altro che forza e solidità. Mi sorrise da lontano.

Dopo la lunga passeggiata, interrotta solo da una birra in un minuscolo pub di campagna, rientrammo a casa. Iain andò con Alastair ad aiutare la madre a spostare alcuni mobili e io salii nella nostra stanza per riposarmi e prepararmi per la cena di compleanno. Appena chiusi la porta di legno, mi precipitai a mettere su Google i pochi elementi che avevo su Mary: il nome di battesimo, Notting Hill, Goldoni. E subito mi apparve lei, luminosa e celebrata da articoli su testate stellari come il *New York Times* che ne elogiavano lo stile moderno e quell'eccentricità dimostrata fin dagli esordi. Questi ultimi parevano avvenuti cent'anni prima. Rimasi confusa e cercai la sua data di nascita: quando scoprii che aveva due anni meno di me rimasi in uno stato di straniamento, come se la vita fosse un sacco da riempire e il suo fosse più pieno del mio. Mi sentii spaesata mentre cercavo di calcolare la distanza da recuperare per tenermi al passo con quel mondo così veloce. Ripensai a mia madre e alla sua teoria, spesso ripetuta, che io non fossi abbastanza competitiva. Ai tempi mi rassicurava sapermi soddisfatta e innocua, ma ora quell'immagine placida di me mi parve ridicola. Ero in preda a un'impazienza urticante, sarei volentieri tornata a Londra in quel momento per iniziare subito qualcosa, qualunque cosa che mi distraesse dalla sensazione che si andava facendo spazio e che non aveva a che fare con un futuro comunque correggibile, ma con il magnetismo dei rimpianti. L'incontro con Mary, persona esemplare anche nella simpatia, aveva suscitato in me un senso di spreco – di ambizioni, di tempo – e struggimento per non aver saputo fare di meglio con me stessa. Alla ricerca di un diversivo guardai intorno nella stanza, calda in tutto tranne che nella temperatura, e avvicinandomi al vecchio termosifone di ferro mi misi a leggere i dorsi dei libri ordinati sugli scaffali piantati appena più in alto sulla parete coperta da piccoli fiori. C'era molta storia, qualche manuale di scienza, una grammatica francese e una di italiano, oltre a un'edizione bilingue della *Divina Commedia* e a una copia di *Cristo si è fermato a Eboli*. Non l'avevo mai letto. Appena sfilai il libro dalla sua compatta fila, caddero dei fogli. Mi piegai per raccoglierli e mi sedetti per terra con la schiena contro il termosifone: c'erano una pagina di una vecchia rubrica telefonica, una mappa di Reggio Emilia e un paio di polaroid scolorite. Ritraevano due persone. Uno era

Iain, ancora acerbo, con i capelli mossi. L'altra era una ragazza con una massa di ricci e gli occhi socchiusi in una linea all'ingiù per proteggersi dal sole. I due erano seduti sulla scalinata di una chiesa, intorno si vedevano i soliti piccioni italiani e la ruota di una bicicletta che il fotografo maldestro non era riuscito a evitare. I loro cappotti erano scuri, lui aveva una sciarpa rossa, lei sembrava piccolissima in confronto. Nell'altra, fatta subito dopo, lei era in piedi e si piegava per dare un bacio a lui, rimasto sulla scalinata. La bicicletta non c'era più. Erano foto molto belle, che cancellavano i dettagli e catturavano l'anima cristallina di qualcosa di cui non sapevo nulla. C'era poi una terza foto più grande, un primo piano in bianco e nero. Era un'immagine posata, in cui la modella teneva la testa leggermente inclinata mentre i suoi riccioli si confondevano tra le foglie di un albero. Stava cercando di sorridere seriamente, di comporre un'espressione meritevole di essere immortalata e il risultato catturava la grazia inesperta dell'infanzia. La ragazza della foto non doveva avere neanche vent'anni: occhi allungati il cui fondale trasparente si intravedeva appena tra le ciglia nerissime, lentiggini, nasino, bocca sottile e graziosa, ovale morbido, insieme radioso proprio nel suo essere il risultato di qualche imperfezione nei tratti, lontani dalle proporzioni greche della testa di Mary. Feci in tempo a osservarla bene e a mettere il libro sul mio comodino quando Iain aprì la porta.

«Sei pronta?» mi chiese senza entrare. Io, che mi ero infilata di fretta un vestito pulito, gli andai incontro e uscimmo abbracciati verso la scala che portava al piano di sotto.

La grande tavolata si riunì verso le sette, quando il cielo ancora tratteneva la luce argentina del tardo pomeriggio. Alcuni bambini già in pigiama vennero a dare la buonanotte e noi adulti ci ritrovammo tutti intorno a più vasellame che vivande, una serie infinita di piatti, piattini e insalatiere e posate d'argento e bicchieri che venivano riempiti in continuazione con vini non buoni ma efficaci. Mangiammo una sorta di spezzatino molto cotto e troppo saporito, c'erano alcune teglie di verdure del giardino fatte al forno e vidi Rachel armeggiare disinvolta con una grande insalatiera piena di pasta in cui stava inserendo tutti gli ingredienti che le capitavano a tiro. La conversazione fu scoppiettante, ma nessuno mi fece domande né sembrò rilevare la presenza mia o di qualcun altro. Sembrava una partita di *volley*, uno sport che gli inglesi neppure conoscevano: un commensale alzava un argomento che poi veniva palleggiato fino a quando qualcuno non schiacciava, e allora si passava a parlare di altro.

Quando ci alzammo dalla tavola, io avevo ormai stretto una di quelle amicizie effimere e fulminanti con una cugina che viveva in Germania e con il marito giornalista, avevo fatto un paio di passi falsi nel mostrarmi troppo disponibile ad aiutare Rachel con la tavola e avevo risposto con semplicità quando Clare, l'amica vestita a righe, mi aveva chiesto che lavoro facesse mio padre:

«Ha un negozio di abbigliamento maschile» avevo spiegato, lasciando agli altri il compito di capire come fossi finita lì, a Londra e in quella grande casa ancora prima che accanto a Iain.

Quando raggiungemmo il salone, il padre di Iain mi si avvicinò con una bottiglia di whisky chiedendomi se mi andava di provarlo. Accettai con piacere e gli chiesi se il libro che aveva iniziato la mattina gli stesse piacendo.

«Molto. Ti interessi di storia?» chiese con un sorriso e una vena di curiosità che mi fecero, per la prima volta in tutta la serata, fare un bel respiro sereno. Parlammo molto, dei miei studi e delle sue passioni, della mia famiglia e dell'Italia, e quando con Iain rientrammo in camera, avevo dimenticato ogni malumore. Mi sembrava di potere avere anche io una fetta di quel mondo incantato, di non esserne troppo lontana. Mi infilai nel letto mentre Iain finiva di lavarsi i denti e presi *Cristo si è fermato a Eboli*. Lo aprii, ma i fogli e le foto della ragazza con i riccioli e gli occhi all'ingiù non c'erano più. Iain si sdraiò accanto a me e spense la luce sul suo comodino. Lessi una pagina e provai a ignorare ciò che si era appena frapposto tra me e il più profondo dei sonni.

8.

Pallidi ricordi

Oxford, febbraio 2001

La grande anfora di vetro piena di testine d'aglio traslucide e gonfie di liquido come un arto sotto formaldeide non era un bello spettacolo, ma Vicky insisteva per andare sempre nello stesso ristorante e il proprietario aveva deciso che quello era il loro tavolo, glielo assegnava ogni volta. Il vantaggio era che mangiare lì costava poco e, rispetto ai pub dove i loro amici andavano a saziarsi di oscure pietanze, i piatti erano molto più pieni e, in confronto, addirittura più buoni. Visto che nessuno li voleva seguire così lontano – il locale era ad Abingdon, lontano da Oxford, terra dei Radiohead e di scuole private piene di ragazzini infelici – si poteva stare soli, parlare, lontano dai compagni d'appartamento e dagli amici, dai tutori universitari, dai libri da studiare e dalle lavatrici da stendere. Vicky non aveva un bel colorito neppure con la luce morbida della candela infilata in un fiaschetto. Stava dimagrendo ancora e, senza consultare Iain, quel pomeriggio si era tagliata i capelli molto corti, il che la faceva sembrare un bambino di sette-otto anni perso nei suoi vestiti da esploratore. Era sempre piena di slanci e di entusiasmo – la biologia marina la appassionava, voleva specializzarsi in ecologia degli oceani – ma non c'era più nessuna serenità in lei. Iniziava ad avere più fissazioni di quante Iain ne potesse contare: lavarsi le mani cento volte al giorno, non mangiare carne né pesce, finire ogni libro di cui avesse letto la prima pagina, fare canottaggio tutte le mattine alle sette, dare una sterlina a ogni mendicante incontrato per strada, iscriversi all'associazione degli studenti trotskisti di Oxford, non sopportare nessuna forma di trucco o di profumo, rifiutarsi di prendere aerei e guardare con sospetto anche la macchina, vietarsi di toccare la plastica e qualunque sostanza inquinante, non ascoltare musica commerciale, non vedere film americani, non comprare cibo nei supermercati, non cenare nelle grandi catene di ristorazione, portare in collegio gatti randagi che Katie, la sua vicina di stanza, andava poi a liberare di notte nei prati verdi di Oxford raccontandole a colazione che erano scappati, frequentare ogni appuntamento contro la globalizzazione dopo che a una manifestazione era stata quasi arrestata, non parlare con il fratello andato a lavorare nella City dopo una fragorosa litigata la sera di Natale. Tornare sempre in quel locale sudaticcio, il cui proprietario Gino parlava italiano molto peggio di loro, era una di queste fissazioni, triste testimonianza di quanto l'Italia fosse ormai lontana. Iain aveva più volte suggerito di evitarlo, di andare piuttosto in uno dei nuovi posti italiani del centro di Londra a godersi qualcosa che somigliasse almeno da lontano all'originale, ma alla Vicky del nuovo millennio queste cose non si potevano più proporre neanche per scherzo, perché non c'era più ironia in lei, solo un senso di missione con cui abbracciava ogni novità che le permettesse di negarsi qualcosa, di torturarsi di più, di definirsi attraverso un gesto radicale e netto. Iain capiva che tipo di essere umano Vicky aspirasse a essere e rispettava le sue scelte, le sue cause. Era solo preoccupato per il fatto che fossero arrivate tutte insieme, maturate nel corso dell'anno italiano e poi esplose quando, di nuovo a contatto con il suo mondo d'origine declinato nella versione studentesca e privilegiata di Oxford, aveva avuto bisogno di gridare forte che era cambiata, e che non sarebbe mai tornata indietro.

Dopo quasi un anno, l'eco lontana di Reggio Emilia continuava a essere il rumore di fondo nelle loro teste. Iain ripensava a quel lontano pomeriggio sul divano di casa di Vicky a leggere cartine e fare progetti e gli sembrava di guardare sé stesso bambino. In parte la odiava per averlo portato via da quel quadretto e per i momenti di acuto dolore che aveva provato seduto sulle vecchie pietre italiane, mentre si accorgeva che non sarebbero mai più tornati indietro e che l'amore come l'aveva inteso non avrebbe retto un giorno in più davanti a ciò che andavano scoprendo insieme. E più il dispiacere per il tradimento della Vicky di cui era innamorato si andava dissolvendo tra le fronde di un giardino pubblico in cui musicisti bravissimi cantavano in un inglese atroce, più sentiva di volerle stare accanto come amico e come persona che, nel bene e nel male, non poteva separarsi da lei. Era cambiata, certo – la ragazza perbene era diventata altro e si vedeva – ma era rimasta fragile, anzi, lo era ancora di più, e simpatica, forse anche di più. Rientrati in Inghilterra, erano ridiventati quello che erano stati da ragazzini, l'asse più saldo di un collettivo, tranne che per il sesso: quello andava avanti per la sua strada come se niente fosse. Forse non lo erano mai stati, una coppia, pensava Iain mentre Gino ricopriva di riccioli di parmigiano il piatto di risotto al ragù che aveva ordinato dopo aver dato uno sguardo rassegnato al menù con i bordi anneriti dagli anni.

«Pensavo di tornare in Italia quest'estate, sai?» disse Vicky.

Un tempo, per dire, mi avrebbe chiesto se volevamo tornare in Italia, pensò lui.

«A luglio c'è il G8 a Genova, pensa che Marianna è molto amica degli organizzatori delle manifestazioni. Ci andranno tutti» proseguì lei spiluccando melanzane alla griglia affogate in una salsa lucida e densa.

«Oh, interessante» rispose Iain. «Anche qualcuno da Oxford?»

«Ne parleremo alla riunione di dopodomani. Ho sentito quelli di Londra, loro andranno senz'altro. A te non interessa, vero?» chiese lei senza grandi aspettative sulla risposta.

«A luglio ho molto da studiare, non credo di potermi allontanare» disse Iain, a cui passò davanti l'immagine di lei da sola tra i lacrimogeni, seguita da quella di lei in un commissariato, ma non di una città inglese.

D'istinto Vicky si passò la mano tra i capelli laddove non ce n'erano più, visto che li aveva appena tagliati.

«Posso chiederti un favore?» gli sussurrò cospiratoria.

«Dimmi pure».

«Puoi non dire niente ai miei genitori? Del fatto che devi studiare, intendo. Se sanno che vado con te faranno meno storie, anzi, forse non ne faranno affatto» disse.

Iain trattenne il fiato, fece un bel respiro profondo e, dopo aver riflettuto per un minuto che sembrò a entrambi un'eternità, iniziò a parlare.

«No, Vicky, è chiedere troppo. Passi pure il fatto di mentire ai tuoi genitori, ma non credo che la piega che stanno prendendo le cose tra noi...». Lei lo interruppe subito.

«Che c'entrano le cose tra noi?» disse allontanando il piatto di melanzane con un gesto brusco.

«Cosa siamo diventati? Da innamorati ad amici a volte amanti a placidi fornitori di alibi l'uno per l'altra? Il primo passaggio l'ho accettato, è stato inevitabile e forse non ho fatto niente per impedirlo. Va bene così, è una cosa del passato, ormai non si torna indietro» disse Iain torcendosi nella sedia. Non era un tema di cui volesse parlare, lo stato della loro relazione, ma forse era venuto il momento di affrontarlo.

«E quindi cosa, non siamo più amici, non ci sosteniamo più? E poi cosa vuol dire che non siamo più innamorati?» Vicky era alterata e Iain per un momento, ma solo per un momento, sperò che lei gli dicesse che lo erano ancora, innamorati.

«L'Italia non è stata esattamente un'esperienza romantica, non trovi?» rispose aspro.

«Cosa vuoi dire, che è stato brutto? È stato il periodo più bello della nostra vita e ora tu vuoi vedere solo i lati negativi?» urlò lei. «Solo perché ci siamo aperti al mondo, a nuove esperienze, mica vuol dire che noi due non ci vogliamo più bene, no? Ci siamo lasciati e non lo sapevo?» chiese lei con l'aria sempre più convinta, tanto che Iain si chiese di nuovo se fosse stato lui a fraintendere tutto.

«Sai benissimo cosa voglio dire, Vicky». E la guardò severamente. «Abbiamo perso molti pezzi per strada».

«Ne abbiamo guadagnati, di pezzi, siamo diventati migliori, siamo cresciuti. A te non interessa quello che faccio, è questo il problema, solo questo. Tu mi vuoi curare, vuoi salvarmi, vuoi riportarmi indietro, vuoi soffocarmi!» A quel punto stava urlando e Iain alzò le sopracciglia guardandola fisso negli occhi. La voce di Vicky risuonava nel locale vuoto, tanto che la moglie di Gino era uscita dalla cucina asciugandosi le mani sul grembiule a vedere cosa stesse succedendo.

«Non voglio soffocarti, Vicky, non più di quanto ti voglia soffocare tu stessa con le tue manie». Lei aveva iniziato ad alzarsi e lui le afferrò la mano costringendola a risedersi.

«Vaffanculo, sei uno stronzo, vaffanculo. Scopiamo e siamo amici, che cazzo d'altro pensi che sia una relazione, che cazzo ti aspetti?» Era rossa in volto e mandò giù un sorso di vino, sbattendo il bicchiere sul tavolo. «Ti ho chiesto di dire ai miei che sono in vacanza con te in Italia così posso andare a una manifestazione per rendere anche il tuo cazzo di mondo meno tossico, ma a te ti frega solo se sto lì a fare la fidanzatina o meno. Ma cosa cazzo sei diventato?» La voce era un lamento aquilino.

Alla prima pausa di lei, Iain chiese il conto. Gino lo portò subito simulando una camminata in punta di piedi. Data un'occhiata al tavolo, con un colpo di penna tolse le melanzane dal totale.

«Vicky, innanzitutto stai calma e piantala di urlare. Ora usciamo e parliamo meglio, se vuoi. Però su una cosa smettila di dirmi stronzate: tu lo sai benissimo cos'è l'amore».

9.

Una vita londinese

Londra, 2008-2010

La casa di Netherwood Road si accendeva alle 7 del mattino. Katie, insonne, accoglieva con gratitudine la sveglia che la liberava dallo sforzo di restare a letto a far finta di dormire e correva a occupare il bagno: doccia rapida nella vasca scrostata, trucco verdeazzurro sugli occhi scuri e capelli bagnati con cui uscire ogni mattina, anche d'inverno. Io, che da sempre avevo bisogno di mangiare appena sveglia, preparavo il caffè e glielo mettevo nel grande bicchiere riciclabile di Starbucks che le avevano regalato a Natale per permetterle di berlo per strada. Facevo colazione con caffellatte, pane e marmellata, visto che di biscotti buoni non ne trovavo. Quando lei usciva io ero pronta ad andare a farmi la doccia nel bagno ancora umido di vapore, con la cipolla incrostata di calcare che lasciava uscire l'acqua in pochi piccoli getti affilati come aghi. Una volta concluso quel concitato rito, sfidando il freddo aprivo la finestra per vedere il mio volto riemergere tra le nubi sullo specchio. Né io né lei eravamo particolarmente ordinate, ma Katie non possedeva quasi nessun cosmetico al di fuori di una matita per gli occhi e un lucidalabbra, aveva solo una spazzola e consumava enormi quantità di un bagnoschiuma al mandarino molto abrasivo. E io, per non invadere lo spazio con i miei trucchi e le mie creme, tenevo tutto nel primo cassetto della camera da letto, appena sotto lo specchio davanti al quale svolgevo le operazioni più elaborate come asciugarmi i capelli, costretta dalla legge britannica che impediva di mettere prese elettriche in quei bagnetti sconnessi.

Osservavo incuriosita il modo che Katie aveva di tenere la casa, di lavare i piatti senza sciacquare via il sapone e di conservare avanzi in frigorifero per settimane, dando assoluta priorità all'ordine rispetto alla pulizia. Un modo di fare consolidato, che non avrebbe cambiato per nulla al mondo se non ci fossi stata io a occuparmi della spesa, a farle trovare qualcosa di pronto la sera e a disinfestare la cucina quando l'odore si faceva intollerabile.

«Non capisco che bisogno ci sia di perdere tempo così» mi diceva ogni volta che mi trovava alle prese con detersivi e strofinacci, come a voler puntualizzare che in nessun caso i compiti sarebbero stati condivisi in base a criteri tanto irragionevoli. «Però grazie comunque».

Tenere la casa sempre all'altezza della luminosa impressione che mi aveva fatto la prima volta era un grande piacere per me, uno dei rari momenti in cui sentivo di poter incidere su quella città fluida.

La mattina mi piaceva uscire nell'aria fredda e percorrere le strade tutte uguali cercando di essere sempre più rapida – dieci minuti un giorno, addirittura otto l'indomani – allineandomi alla carovana di persone in ritardo che si dirigeva verso la metro. La banchina era sempre talmente piena che raramente riuscivo a prendere il primo treno. Quando arrivava il mio turno ero così vicina al bordo che, al suo arrivo, il tubone metallico quasi mi sfiorava, lasciandomi addosso un senso di paura e di fatalità che ci metteva qualche minuto ad andare via. Io e gli altri passeggeri restavamo in piedi ad annusarci per tutto il viaggio, che durava venti minuti e che trascorrevo cercando di leggere qualche libro breve e maneggevole, oppure osservando le persone intorno a me, simili le une alle altre come se fossero attori diretti a un casting per una dozzina di ruoli in un film importante. Sul treno, ad esempio, non mancava mai la professionista quarantenne con un tubino a fiori grandi – la dimensione delle stampe era sempre proporzionale all'età delle persone – e la borsa nera carica di faldoni, le scarpe col tacco comodo a reggere il fisico da madre di famiglia, i capelli biondi tagliati sopra la spalla, magari con un guizzo geometrico a rendere l'insieme più moderno e gli orecchini coordinati con la collana e con il bracciale, lascito di un anniversario di matrimonio o di un compleanno importante. Era un tipo umano, non una persona singola, ripetuto all'infinito come le case di Londra. Bastava una settimana sulla Central Line per imparare a distinguerli tutte.

Anche nei giorni grigi a St Paul il cielo aveva la chiarezza dei posti vicini all'acqua e quell'indeterminatezza londinese che smussava gli angoli e ingentiliva tutto. Dalla stazione della metro il corteo di viaggiatori si separava, non senza ordine: i più istituzionali andavano verso le banche, i più stanchi verso gli uffici legali, i più disinvolti verso le agenzie come la mia, dove il personale era giovane e una certa eccentricità incoraggiata.

Le giornate di lavoro erano faticose, forse per via della concentrazione enorme che, a distanza di anni, continuavo a mettere su tutto, a partire dalla lingua. Le gratifiche non si erano fatte attendere troppo e il mondo dei fogli Excel e di Miwa, che nel frattempo si era sposata ed era tornata a vivere in Giappone, era ormai un ricordo lontano. Ma non duravano a lungo, queste giornate. Il mio ufficio dopo le cinque e mezzo iniziava a svuotarsi e alle sei c'erano solo gli addetti alla pulizia che raccoglievano le tazze di tè rimaste sulle scrivanie e svuotavano i cestini pieni di confezioni di caramelle e di cioccolatini sgranocchiati per sedare il nervosismo. Mi ero adeguata alla dolce abitudine di riversarmi in un pub con i colleghi a fine giornata, scoprendo un'ora che quando ero a Roma mi era preclusa, incarcerata in un ufficio in cui era imperativo ciondolare fino a tardissimo. Le conversazioni nel vecchio *Cockpit* erano incentrate sull'azienda, sui clienti e sui nostri capi di New York, a cui si attribuiva una visione così ampia del mondo e delle sue articolazioni che a volte mi veniva da chiedermi se fossero esseri umani o entità onniscienti. Erano chiacchierate allegre, in cui era raro che si parlasse veramente male di qualcuno e in cui la disamina dei comportamenti altrui poteva essere feroce solo a condizione che fosse espressa con eleganza. Gli aneddoti avevano sempre un grande prestigio, soprattutto se uno li sapeva raccontare in quella maniera lenta, capace di infondere suspense anche al più insignificante dei fatti. Avevo iniziato a vedere questi momenti come prove di forza, attestati di autorevolezza: erano spesso gli uomini a raccontare e le segretarie a ridere più forte, in una dinamica che pensavo estinta da tempo nei paesi del nord.

Tra i tavoli appiccicosi del pub accadeva spesso qualcosa di inaspettato, forse per via delle birre, forse per quella moquette sudicia che incoraggiava un tono più intimo.

«Credi che dovrei andare in terapia?» mi chiese una volta a bruciapelo una certa Sam del settore marketing, una ragazza bionda col mento sfuggente e le unghie troppo curate. Con lei avevo scambiato due parole per la prima volta la mattina stessa al bar mentre facevamo la fila per il caffè. Ora era lì davanti a me che snocciolava i pro e i contro di un'analisi freudiana.

«Faccio bene, che ne pensi? Tu hai mai provato?» mi chiese con gli occhi sbarrati.

Quando, superata la sorpresa, mi ero rassegnata a cercare di darle una risposta ragionata, Sam, con uno sguardo al cellulare e mille scuse, si era alzata per correre a prendere il treno verso uno degli *shires* lontani da cui veniva ogni mattina.

Il sabato sera uscivamo quasi sempre tutti insieme con il gruppo di Iain e Katie spesso si fermava a dormire fuori, il più delle volte nella casa dove c'era stata una festa, sul divano o su una poltrona. In un paio di casi eravamo stati noi a metterla a letto come una bambina, spogliandola, infilandole il pigiama e rimboccandole le coperte mentre lei incosciente ci ripeteva «non c'è bisogno, non c'è bisogno». La sua vita sociale non esisteva al di fuori del vecchio gruppo di amici e di qualche cena di lavoro e i rari uomini che entravano nella sua vita ne uscivano alla svelta la mattina dopo, spesso dopo essersi preparati un paio di uova e un caffè in mutande nella nostra cucina e averla salutata con un bacio sulla guancia. Lei non faceva mai commenti ed era difficile dire se fosse più o meno felice della sera prima. Si limitava a farsi una doccia e a riappropriarsi del divano dopo aver indossato il pigiama e aver disseppellito il computer dalla pila di riviste che le venivano recapitate a casa. In quei momenti mi dispiaceva che la nostra convivenza non fosse stata graziata da un maggiore affiatamento: mi dispiaceva per lei, ma anche per me, che cercavo avidamente elementi di comprensione di un mondo ancora troppo alieno.

BBC4 era l'unica radio che non gracchiasse. Il suono che emetteva, quel sussurrio avvolgente e assertivo, era rapidamente diventato lo sfondo sonoro di tutto quello che succedeva in casa. Io e Katie avevamo quattro radio: una in cucina, una in bagno e una in ognuna delle camere da letto. Solo quella in bagno era su una stazione di musica leggera, mentre tutte le altre ormai prendevano solo le voci profonde di BBC4. A Katie servivano le notizie e le chiacchiere, a me una fonte di lingua cristallina da imitare nei momenti di difficoltà. Quella domenica di settembre per una volta Katie era a casa, mentre Iain era dovuto andare via presto perché aveva il primo turno all'alba. Io stavo facendo colazione e leggendo un libro nel salotto pervicacemente bianco e dovevo riconoscere che l'effetto era bello sia se fuori pioveva pesante sia se, come quel giorno, c'era qualche raggio di sole – quando sentii la radio accendersi in camera di Katie. Era tardi, mezzogiorno quasi. Lei ne uscì col volto contratto e si diresse verso una di quelle macchinette da caffè in capsula che possedevamo in comunione dei beni. Aveva addosso un maglione con fili di lurex quasi spenti dai troppi lavaggi e dei leggings che le ingrossavano le gambe già non esili. Come sempre nel weekend, era ancora stordita, ma almeno era riuscita ad arrivare a casa sulle sue gambe nonostante l'alcol. Ne avevo parlato di nuovo con Iain, che però non sembrava preoccupato, o quantomeno sembrava preoccuparsi solo per gli ultimi tre drink di Katie, e non per i primi sette. Quella mattina del settembre 2008 Katie era ansiosa di tornare lucida, non si trascinava come tutte le altre domeniche alla ricerca di una coperta in cui avvolgersi e di un pacchetto di patatine con cui placare la fame. I suoi gesti erano precisi.

«Accendi la televisione, per favore. Sul notiziario».

Ero già sul fido divano Ikea. Il tono era concitato, i notiziari finanziari occupavano quasi tutto lo spazio nonostante fosse domenica, le immagini provenivano da New York, dalla sede di Lehman Brothers. Katie venne a sedersi con il suo caffè sul divano e si protese in avanti per guardare meglio lo schermo, ma anche per segnalarmi che era concentrata e che non voleva che le si parlasse. Mi ricordava mio padre davanti a qualche evento importante, come quando cadde il muro di Berlino o in televisione c'era un politico che gli piaceva.

Rimanemmo così per una decina di minuti. La finanza non era il mio mondo, ma da quando ero a Londra grazie al mio lavoro avevo conosciuto moltissime persone che ci lavoravano, soprattutto tra gli italiani. Era un ambiente che non mi interessava particolarmente e che non giudicavo, e anche se non mi era piaciuto trovarmi a quelle feste e parlare con le fidanzate dei miei conoscenti, ero ipnotizzata dalle menti rapide di quei ragazzi, tutti maschi che a venticinque anni sembravano maneggiare informazioni disparate con una disinvoltura a cui forse avrei potuto ambire da anziana. Ma all'epoca mi sembrava così arido e disumano quello che facevano che per me potevano anche guadagnare di più, anzi: per la noia che macinavano se lo sarebbero meritato.

Katie mandò qualche messaggio dal cellulare e dopo poco fece una telefonata, schiarendosi la voce:

«Buongiorno, sono io. Vuoi che venga subito?»

E mentre saltellava verso il bagno facendo cadere cose per il nervosismo, era tornata l'avvocatessa d'affari che altri, ma non io, conoscevano. Da quella doccia non riemerse praticamente mai, almeno non nella nostra casetta di Shepherd's Bush. Nei mesi successivi lavorò più del solito, alle prese con quello che lei mi descrisse fin da subito come il crollo del mondo com'era prima. Le uniche tracce che vedevo di lei erano i soldi per la spesa e la donna delle pulizie lasciati sul tavolo della cucina una volta a settimana, qualche nuova confezione di copriocchiaie in bagno e matasse di capelli sempre più fitte che si addensavano nello scolo della doccia o del lavandino. Il mondo crollava e lei, gelida, cresceva, si vedeva rivestita di nuove responsabilità, contesa tra numerosi studi legali che le offrivano soldi e posizioni scintillanti, e riusciva a malapena a unirsi alle nostre serate collettive di feste e danze o a cenare tranquillamente con i suoi amici o sua sorella. Ero felice che si stesse guadagnando sul campo tutte le stellette che meritava, ma più la sua carriera andava avanti, più mi spaventava immaginare tutti i pensieri che quell'identità andava comprimendo.

Per quasi due anni l'avevo vista ciondolare per la casa con l'aria assente, la sera tardi, fissa davanti allo schermo del suo Mac a guardare programmi demenziali e a mangiare biscotti. L'autocontrollo forzato e poi i litri di alcol, quell'incapacità di esprimere emozioni, quel senso del dovere che non la lasciava mai mi stupivano, ma mai quanto il fatto che avesse deciso di non fare niente per stare meglio.

«Pensa che prima ero astemia, forse unica tra i miei amici», mi aveva raccontato mentre ci finivamo un pacco di *Jaffa Cakes*, biscotti al cioccolato e arancia che non mancavano mai in casa. «Quando sono arrivata a Oxford non sapevo neppure la differenza tra le varie birre, o i nomi dei cocktail, e mi prendevano spesso in giro per questo. Non so, non mi piaceva il sapore, nella mia vita avevo bevuto al massimo un paio di sorsi di champagne a Natale o per qualche festa e ogni volta mi era sembrato che l'alcol non facesse altro che rovinare tutto».

Un venerdì sera, di ritorno da una festa, Katie era andata ad aprirsi un'altra bottiglia di vino. Ero incredula, sia per il fatto che avesse ancora voglia di bere, sia perché stava pian piano iniziando a parlare di cose personali.

«Sai, ho frequentato una scuola femminile, per me il rapporto con gli uomini è iniziato tardi e, per quello che vedo, è anche finito presto» proseguì.

«Non esagerare, dai. Qui in casa osservo un certo movimento. E poi stasera hai parlato con un ragazzo molto bello, l'ho notato subito».

«Sì, Louie: ha un fidanzato a Singapore, lo conosco da anni».

«Ahia, mi dispiace. Capita. E quindi quando hai iniziato?»

«A bere? Dopo essermi laureata, la sera stessa direi». Dal tono era evidente che nella mente di Katie esisteva una sceneggiatura di quell'evento, una versione ufficiale pensata e ripensata che io ascoltavo già logora, anche se forse nessuno l'aveva mai sentita prima.

«Era giugno e i miei genitori avevano organizzato una cena di famiglia in un albergo di Oxford. Eravamo solo noi tre e Sally perché Jo, il ragazzo con cui ero fidanzata all'epoca, quel giorno era dovuto rimanere a Londra a lavorare. Lui era già avvocato e aveva iniziato a fare pratica in un ufficio. Non era facile liberarsi, o almeno così aveva detto, e così ci ritrovammo in quattro, una situazione che non capitava da tempo. Sai come sono i miei genitori: gente formale, distante. Te lo avrà detto Sally o magari te ne sarai accorta quando sono passati a lasciarmi il cane l'estate scorsa. Non andò bene, almeno per me. Nel momento stesso in cui mi ero laureata, avevano ricominciato a essere ansiosi per me e per il mio futuro. Mio padre già parlava di fare telefonate ai suoi amici per trovarmi un posto e mia madre aveva preso a criticare Joseph non solo perché non era venuto, ma anche per il fatto che aveva deciso di occuparsi di diritti umani e non di societario come tutti si aspettavano. Ero anche io arrabbiata con lui per la sua assenza di quella sera e le critiche di mia madre mi fecero ancora più male. Sapevo anche

che la sua opinione su di lui non sarebbe mai più cambiata, rigida com'è. Dopo la cena io e Sally dovevamo raggiungere certi amici in un college per una festa, c'erano tutti quelli della mia facoltà e altra gente ancora. La serata era stata pesante e mi sentivo triste, sapevo che tutto quello che stavamo vivendo a Oxford – lo studio durissimo, i momenti di dolore, certo, ma anche le feste, la libertà, l'amicizia – sarebbe presto finito e io avrei cominciato una carriera che non mi avrebbe lasciato molto tempo libero».

«Perché avevi deciso di fare l'avvocato?»

«Nella mia famiglia ce ne sono molti, l'eccezione semmai è Sally. Io mi ci vedevo bene, a fare le arringhe, da bambina mi dicevano che sapevo parlare e che difendevo le mie idee fino all'ultimo».

«Però poi quando hai raggiunto il tuo obiettivo non eri contenta».

«Non lo so neppure io, se ero contenta o scontenta. Ero arrabbiata con mia madre che aveva iniziato a mettermi pressione da subito e con mio padre, che non voleva neanche aspettare di vedere se ero brava o meno per smuovere i suoi amici. Ed ero triste che Jo non fosse lì con me. Fatto sta che la festa era bellissima, in un giardino splendido, ed era piena di persone eleganti. Io mi aspettavo qualcosa di più informale, e invece no, iniziavamo già a sembrare i nostri genitori. Sally è più libera, più brava di me a non ascoltare quello che le dicono gli altri, se non le interessa. Per me è sempre stato un problema e durante l'università, con tutto quello che è successo, non sono certo diventata più forte. Fatto sta che quella sera mi metto a chiacchierare con le persone che conosco, ballo, sotto sotto mi annoio, mi viene da piangere. Vado a sedermi in un angolo del giardino da sola, non sono neanche le undici, ho i brividi con il mio vestito leggero, vorrei andare a casa ma è la sera della mia laurea, non mi sembra giusto. Ripenso alle parole di mia madre e sento una fitta allo stomaco, chiudo gli occhi e respiro profondamente, cerco di calmarmi.

«A un certo punto mi accorgo che c'è qualcuno che sta ridendo su una panchina lì vicino, ma il parco dove siamo è molto grande e in quella stagione le foglie sono peggio della nebbia, non ti permettono di vedere niente. Tra le risate, una delle due voci si fa più seria. È molto bassa e roca per essere di una ragazza.

«'Vuoi da bere? Abbiamo una bottiglia', mi chiede.

«Io inizialmente non rispondo, sono tutta presa dai miei pensieri e non ho voglia di mostrarmi debole. Poi mi guardo intorno, la serata è bella, penso che magari se bevo qualcosa mi passa il freddo. Nel frattempo le due ragazze si alzano e una di loro si avvicina alla mia panchina. È molto minuta e ha i capelli neri cortissimi, gli occhi scuri allungati e, noto subito, le labbra disegnate come quelle di un fumetto. Il suo vestito blu elettrico di seta non ha niente a che vedere con l'accrocco floreale che indosso io, mi fa sentire pesante, inadeguata. Eppure mi sorride, ha una bottiglia di vino in mano e manda via la sua amica per restare con me.

«'Ciao, sono Imogen', dice con la voce di una che sta incubando una tosse. La sua pelle è molto bianca, noto. Mi porge la bottiglia e il suo bicchiere.

«'Se non ti fa schifo, puoi usare questo'.

«Chissà come ha fatto a indovinare che non mi fa per niente schifo, penso mentre inizio a bere, e a parlare. Le racconto che mi sono appena laureata in legge ed è l'unica cosa di me che riesco a dire senza vergognarmi: litigare con i genitori ed essere spaventata dal futuro non mi sembrano argomenti all'altezza di questa tizia così lontana dal mio mondo. Appare interessata, mi ascolta con curiosità, mi fa domande e piano piano anche io inizio a sentirmi bene. Il vino mi riscalda, la musica ci arriva da lontano, della sua amica non c'è traccia. Imogen è la sorella di un mio compagno di corso di cui tutti dicono sia un genio, ha vinto una borsa di studio importante, viene da Sheffield.

«'Studi anche tu a Oxford?', le chiedo mentre l'alcol inizia ad accendermi mille fiammelle nella testa.

«'No, no, ho studiato arte a Leeds, anche io mi sono diplomata ora'.

«'E cosa pensi di fare adesso?'

«'Non so, lavorare sulle mie cose, viaggiare. Forse andrò a Parigi con un'amica che conosce un artista famoso'.

«'Che bella Parigi. Vuoi trasferirti lì?'

«'Non lo so mica quello che voglio fare, Catherine. Per ora ho solo paura che questa bottiglia finisca'.

«Rimasi ancora una volta in silenzio, sentendomi fuori luogo con le mie ansie di futuro, di risposte chiare e precise. Sentivo le ossa bruciare, il nome 'Catherine' mi aleggiava nella testa.

«'Nessuno mi chiama mai così', dissi.

«'Peccato. È il nome più bello di tutti, ma non si sente mai. La gente preferisce sempre lo sbrigativo Kate o, peggio ancora, Katie'.

«Insulso, aveva ragione. Però mi aveva fatto un bel complimento, io ero Catherine. Le presi la mano e facendomi largo nel mio vestito stretto e scomodo mi avvicinai a lei. Seguendo un'idea che mi era appena venuta, la baciai. Non si tirò indietro, la sua bocca era piccola e calda, la sua lingua delicata, mi piacque che non ci fosse nessuna barba a grattarmi e che la sua pelle fosse liscia come la mia. Aveva un odore mai sentito, come di foglia, ed era la sua pelle, non il profumo che aveva addosso. Ricordo ancora la sensazione dei suoi zigomi alti tra le mie mani: non avevo mai toccato guance così, anche perché non avevo proprio mai accarezzato le guance di nessuna donna, tranne forse quelle di mia madre da bambina. Quella bocca arrotondata mi è rimasta scolpita nella mente, anche se tutto è durato pochi minuti. Avevamo appena avuto il tempo di stringerci che sentii dei passi tra le foglie, ma siccome stavo provando la sensazione fisica più potente della mia vita ed ero anche alticcia, non feci caso al rumore. Solo quando qualcuno pronunciò il mio nome mi voltai. Era Jo».

Ero ipnotizzata dal racconto di Katie, dall'immagine della mia severa coinquilina persa in un giardino insieme a una donna, punita per quel raro momento di abbandono in una vita vissuta con tanta diligenza.

«Ah, cazzo. E poi?»

«E poi niente, è finito tutto. Lui era un bravo ragazzo, ci volevamo bene, ma quello che vide lo sconvolse, credo. Se ne andò e non mi parlò mai più, né io cercai di parlargli, vergognandomi troppo di quello che era successo. Ancora oggi se ripenso a Jo che si mette in strada da Londra, tardi di sera, dopo il lavoro, per arrivare e ritrovarsi la sua fidanzata che bacia una donna, mi sento male».

«E Imogen?»

«Non incontrai più neanche lei. Qualche tempo dopo mi cercò attraverso suo fratello, ma io avevo iniziato a lavorare, non volevo sentirla, non aveva senso. Che peso poteva avere lei nella mia vita? Ci era passata appena per un'ora, Joseph per due anni. Perché lei doveva essere più importante?»

«Perché si sente ancora tanta emozione quando ne parli».

«Quell'episodio ha avuto delle conseguenze, ci ho pensato tanto, ma non per questo è rivelatore di qualcosa, non credi? Quella sera ero triste e lei era lì. Se ci fosse stato Jo fin dall'inizio o se io non fossi stata così debole, non sarebbe mai successo, non avrei mai baciato una donna. Non credo che questo debba segnare tutta la mia vita».

Avevo così tante obiezioni che non sapevo da dove iniziare.

«E quindi è sparita?»

«L'ho vista di sfuggita, l'anno scorso. È diventata un'artista abbastanza nota e il mio studio legale le ha commissionato una statua per l'androne della nostra sede. Quando ho letto il suo nome non ci potevo credere. L'ho trovata una mattina che dava disposizioni su come sistemare la sua opera, una grande foresta di piombo nero, molto bella a mio avviso. Mi sono sentita le ginocchia tremare. Ma non l'ho salutata, sono andata dritta verso l'ascensore. Quando si è aperto ho visto nello specchio che lei si era girata e mi stava guardando. Mi ha fatto cenno, credo, ma non lo so, l'ascensore è ripartito subito».

«Ma perché, non capisco. Non potevi salutarla?»

«E perché mai, la conosco appena».

«E non hai mai più provato attrazione per una ragazza?» La domanda, nella miracolosa combinazione di confidenza e rimozione di quella sera, mi suonò subito ardita.

«Non sono affari tuoi, mi pare» tagliò corto.

Dopo aver raccontato come avesse scansato ogni possibilità di comprensione e magari anche di felicità, Katie mise a tacere i tentativi di analisi, lanciandomi uno sguardo che mi diede un brivido tanto era compiaciuto. Fece un leggero movimento con le spalle, ma non c'era traccia di rassegnazione in lei, anzi: si vedeva che si sentiva potente nel suo sapersi chiudere davanti agli altri. Finì il suo bicchiere di vino, con cui si concludeva anche la seconda bottiglia di bianco acidulo sudafricano, e se ne andò a dormire dopo aver sistemato un faldone nella borsa da lavoro e dato una lucidata alle scarpe nere con il tacco, quelle che avrebbe indossato la settimana dopo in ufficio.

10.

In picchiata

Norfolk, giugno 2001

La sera prima la pioggia aveva riconsegnato al paesaggio di inizio estate i suoi toni psichedelici, così tipici di quella campagna. Il verde dei boschi pareva violaceo tanto era scuro, mentre i campi di un paglierino acceso riflettevano la luce ancora forte, riverberata dal mare come in una stanza degli specchi, di un giugno che andava morendo. Si sarebbe potuto guardare la costa, che affondava bianca nell'acqua magnetica, o ci si sarebbe potuti concentrare sui tuffi di testa di certi uccelletti affamati alla vista di un pesce, ma per Iain non era il caso di affrontare panorami grandi. Era meglio se quel giorno l'anima se ne rimaneva al riparo, rannicchiata. Lasciasse fare tutto al corpo, per una volta. C'erano la porta da aprire, gli amici da accogliere, le bevande da versare, i parenti da salutare. Il vicario a cui dare il benvenuto, i fiori da sistemare, c'era anche una poesia da leggere per bene in chiesa. Un pranzo, poi ci sarebbe stato un pranzo. Il Norfolk non era la sua campagna, ma sentiva che del pranzo si sarebbe dovuto occupare lui, dire lui alla custode, la signora Wiggins, che aveva gli occhi rossi e gonfi, cosa preparare, per quante persone, a che ora. Jane era rimasta in camera da letto, erano tre giorni che non usciva, e il marito e gli altri figli non la lasciavano sola. La fragilità della donna era una stampella a cui tutta la famiglia Norman si era aggrappata per attraversare questi giorni. I parenti Oldfield sarebbero arrivati presto, mentre Alastair, suo fratello, aveva insistito per accompagnarlo e gli stava sempre appiccicato, come se Iain non fosse stato in grado di fare quello che doveva assolutamente fare. C'era molta gente che stava peggio di lui, per questa storia della morte di Vicky, e bisognava che lui se ne occupasse. Apri la porta, abbraccia, bacia, consola, accogli, versa, saluta, accenna un sorriso. C'è gente che non conosci, ti fanno cenno. Sono arrivati gli amici giovani, tutti piangono. Abbraccia bacia consola accogli versa saluta. Va bene, il sorriso è di troppo. È arrivato il vicario, dietro di lui c'è la cugina Esther con gli occhi celesti all'ingiù. Vive in California, Vicky gliene aveva parlato: è vero, si somigliano proprio tanto. Sono le dieci, bisogna prepararsi ad andare in chiesa. Chi ha bisogno di una macchina? La nonna, che sotto il cappello nero di gran sartoria non dice una parola da ore, neppure una parola cattiva di quelle che le piacciono tanto. Le scale ripide, o forse un inatteso slancio materno, le impediscono di andare a torturare la figlia. Iain le chiede se vuole un passaggio dalla cugina sosia o se preferisce andare a piedi con gli altri, mentre una coppia di sconosciuti aspetta di farsi dire dove lasciare i fiori. I fratelli di Vicky scendono dalla camera da letto sorreggendo Jane, il marito le sta vicino, il nero dei loro vestiti si fonde nella massa scura delle tenute degli altri presenti. Abbraccia bacia consola accogli versa da bere saluta, accenna pure un sorriso. Qualcuno inizia ad avviarsi verso la chiesa, si forma un piccolo corteo dietro il carro. Si cammina sotto un sole oltraggioso, con particelle dorate che danzano nella brezza estiva. Iain è l'ultimo a uscire, chiude la casa improvvisamente silenziosa, raggiunge la chiesa in bicicletta. Ci sono altre persone, tantissime, quelle venute direttamente da Londra. Il feretro non è ancora arrivato, Iain saluta tutti in una girandola allucinata. Qualcuno gli poggia la mano sulla spalla, si gira. Sono Katie, Macca, Sally, gli amici di Oxford, con i volti paonazzi e deformati come i neonati. Iain rallenta, li abbraccia, con il cervello che pulsa. Respira, riprende a fare gli onori di casa. C'è una vita per piangere.

11.

Il guscio vuoto

Londra, autunno 2011

Una sera andai a prendere Iain davanti al Great Ormond Street Hospital, il grande centro pediatrico dove lavorava da quando si era laureato. Lì intorno, nello spazio pedonale di Lamb's Conduit, era pieno di bar che mi piacevano e dove non capitava spesso di andare, perché io continuavo a vivere a Shepherd's Bush con Katie e lui era quasi sempre da me, anche se la stanza a Hampstead dove ci trasferivamo spesso nel fine settimana, con le sue lenzuola livide e tutti quei libri, era ancora lì. Prese le nostre patatine e le nostre birre – Iain beveva Guinness, la cui amarezza mi indispettiva – ci andammo a sedere in un tavolo troppo grande per noi. Era un bel settembre luminoso, di quelli che quando arrivano fanno di Londra un luogo benedetto, anche se inizia a fare freddo. Avevo molto di cui essere felice: un fine settimana con un gruppo di amici in campagna per festeggiare il compleanno di Iain e una promozione sul lavoro che aveva rivoluzionato la mia vita e le mie finanze. In tre anni, da assistente personale di Sally ero diventata manager di una squadra di quattro persone, rispondevo direttamente a Wouter e avevo superato la posizione che Sally, ormai sposata e incinta del primo figlio, aveva ai tempi in cui ero arrivata.

L'unica ombra veniva da una brutta telefonata di mio fratello Marcello, con cui di solito chiacchieravo la sera in chat mentre guardavo le mail e leggevo le notizie della giornata. Due giorni prima mi aveva chiesto di sentirci via Skype, un mezzo su cui continuavo a sentirmi a disagio quando si trattava di confessioni. Marcello era lì, con i suoi occhi lucenti sotto le ciglia spesse, gli zigomi alti e la pelle chiara, simile a me come un gemello fuori sincrono, con quella stessa piega insolente nelle labbra che in lui tradiva una natura ironica e in me un carattere spinoso. Non si era ancora tagliato la barba lasciata crescere durante l'estate.

«Ciao sorella, come va? Come sta Iain?» Aveva un accento romano forte, che forse era anche il mio.

«Bene, stiamo bene, siamo stati in campeggio nel weekend, mi fa ancora male la schiena. Abbiamo pure fatto surf».

«Ma a inizio settembre l'acqua sarà ancora calda, no?» mi chiese sforzandosi di sorridere.

«No, proprio no. Ma è molto azzurra e bella, e dopo qualche minuto ci si abitua». Naturali non riuscivamo a essere, con quel supporto freddo. «Senti, Marcello, ho sentito mamma prima, mi è parsa preoccupata. Che c'è?» chiesi.

«Eh, non va tanto bene».

Più che la voce monocorde, mi turbò il fatto che non riuscisse a stare fermo.

«Perché? Con Giulia?»

«No, no, con Giulia tutto bene. Il problema è il lavoro. Questo contratto pare che non arriverà».

Erano tre anni che Marcello aspettava di essere assunto una volta per tutte per andare a vivere da solo con la sua fidanzata, staccandosi dall'altra coppia di amici con cui condividevano una vecchia casa di periferia, ancora arredata coi mobili della nonna di uno di loro. Ne parlava sempre e questo progetto aveva una data chiara, fissata dalle promesse del suo capo nell'istituto di ricerca statistica in cui lavorava.

Sulle prime non mi preoccupai, mi sembrava che fosse solo un rinvio.

«Ma perché? Non ti devono assumere per legge a un certo punto?» chiesi ancora tranquilla.

«È quello il problema. Siccome a questo punto dovrebbero assumermi per forza, mi licenziano e basta».

La rabbia arrivò immediata.

«E possono farlo?»

«Non possono tenermi a casa altri due mesi ad aspettare un altro contratto precario, perché la situazione sta iniziando a diventare imbarazzante anche per loro. Per l'assunzione vera non hanno i soldi, dicono. E quindi niente, fine».

Respirai profondamente. Non volevo aggiungere la mia collera alla sua.

«Non ci posso credere. Hai parlato con un avvocato?»

«Sì, una compagna d'università di Giulia che si occupa di diritto del lavoro mi ha detto che possiamo fare causa, che ci sono gli estremi. Ma io non sono convinto».

«Perché no?»

«Mi fa schifo ottenere un contratto facendo causa. Vorrei averlo perché ho sempre lavorato come un matto e pure bene».

Mentre parlava pensavo ai nostri uffici satinati e ariosi, sempre attraversati da qualche aspirante recluta, ai miei colleghi britannici e alla sicurezza con cui di tanto in tanto si licenziavano per andare a lavorare da un'altra parte, oppure per mettersi in proprio, col nervosismo di chi inizia un'avventura sapendo che andrà incontro a intoppi e a ostacoli, ma anche a possibili, probabili successi. Affrontare l'ingratitudine con cui doveva scontrarsi mio fratello era lacerante. Riportava a galla il senso di spreco di energie e slancio giovanile che avevo fatto tanta fatica a superare da quando ero a Londra.

«Lo capisco bene. Che alternative hai?»

«Mica tante, Alì. Lo sai che a Roma non non c'è niente in questo momento». Lo sapevo eccome, me lo raccontavano tutti.

«Mi dispiace tanto. Fino a quando ti dura il contratto che hai adesso?»

«Ottobre. Per me è difficile pure andare in ufficio, mi fa schifo».

Seduta a gambe incrociate sul mio letto bianco, mi sembrava di essere risucchiata dal piumone, dalla casa, dalla città ed ero grata di essere risucchiata perché mi sentivo al sicuro, in salvo rispetto al mondo che avevo lasciato. Solo che questo senso di salvezza non bastava se le persone che mi erano care soffrivano.

«Senti, Marcello, fai una cosa. Mettiti subito a cercare in giro, vedi se riesci a trovare qualche altro lavoro. È vero che non c'è niente, ma tu sei bravo, secondo me un lavoro viene fuori. Magari pure migliore di quello che avevi. Hai parlato con mamma e papà?»

«Sì, siamo stati a cena da loro domenica sera. Mamma ha dato in escandescenze come al solito. Papà non ha detto niente».

Per la prima volta la voce di Marcello iniziò a cedere, come se stesse per piangere. Dare un dispiacere a nostro padre doveva essere la parte più insopportabile. I pensieri mi correvano in testa velocissimi.

«Cazzo. Mi dispiace di non esserci stata, anche solo per placare mamma. Di lei non ti curare, anzi, occupati solo di cercare lavoro».

«Eh lo so, ma come facciamo con l'appartamento, con l'affitto? Stiamo pensando di tornare a vivere dai genitori di Giulia. Tornerei pure a casa nostra, ma con mamma in giro non ce la faccio».

Non ce la facevo neanche io, a immaginare una situazione del genere.

«No, per carità. Marcello, posso fare una cosa? Posso aiutarvi io? Per qualche mese, tanto lo so che le cose si risolvono». Dai calcoli mentali che mi ero fatta era possibile. Nella mia nuova condizione potevo farlo quasi senza problemi.

Contrasse la bocca, distogliendo lo sguardo. Ci pensò un attimo, iniziò una frase, poi un'altra.

«Grazie sorè. Spero di non averne bisogno, e comunque te li restituirei tutti».

Di storie come quella di Marcello ne avevo sentite a decine in quegli anni, ma il fatto che questa volta il protagonista fosse mio fratello aveva dato una veemenza diversa alla mia rabbia, portandola verso i soliti, antichi bersagli: una madre conservatrice e timorosa, un padre che avrebbe dovuto imporsi di più per mitigarne gli eccessi, un paese che trattava i giovani come postulanti molesti, la diffidenza verso quelle forme di sperimentazione, anche folle, che altrove portavano al successo. La mattina mi toccava leggere sul giornale gratuito nella metro interviste come quella a una ventenne che stava facendo milioni con una linea di popcorn fatti in casa e la sera ero al telefono con mio fratello laureato, diligente e disoccupato. Avevamo fatto tutto per bene, perché stava andando tutto male? Ad ogni modo aiutare Marcello era una forma di lealtà verso il mio mondo, qualcosa che facevo anche per me stessa. Oltre che per lui e Giulia, a cui ero affezionata.

Volevo domare le mie emozioni prima di parlarne con Iain, che quella sera a Lamb's Conduit era particolarmente allegro. Mi propose di rimanere a cena nel pub, che come tanti locali londinesi stava riemergendo dagli abissi culinarii con grande pompa.

Guardando dalla finestra mi accorsi del momento esatto in cui si accendevano i lampioni.

«Alina, c'è una cosa di cui vorrei parlarti» disse con un'emozionata solennità. «Ci dobbiamo ragionare bene, non ti sto chiedendo di prendere una decisione subito, ma oggi ho ricevuto un'offerta di lavoro».

«Offerta di lavoro», come la storia di Marcello dimostrava, era un termine che in quella stagione stava cadendo in disuso nel mio vecchio mondo italiano, soppiantato il più delle volte da «licenziamento», spesso da «tagli al personale», a volte da «ridimensionamento» e in qualche caso anche da «chiusura» o «fallimento». Era bello da sentire.

«Mi hanno chiesto di trasferirmi a Bristol e di andare a lavorare nel reparto di oncologia dell'ospedale pediatrico. Da gennaio».

Rimasi sospesa. Bristol. All'estero, nella mia mente.

«Ti devi trasferire?» chiesi prima di accorgermene.

«Mi dovrei effettivamente trasferire».

Presi un sorso della mia birra. Mi girava la testa. L'espressione di Iain era come congelata. Si schiarì la voce.

«Mi rendo conto che Bristol forse non è un'opzione che avevi preso in considerazione, ma è una città vivace, aperta. Secondo me ti piacerebbe. Ci sono splendide case lì, faremmo una bella vita e magari dopo qualche anno si potrebbe tornare a Londra».

Avevo il panico di chi finisce improvvisamente in discesa e non trova i freni. Iain aveva già deciso.

«Sono più di tre anni che stiamo insieme e io voglio vivere la mia vita con te». Fece una pausa emozionata, mi guardò negli occhi e mi prese la mano. Semplice, diretto, com'era lui. «Potremmo sposarci, Alina. Mi vuoi sposare?»

Un altro sorso di birra, anzi due. Non riuscivo a parlare.

«Scusa, mi hai presa alla sprovvista».

«Mi dispiace, non era mia intenzione...»

Un altro capogiro.

«E il mio lavoro?»

«Ci ho pensato. Bristol dista circa due ore da Londra, potresti fare avanti e indietro qualche giorno a settimana, tenere la stanza da Katie e poi lavorare alcuni giorni da casa. Non te lo aveva proposto, il tuo capo?»

«Sì, Wouter l'aveva accennato, ma non so, mi sembrerebbe di mollare la presa, soprattutto ora che sono stata promossa».

«Se prendo questo lavoro devo essere a Bristol, essere pronto a far fronte alle emergenze, anche di notte, non posso essere a due ore di treno. La paga è molto buona, la nostra vita cambierebbe molto».

«Questo è l'unico punto su cui sono d'accordo».

Eravamo passati per Bristol sulla strada per la Cornovaglia, una volta. Ero curiosa di vederla, da lì venivano alcuni dei miei musicisti preferiti. E quando Iain mi ci aveva portato, mi aveva entusiasmato. Per essere una città inglese mi aveva messo una strana allegria, non c'era traccia di quella desolazione tipica in altri posti, con quei centri pedonali sempre derelitti, con le solite catene commerciali che si ripetevano identiche da nord a sud e poi i grandi spettacoli sociali del paese: gli anziani da una parte, soli a mangiare fish and chips in qualche locale avvizzito, l'ubriachezza molesta delle serate in centro, le signore *middle class* che compravano paffuti cuscini sintetici e rientravano a casa soddisfatte e indifferenti. Quel senso di scardinamento umano, di riservatezza patologica che mi faceva piombare in uno stato malinconico non l'avevo respirato, a Bristol. Ma l'idea di andarci a vivere, di separarmi dalla mia Londra conquistata a fatica mi faceva venire le vertigini, soprattutto adesso che avevo nuove responsabilità professionali e umane.

Cosa potevo fare io a ventinove anni, quasi trenta, a Bristol? Di cosa avrei vissuto, così lontana da tutti i miei affetti tranne Iain ma anche e soprattutto dalle mie ambizioni? Non avevo niente contro quel posto, ma se avevo lasciato Roma era solo per amore della tentacolare Londra e di quello che mi offriva.

Bristol, Bristol, sarei morta a Bristol.

«A cosa stai pensando?»

«Un po' a tutto, Iain».

«Ti sei accorta che ti ho chiesto di sposarmi?» chiese avvicinandosi e prendendomi la mano.

Il sorriso era disarmante, ma io lo vedevo da lontano, filtrato dalla cortina di pensieri che si affastellavano nella mia testa.

«Aspetta, tu non mi hai chiesto di sposarti, mi hai chiesto di seguirti in qualcosa. E capisco perché me l'hai chiesto, ma spero anche che tu capisca perché io sto reagendo così. Mi sono trasferita da Roma a Londra e già talvolta faccio fatica a scendere a patti con questa, di scelta. Io non sono inglese».

«Lo so, lo so. Non ti voglio mettere pressione né convincerti, però potremmo stare bene, io e te».

Finimmo la cena quasi in silenzio. Non mi piaceva stare zitta quando ero arrabbiata, preferivo parlare o litigare, ma questa volta non c'era una saggezza che stavo eludendo o una via migliore che dovevo limitarmi a seguire o fingere di ignorare: non sapevo proprio cosa dire. Quando tornammo a casa, mi andai a nascondere quasi subito in un sonno profondo, senza sogni.

Nei giorni successivi caddi vittima di manie di perfezionismo. Sul lavoro, nell'abbigliamento, con gli amici, nella pulizia della casa. Come se avessi dovuto superare un esame con me stessa e con Londra, come se avessi dovuto convincere la città a non liberarsi di me così presto.

Oltre agli amici di sempre, era un periodo che avevo iniziato a frequentare un gruppo di italiani per via di una ragazza simpatica, una grafica, che era venuta a lavorare da noi. Francesca, siciliana appena più grande di me, aveva già vissuto in Germania e in Olanda ed era fidanzata con un informatico spagnolo, Jorge, che la sera suonava il pianoforte nei locali del centro. Vivevano a Dalston e i loro amici erano tutti europei del sud, ultratrentenni con lavori creativi e spesso precari, una tendenza a vivere in appartamenti umidi e l'atteggiamento da studenti universitari fuorisede, refrattari a ogni crescita, pensavo io con la mia casetta bianca a Shepherd's Bush, le mie posate con i manici azzurri e i miei amici tutti inglesi.

Francesca era spiritosissima e dissacrante, e mi piaceva la sensazione di non aver bisogno di spiegarle niente. La sua Londra era tutta un'altra città rispetto a quella che avevo visto io fino ad allora. Uscire con lei significava unirsi a un viavai continuo di persone che non sempre abitavano stabilmente in città, gente che magari ci era stata qualche anno prima per un periodo e poi era tornata in Italia. Inizialmente rimasi ammirata davanti alla loro disinvoltura: mi sembrava che la loro esperienza fosse molto meno tormentata della mia e che tutto quello che stavo vivendo potesse diventare semplice come un gioco, se solo fossi riuscita a lasciarmi andare.

Ci vedevamo dopo l'ufficio e andavamo allo stesso pub degli altri colleghi, solo che io e lei passavamo il nostro tempo a chiacchierare tra di noi. Parlavamo di tutto, delle cose che facevamo, delle nostre famiglie, delle ragioni che ci avevano spinte a partire. Per Francesca era stata una necessità: veniva da Palermo, di cui parlava con venerazione ma dove non era mai riuscita a ottenere un lavoro pagato. Prima le avevano offerto una buona opportunità ad Amsterdam e poi una ancora migliore a Stoccarda. Tornare in Italia per lei non era mai stata una possibilità, tanto più che Jorge era di Madrid e avrebbero comunque dovuto trovare un compromesso tra i due paesi. Francesca aveva conosciuto Iain e, per essere due nature piuttosto socievoli, mi erano parsi molto diffidenti l'uno dell'altra.

Con Iain mi sembrava di riuscire benissimo a essere disinvolta e apparire serena. Lui mi seguiva per casa premuroso, preoccupato. Una sera mi chiese se mi andava di passare un fine settimana a Bristol: aveva preso i biglietti per il concerto di un gruppo che piaceva a entrambi e aveva prenotato un albergo in un quartiere carino in collina. La voce mi uscì acuta e irata.

«Me la vuoi far piacere a ogni costo, eh?»

Stavamo cucinando una *steak pie* per cena. Era diventato uno dei miei piatti preferiti da quando ne avevo mangiato una versione troppo secca in un pub. Ma ne avevo colto il potenziale e, cercandomi una ricetta migliore, la preparavo in continuazione. C'era una bottiglia di Chianti aperta sul tavolo, accanto al sentiero luminoso di candele bianche. Feci un profondo respiro e cercai di articolare quello che mi passava per la testa.

«Sto pensando molto a Bristol, che peraltro mi piace e lo sai. E sono felice che ti abbiano offerto questo posto fantastico, a te che sei così giovane. Te lo meriti e penso che all'ospedale siano fortunati ad avere un medico come te».

«Passa subito alle obiezioni, ti prego».

«Io non sono sicura di essere pronta a fare questo salto, a trasferirmi in una città di provincia così lontana da casa. Sono venuta a Londra per una ragione, ossia allargare i miei orizzonti, vedere un mondo nuovo. Vengo da una città che ho dovuto lasciare perché la sentivo troppo limitata, lo sai».

«Lo so, ma questo è un passo avanti, è una cosa nuova!» protestò Iain.

«Da quando sono arrivata, Londra mi ha dato tutto quello che potevo sognare e soprattutto mi ha dato te, Iain. Ma nonostante i miei sforzi, non sono inglese, per me è un mondo a parte».

«Cosa vuoi dire? Che sei di passaggio? Vedi che alla fine sono l'amante indigeno da abbandonare appena la tua nave salpa? Tipo pescatore greco?» Risi di gusto, nella rabbia.

«Eh no, Iain, se la metti così non vale. Tutti apparteniamo a un posto, a una cultura, e Londra è un posto aperto a tutte le culture, è una città da cui posso imparare. Cosa posso imparare da Bristol?»

«Ma pensi di essere ancora all'università?» Così arrabbiato non l'avevo mai sentito. «Io sto con te, ti amo, voglio vivere con te, cosa c'entra imparare? Siamo giovani, è tutto in movimento, andrei a fare una cosa straordinaria e tu non dovresti rinunciare al tuo lavoro. Me l'hai detto tu che ti hanno chiesto di lavorare da casa qualche giorno a settimana. Cosa c'è che non va? In cosa averti proposto questa vita è così sbagliato?»

I toni si erano fatti accesi. Avevo sentito la porta d'ingresso aprirsi e richiudersi subito, Katie doveva aver deciso di lasciarci da soli.

«Per me questo paese non esiste al di là di te e di quello che posso scoprire, della vita che voglio fare e che per me è a Londra. Non sono scappata di casa, non sono un soprammobile che si può mettere da una parte e poi spostare. Le scelte hanno conseguenze, non si torna indietro. Io non sono una ragazza *posh* che può permettersi di mollare la presa sul lavoro, di andare a vivere a Bristol, sapendo che poi potrà tornare e ricostruire tutto mille volte. Mio fratello sta per essere licenziato, io vengo da quel mondo lì, alle mie cose devo restare aggrappata, non so fare altro. Mi dispiace, dovevi metterti con un'inglese, una del tuo stesso ambiente».

Respirai e, prendendo la mia borsa e senza pensare, dissi una cosa che tutto il mio corpo sentiva:

«Come Mary, Sally o la ragazza delle foto che nascondi in campagna!»

«Ma che stai dicendo!» disse mentre stavo già prendendo la mia borsa per andare via. Si alzò e si mise davanti alla porta per impedirmi di uscire.

«Non mi hai mai neppure detto chi è. Una tua ex immagino, un altro pezzo della tua vita che non conosco». Sul momento non mi vennero in mente altri pezzi della sua vita che non conoscessi, ma non mi corressi.

«Sì, è una mia ex, ma che c'entra? Stai cambiando argomento. Io ti ho chiesto di sposarmi e tu parli d'altro». Era severo, arrabbiato, mi stringeva forte i polsi mentre io cercavo di dargli pugni sul petto, piangendo. Non sapevo se picchiarlo o abbracciarlo.

«Tu mi stai confondendo con qualcun altro. Io non posso spostarmi, non posso andare via!»

Mi sentivo come se qualcuno avesse portato le mie braccia dietro la schiena, in quella posizione in cui si smette di averne controllo. Perché non voleva capire che io volevo crescere con lui, conoscere il mondo insieme a lui, Londra con lui, ma che il mio posto dovevo trovarlo da sola?

Settembre finì senza che io e Iain tornassimo sull'argomento, a ottobre viaggiai molto ma ci fu comunque il tempo per una brutta discussione e a novembre, una sera che pioveva e che Iain aveva il turno di notte, Katie si sedette sul divano bianco accanto a me.

«Non che siano affari miei, ma cosa intendi fare con Iain?» chiese, più avvocatessa che coinquilina.

«Come cosa intendo fare con Iain?» scattai.

«Vai a Bristol?»

«No, a Bristol non vado, no. Andrò nei fine settimana». Le mie parole suonavano più certe dei miei pensieri.

«E ti va bene così? Peccato vivere separati, no?»

«Ma non posso trasferirmi a Bristol, io ho il mio lavoro qui. E comunque io e Iain possiamo continuare a vederci e a stare insieme».

«Sei sicura che anche a lui vada bene così?» chiese prendendomi per il braccio per guardarmi in faccia.

Mi sarei innervosita, se non avesse prevalso la sorpresa per il fatto che Katie mi stava parlando di nuovo di questioni personali con l'aggiunta di un contatto fisico. Sapevo davvero come l'aveva presa Iain? Quando ci vedevamo facevamo di tutto perché le cose scorressero lisce, forse per rassicurarci a vicenda. Però la domanda della mia coinquilina mi stava facendo notare che per la prima volta da anni non sapevo cosa stesse pensando il mio compagno. A non sapere cosa passasse per la mia, di testa, ero abituata.

«Ci ho pensato molto, forse la cosa migliore è che lui intanto vada e io magari piano piano inizi a passare più tempo lì, poi vediamo. Cosa ne pensi?»

«Scusa se torno sul punto principale, ma Iain ti ha chiesto di sposarlo e tu non hai ancora dato una risposta. Bristol è un aspetto secondario, due anni e duecento chilometri si superano facilmente. Però sarebbe bene che tu ti chiarissi le idee, perché quell'uomo ha già sofferto abbastanza».

La sua voce si era fatta gelida. Mi mise paura.

«Cosa vuol dire che ha già sofferto abbastanza?» le chiesi a bruciapelo. Mi parve in difficoltà.

«Beh, la sua famiglia, cose così» rispose recuperando il tono freddo.

«Non credo c'entri la sua famiglia. Perché ho sempre la sensazione che ci sia qualcosa che non so?» La mia voce non era calma e non m'importava.

«Se stai da tre anni con qualcuno di cui non ti fidi non è un mio problema» proseguì glaciale. «E non cambiare le carte in tavola, qui sei tu a non dire a lui le cose come stanno, mi pare».

«Katie, io voglio il bene di Iain».

Non riuscii a dire che volevo stare insieme a Iain, mi morivano le parole in bocca. Non le sfuggì.

«E allora stai con lui, o lascialo andare».

All'inizio di dicembre, qualche settimana dopo aver parlato con Katie, io e Iain avevamo finalmente passato una serata insieme, con la prospettiva di stare tranquilli tutto il weekend, senza trasferte mie o turni di notte suoi. Ci eravamo svegliati nella sua stanza di Hampstead, in cui ultimamente aveva passato più tempo e che per questo era più disordinata del solito. Ci affidavamo al sesso per coprire i silenzi sempre più frequenti.

«Vogliamo andare a fare colazione fuori?» mi chiese dandomi un bacio sulla spalla.

«Va bene» dissi meccanicamente.

Mentre mi vestivo i miei arti erano pesanti, la testa mi pulsava. Eravamo nel guscio vuoto di un sabato mattina qualunque, di quelli in cui non ci era mai servito nulla per stare bene.

«Iain».

«Alina».

Aveva indosso solo una camicia bianca e i boxer. Io per precauzione finii di infilarmi il vestito di lana e le calze. Lui intanto si era seduto sul letto e mi guardava.

«Come facciamo a tornare a parlarci?» dissi.

«Bella domanda. Ascolta, Alina, forse dovremmo cercare di essere più sinceri, innanzitutto».

Mi girai verso di lui. La sincerità non ci avrebbe portato bene, pensai.

«Benissimo, cominciamo subito. Dimmi una cosa, Iain. Tu hai sofferto tanto nella vita?» Non riuscivo a essere più diretta di così.

Con un sospiro si alzò e andò ad appoggiarsi sul davanzale della finestra chiusa. Fuori era una giornata fredda, di quelle azzurre e arancioni, le più belle.

«Sì, in passato ho sofferto, ma era tanto tempo fa. Con te sono felice» disse, e sorrise flebilmente.

«E perché non me ne hai mai parlato, di questa sofferenza?» Le domande che gli avrei voluto fare erano molte di più.

«Perché con te sono stato bene dal primo giorno e non mi sembrava il caso di rivivere cose tristi». Ora si era fatto aggressivo, la sua bocca era contratta in una piega spiacevole.

«Rivivere cosa, Iain, quali cose tristi? Siamo stati insieme tre anni e non mi hai mai parlato di niente».

«E perché dobbiamo parlarne proprio adesso, con tutti i problemi che abbiamo?» Stava quasi urlando.

«Di cosa dovremmo parlare, Iain. Che è successo? Sono anni che sento i tuoi amici parlare di te come se fossi un sopravvissuto. Ma sopravvissuto a cosa? Ma si può essere così chiusi da non parlare neanche con la propria fidanzata?»

«Stiamo qui a parlare di passato quando dovremmo parlare di futuro. È assurdo, assurdo. Comunque io due mesi e mezzo fa sono stato uno stupido quando ti ho detto così tante cose tutte insieme. Ero entusiasta, pensavo solo a noi due che andavamo avanti verso il nostro futuro insieme e quella sera, sulla scia dell'allegria per la promozione, non ho ragionato abbastanza su come l'avresti presa. Credevo bene, sinceramente. Solo due giorni prima mi avevi detto che il tuo capo ti aveva incoraggiata a lavorare di più da casa, Bristol ti era piaciuta, Londra è comunque molto vicina. Però il problema non è Bristol, non mi sembra».

Avevo voglia di infilarmi le scarpe e scappare. Iain aveva ragione, e il suo viso era triste.

«No, il problema non è Bristol, il problema è che non so più cosa sia il nostro rapporto. Che cosa ti è successo in passato?»

«Non vuoi sposarmi».

Trattenni il fiato.

«Non vuoi dirmi cosa è successo. C'entrano le foto che hai fatto sparire in Cornovaglia? Quelle della ragazza coi boccoli?» Non avevo più voce, forze.

«Non vuoi sposarmi e cerchi di cambiare discorso».

«No, al momento non credo di essere pronta a sposarmi. Bristol, la tua reticenza a parlare di te hanno portato a galla certe cose di me e del nostro rapporto che non riesco...»

Era come se qualcuno stesse torcendo il volto di Iain che si alzò di scatto, si voltò verso la finestra e disse:

«E allora lasciami solo, ti prego».

12.

Londra, gennaio 2012

Caro Iain,

mi dispiace che tu debba trovare questo messaggio così, tra i calzini e i libri, ma è l'unico modo che ho per avere la tua attenzione. Katie non sa niente, pensa di averti portato solo una borsa, non devi avercela con lei.

Separarsi di netto dopo tutto quello che abbiamo vissuto insieme è un'esperienza spaventosa, ma sembra che dobbiamo rassegnarci: ho provato a chiamarti tante volte, non continuerò. Il tuo messaggio l'ho capito bene, non vuoi confronti né spiegazioni. La quantità di cose che non ci siamo detti cresce, cresce... Però voglio parlarti io e se non mi spiego rischio di morire sotto il peso dei pensieri, arrivati tutti insieme dopo che per mesi ho cercato di tenerli a bada. Da quella sera a Lamb's Conduit ho vissuto nella paura che le mie ragioni mi portassero dove non volevo, perché io volevo te e loro mi volevano lontano da te. Qualcosa in quel pub si è spezzato, quello che eravamo non tornerà mai più uguale. Io penso che il colpo di grazia l'abbia dato tu, ma ovviamente questo non combacia con la tua visione né con quella di chi ti sta intorno. Io ti amo, mica ho smesso, e non sono mai stata così male dietro alle mie contraddizioni. Ma perché non le hai volute vedere, perché ci hai messo la mano dentro senza neanche sapere che erano lì? Io la vedo così e penso di avere ragione. Ma la ragione fa prendere freddo, non ci faccio niente con la mia idea di avere ragione se non ne posso parlare con te, se non posso farmi convincere da te che non è così.

È una ragione morta, preferivo un torto vivo.

Katie mi ha detto che sei stato in Cornovaglia per Natale e che hai già iniziato il nuovo lavoro. Non mi ha voluto raccontare altro e io non ho insistito. Ho deciso di cercarmi una casa nuova perché ci sono troppi ricordi a Shepherd's Bush. E penso che anche Katie sarebbe sollevata di non avermi più in giro. Ti vuole molto bene, ma questo lo sai.

Pure io te ne voglio, di più. Non ero pronta a fare tutti questi passi insieme, a dare una conferma così definitiva al mio stare qui. Volevamo una versione più semplice, meno complessa l'uno dell'altra, e alla prima difficoltà ci siamo arenati. Che peccato. Quanto vorrei che ci fosse un'altra possibilità per noi. Sono sicura che non sbaglieremmo.

Tua,
Alina

Parte seconda

La droga dei sogni

13.

Come fiaccole sott'acqua

Roma, anni Novanta, anni Duemila

«Dove sta Alina? Mica la trovo».

Con le guance incandescenti di risata appoggiate contro il tessuto ruvido delle giacche, aspettavo e temevo il momento in cui sarei stata stanata. Ero già abbastanza grande da non farmi illusioni: mio padre sapeva dove mi nascondevo e io sapevo che, serrata in una fila di indumenti maschili pesanti di cui conoscevo ogni dettaglio – quello più ruvido era il tweed, quello in cui mille sentieri convergevano verso incroci quadrati era il Principe di Galles – si vedevano almeno i miei piedi, se non di più. Avrei voluto infilarmi in uno di quei taschini per riuscire a nascondermi tutta e protrarre all'infinito quello spazio nostro, prima che le serrande di «Sergio Guerra abbigliamento per uomo» calassero sul nostro pomeriggio. Non potendo, continuavo a rinviare il momento in cui avrei smesso di comportarmi come una bambina, visto che il gioco, nella voce di mio padre, si traduceva in una doppia dose di solennità, un tono basso e profondo che mi faceva gongolare e nel quale mi sarei cullata per sempre. Tra le giacche che vendeva nel negozio di via Appia – insegna in corsivo dorato, niente illuminazione – ero cresciuta, passando i miei pomeriggi lì o a fare i compiti con l'aiuto di Rosy, la vecchia commessa coi denti macchiati di rossetto. Il negozio era lungo e stretto come un corridoio, tutto rivestito di armadi e scaffali di un legno troppo lucido per essere vero su cui da una parte erano appese giacche, pantaloni, cappotti e completi e dall'altra impilati i maglioni e le camicie avvolti nelle loro confezioni di cellophane. Lo spazio era attraversato da un lungo bancone sotto il cui ripiano di vetro erano custodite come in una teca cravatte, calzini, sciarpe e guanti e qualche scatoletta in cui scintillavano gemelli e fermacravatta, oggetti che nessun abitante del nostro quartiere avrebbe mai comprato per sé ma che verso Natale iniziavano a vivere il loro periodo di gloria stagionale. Oltre a Rosy, dietro il bancone si muoveva Sergio, lento e assorto, bell'uomo a detta di tutti, e su uno degli sgabelli usati per raggiungere i ripiani più alti ciondolavano le gambette di mio fratello Marcello, di due anni più giovane di me. Io di solito restavo chiusa nel retrobottega, uno spazio senza finestre con una scrivania su cui mio padre teneva la contabilità, e studiavo, circondata dai cataloghi dei fornitori, marchi che sapevo distinguere perfettamente e associavo a colori, modelli, scatole e talvolta anche slogan. Ce n'era uno in particolare che mi risuonava in testa – «Facis, quando la vita ti sta bene addosso» con padre e figlio un po' volpini tutti compiaciuti delle loro giacche e del loro successo – e sul cui significato mi ero interrogata a lungo, cercando di immaginare situazioni in cui la vita facesse le grinze o tirasse appena sulle spalle. In generale, però, preferivo i marchi in cui uomini alti con l'aitanza rigida di certi carabinieri indossavano completi descritti come la vera eleganza britannica. Mi piaceva che dietro i fotomodelli ci fosse sempre del verde, che ai maglioni fosse spesso abbinata la foto di una pecora, e nella mia testa mi figuravo un paese di pecore e compostezza e immaginavo come mi sarei sentita protetta con addosso uno di quei maglioni tosti e ruvidi mentre un vento ghiacciato mi scompigliava i capelli e mi accarezzava la pelle con il suo schiaffo frontale. Quella era la vita che mi sarebbe stata bene addosso, pensavo. Poi, quando si facevano le sette, le mie romanticherie scozzesi svanivano e io e Marcello afferravamo le mani sfuggenti di mia madre per percorrere le poche centinaia di metri che ci separavano da casa, lungo l'asfalto pallido e sconnesso. Prima di uscire nel sole di quell'ora di Roma, andavamo a dare un bacio a papà o, quando era occupato, lo salutavamo da lontano, pensando di essere discreti con i nostri schiamazzi e le nostre vocine. Lui ci faceva un occhiolino o un cenno prima di tornare dal suo cliente.

«Dobbiamo solo sistemare il *revers*» lo sentivo dire con la sua voce cavernosa e metodica, di gran lunga meno seria di quella che dedicava a me.

«Scusa se te lo chiedo, ma quanto ti danno?»

La domanda di Angela non mancava di pertinenza. Con un bicchiere di Falanghina davanti e le mani forti a intrecciare nervosamente le lunghe frange della sua borsa di camoscio ritrovai in quel pragmatismo tutto l'affetto di cui era capace: le avevo appena annunciato che mi avevano offerto un lavoro a Londra e che avevo deciso di accettarlo. Chiaramente quel lavoro l'avevo cercato e Angela, che era la mia amica più cara, non poteva non saperlo. Sul perché non glielo avessi detto prima non aveva ancora preso a fare domande.

«Più di quello che prendo qui, un bel po' di più considerando il cambio» risposi senza vanteria.

«Ma per che tipo di lavoro?» incalzò.

«Simile a quello che faccio, più tecnico forse» risposi. In realtà il rischio che dietro la descrizione altisonante mi avessero assunta per fare un lavoro di segreteria c'era, ma non mi preoccupava. E se non preoccupava me non doveva preoccupare neppure gli altri.

Angela rimase in silenzio, non era convinta.

«Che dire. Irrequieta lo sapevo, così organizzata non l'avrei detto» osservò con un raro lampo triste negli occhi chiari e già circondati da qualche ruga. «Me ne potevi parlare».

«Mi dispiace, non ho detto niente per scaramanzia» aggiunsi, questa volta sincera. Tralasciai che non volevo essere trattenuta o che perdesse tempo a pensare a un modo per farmi cambiare idea. Non avevo voglia di sentire obiezioni, tanto più che la stessa presenza di Angela per lungo tempo mi aveva distolta dal cambiamento: dai tempi della prima chiacchierata davanti all'ufficio, iniziata al tramonto e finita all'una di notte senza che nessuna di noi due osasse proporre una cena per paura che l'altra andasse via, la nostra amicizia era presto diventata un grande trasformatore di realtà, un congegno meraviglioso che conferiva al quotidiano una dose di epica, separava le parti da analizzare, quelle su cui piangere e quelle su cui ridere e poi le rimescolava fino a quando su tutto non si fosse pianto, riso, ragionato. Il mio problema era che realtà da trasformare non ne vedevo più da tanto tempo: mi sembrava di conoscere tutta la città e di poter prevedere tutto quello che ancora mi sfuggiva.

«Alina, basta che tu sappia che se rimanessi qui faresti senz'altro carriera, sei molto stimata». Aggiunse lenta: «Oppure potresti cercarti un altro lavoro a Roma, chissà se cambierebbe qualcosa».

Un altro lavoro a Roma. L'idea mi sfiorò con il suo slancio flebile e svanì come una bolla di sapone. Angela continuava a parlare.

«Scusa se dico cose inutili, ma sono disorientata. Lo intuivo, che avresti cercato un cambiamento, ma non immaginavo che andare all'estero fosse la soluzione per te» osservò aggiustando il lungo corpo sportivo sullo sgabello e scuotendo la gran testa di riccioli rossi. Aveva trentaquattro anni e nell'agenzia stava avanzando con passo da montanaro. Anche lei era entrata come stagista subito dopo l'università, che aveva finito con un certo ritardo visto che aveva sempre lavorato, e da allora era stata metodica e determinata, aveva seguito la strada maestra e non si era mai fatta prendere da dubbi eccessivi. Io no, a me non bastava: da tempo non riuscivo più a immaginare un evento felice

– un incontro fortunato, una promozione sul lavoro, neppure un grande terrazzo con le azalee e la vista su qualche cupola – che potesse risvegliarmi da un senso di torpida indifferenza.

«Una cosa mi chiedo: non ti mancherà tutto questo?» continuò, «non quello che è ovvio che ti mancherà – il sole, il mare, io – ma il modo assurdo di fare le cose che si ha qua. La guazza italiana, ti mancherà la guazza italiana?» disse accendendosi una sigaretta.

Ora aveva toccato un punto più delicato. Non ci avevo pensato. Immaginavo che quello di cui parlava Angela sarebbe stato sostituito da qualcosa di altrettanto caldo e avvolgente, qualcosa in cui avrei imparato a muovermi e in cui mi sarebbe piaciuto farlo. La definizione mi colpì per la sua efficacia, anche se non avrei saputo indicare con esattezza a cosa si riferisse. Me la stampai in testa.

«E tu non hai mai pensato di andare in un'altra città, magari all'estero?» rilanciai.

«E dove vado? No, a me piace la mia vita a Roma. Sono contenta per te, ma non ce la farei ad andare via, a vivere sotto la pioggia, a mangiare quelle cose... Non fa per me, non ho quel tipo di curiosità» disse con una punta di risentimento.

Trovai la sua superficialità irritante. Se ne accorse.

«Comunque, Alina, siamo abbastanza forti da affrontare una relazione a distanza» disse svuotando il bicchiere. «Però cerchiamo di restare sincere l'una con l'altra» aggiunse guardandomi negli occhi, questa volta di nuovo amica.

«Domani lo dico in ufficio, ma prima volevo parlarne con te» la rassicurai. Angela mi conosceva, lo dovevo ammettere. Il bluff sul mio nuovo lavoro – non era prestigioso, ma era, per l'appunto, nuovo – l'aveva stanato subito.

«E lo sanno Marisa e Sergio?» chiese.

«Ancora no, a cose fatte».

Gli anni belli c'erano stati, eccome: l'infanzia tra le giacche di mio padre, la scoperta del mondo sotto il microscopio dell'adolescenza, il periodo dell'università, quando continuare a vivere con i miei genitori ed essere stabilmente fidanzata con il devoto Fabrizio mi avevano fatto risparmiare soldi ed energie per dedicarmi allo studio e alle uscite. In quegli anni pensavo solo ad andare a ballare e a prendere voti alti, e riuscivo a fare tutte e due le cose anche perché avevo deciso di mettere in pausa i tormenti sentimentali che spesso mi avevano distratta in passato appaiandomi per tre anni con il mio amico d'infanzia, spiritosissimo e di immacolata bontà, per il quale provavo sentimenti che mi parevano solidi, anche se ero ben cosciente che vampate non ce n'erano né ci sarebbero state. Si girava per la città in motorino, si condivideva tutto e ci si difendeva a vicenda. E per me era perfetto così: all'epoca mi terrorizzavano sia le pene d'amore che il loro contrario.

Poi, man mano che crescevo, qualcosa aveva iniziato a incrinarsi. Con il loro pacato fatalismo, i miei vecchi compagni di scuola mi avevano fatto sentire malata di una brama che non capivo e di cui mi accorgevo solo quando ero con loro: in solitudine non mi sembrava di aspirare a chissà cosa, ma la loro compagnia mi rendeva irrequieta. Li vedevo sempre meno e quando capitava lasciavo che parlassero per ore delle loro situazioni, famigliari o sentimentali o addirittura universitarie, camuffando dietro un ascolto paziente l'incapacità di condividere le loro preoccupazioni e quella loro ansia di mettere a posto il prima possibile i tasselli della vita futura, come un puledro tutto preso a costruirsi un recinto da solo. Più mi sentivo crudele nei miei pensieri, più mi trovavano amica nelle mie azioni, presente solo col corpo in quel susseguirsi di serate e cene e gite al mare che non avevano nulla di male, ma in cui io non c'ero proprio più: svagata e annoiata, era come se aspettassi l'arrivo di un taxi immaginario chiamato di nascosto.

Roma era stata generosa con me: mi piaceva quel mondo maestoso e teatrale, mi muovevo allegra e fiduciosa tra i suoi

eccessi, quelle persone dai tratti marcati, quegli uomini dalla parlata enfatica, quelle donne troppo truccate. Non dubitavo che ciascuno avesse una conoscenza molto profonda delle cose, come se la vita fosse fatta di alcune carte – la nascita, l'amore, l'avventura, il gioco, la morte – che tutti avevano avuto in mano già molte volte e che sapevano giocare. Forse erano le lenti magiche dell'infanzia, ma quello che vedevo intorno a me mi pareva splendido e pieno di senso, un mondo formale in cui i miei personaggi – Lidia la profumiera, Pasquale il macellaio, Claudio l'edicolante – si muovevano con la consapevolezza di attori shakespeariani. «Quello ha un brutto carattere» mi diceva mia mamma di un vicino di casa, e immaginavo questo brutto carattere come un'inclinazione drammatica in grado di scatenare conseguenze funeste, ma mai come meschineria o piccolezza morale. Roma, con i suoi androni umidi, quelle case tutte diverse e, almeno per me, tutte piene di mistero, i suoi parchi un po' sporchi ma inarrivabili, la profonda umanità dei suoi abitanti, le battute fulminanti, lo spirito dissacrante, era stata un luogo amatissimo, di quelli che si vogliono ricordare al massimo dello splendore. Non riuscivo a vederla cadere, caduta.

Forse ci volevo tornare da straniera, senza responsabilità, senza dover fare la mia parte. La volevo ammirare, non volevo pensarci, non volevo sentirmi tirare il cuore ogni volta che vedevo la sua miseria, che mi accorgevo di come quella città fosse una trappola che faceva di tutto per rendere le persone infelici, che strappava loro proprio quella solennità e quell'umanità che mi incantava e nel cui culto ero cresciuta. Non si era saputa rinnovare e quindi non si era saputa conservare, ed era rimasta così, a tenere fermi i miei genitori e mio fratello e chissà quanti altri milioni di persone tra i suoi riti stanchi di vivace necropoli. Non so quando avevo iniziato a vedere la polvere, l'immobilità, ma da quel momento non ero più riuscita a guardare indietro.

In una vecchia piazza piena di motorini assiepati davanti a un bar, mentre il suono delle sedie e dei tavolini trascinati sulla pietra annunciava la chiusura del locale, dai risvolti di una serata come tante altre era emerso un animale bellissimo di quasi quarant'anni. Aveva gli occhi chiari e la pelle scura, le spalle larghe e quell'aria anni Settanta che certi romani continuano a coltivare anche in età avanzata sfoggiando tagli di capelli elaboratissimi e jeans con la gamba sempre più larga del ragionevole. Mi sorrise, si presentò, iniziammo a vederci. Si chiamava Nicola ed era fidanzato da quindici anni con una tale Ottavia, ma non si sposavano. Una situazione nella quale lui sembrava a suo agio e così anche lei, che pareva avesse un'idea piuttosto lasca del tempo da passare insieme per dirsi coppia. Si vedevano una volta a settimana, forse due, per andare a cena e al cinema, oppure a trovare amici in comune, mentre il sabato o la domenica lui la portava in motocicletta a mangiare in qualche ristorante del litorale laziale, che poi mi descriveva nei dettagli. Tutto questo andava avanti da quando i due, ricchi e innamorati, avevano finito l'università. Ottavia, una bionda col fisico da uccellino, aveva gli occhi celesti sgranati e i capelli molto ricci schiariti dalle mèches, come avevo avuto modo di osservare seduta su una panchina una sera che ero arrivata troppo presto a un appuntamento. Una decina di anni prima aveva cercato di sollecitare una proposta di matrimonio e infatti, mi aveva spiegato Nicola, lui le aveva regalato un bell'anello di famiglia e si erano ufficialmente fidanzati. Sfiniti da tanta intraprendenza, avevano preso una tregua prima di passare alla tappa successiva, solo che la pausa si era allungata e si era rivelata così congeniale a tutti e due che non avevano ancora trovato lo spunto per andare avanti. Lei lavorava come notaio nello studio del padre e andava continuamente in palestra, lui dopo il dottorato in filosofia viveva di assegni di ricerca elargiti sempre dopo un po' di mercanteggiamento da un professore a cui Nicola ogni mattina portava a spasso il cane, Metello, a Villa Torlonia, prima di chiudersi in biblioteca per lavorare ancora a quel trattato di metafisica nato da una costola della tesi di laurea e mai concluso, nonostante fosse ormai diventato materia di leggenda in tutti i bar di via Nomentana. La vita, per Nicola, scorreva così, tra un'aranciata offerta a una laureanda carina e due chiacchiere con Ivo, il suo migliore amico ricercatore di lingue. Il rapporto con Ottavia era come un cavo sottomarino che se ne restava placido e inattaccabile sul fondale, incurante di quello che succedeva in superficie, dove invece ci muovevamo con disinvoltura io, le laureande e chissà quante altre.

Ci vedevamo a casa sua, una sorta di scantinato di un palazzo pieno di marmi e di piante, e quando riemergevo avevo passato un paio d'ore piacevoli con una persona abbastanza cinica da farmi ridere. Sebbene lui facesse di tutto per estorcermi qualche traccia di gelosia – poco dopo il nostro primo bacio, al ritorno da un concerto su viale Trastevere, mi aveva fatto presente con tono solenne che «c'era una persona molto importante» che sarebbe «sempre rimasta» nella sua vita – magari nella speranza che qualcun altro immettesse della passione in quel fossile di rapporto, la presenza di Ottavia non mi infastidiva e proprio questo, dopo qualche mese, mi convinse a chiudere quella storia abbozzata: il disincanto nei confronti di Roma e della mia vita stava raggiungendo vette preoccupanti e il fatto di non soffrire neanche per un uomo bello che sceglieva un'altra dopo essere stato con me, più che della mia forza, mi dava il senso della mia indifferenza a tutto.

Il grande salone che occupava il primo piano del grande ufficio del centro storico mi ricordava molto una cantina di stagionatura dei prosciutti o dei parmigiani: più passava il tempo e più si diventava pregiati, non c'era modo di accelerare il processo. Gli elementi più giovani che comparivano in un incessante viavai trimestrale erano solo materiale da divorare in preda alla fame. Sebbene il primo contratto mi fosse stato offerto in tempi fulminei – all'epoca sembrava ancora normale che il prodotto interno lordo crescesse di tanto in tanto – l'essere giovane, nel mio mondo, appariva più come una pena da scontare che come una condizione irripetibile da cui trarre tutto il possibile. E ne avevo sofferto, non sempre in maniera consapevole: non ero ancora tipo da mettere in discussione l'autorità e mi ero sempre fidata di chi mi stava davanti per età o esperienza. Pensavo che intelligenza, determinazione e buoni studi fossero sufficienti a ottenere consenso e, ingenua com'ero, ci avevo messo del tempo prima di rendermi conto che tra i miei capi e colleghi non c'erano solo adulti protettivi come a scuola o a casa. Non avevo sempre vissuto con indifferenza il lavoro, al contrario. Anche quando avevo ormai deciso di lasciare tutto, mi capitava di scoppiare in lacrime per un giudizio severo o per la scorrettezza di un collega e, con minor slancio, di rallegrarmi per l'elogio fatto da un capo.

Ero approdata in quell'ufficio dopo una laurea raggiunta alla fine di anni intensi. L'università mi aveva lasciato addosso una grande ansia di iniziare a guadagnare il prima possibile e per questo avevo cercato uno stage in settori che non avessero nulla a che fare con i miei studi. Volevo continuare a formarmi: l'agenzia mi sembrò un buon modo per usare la mia presunta creatività e vi arrivai con l'entusiasmo della novizia e un patrimonio di competenze nuove di zecca. La lunga tessitura di trame politiche all'interno dell'ufficio, con quel carosello di tipi umani e quella disamina dell'intrigo psicologico che di solito mi appassionava, mi tenne molto impegnata per un paio di anni. Poi la curiosità si esaurì e la creatività, che era stata lasciata per lo più indisturbata, iniziò anche lei ad assopirsi.

Soffrivo per le polverose gerarchie dell'ufficio, per i giudizi dei quali ero succube e per le buste paga che crescevano con una lentezza esasperante anche se affrontavo il lavoro con tutto il puntiglio sviluppato fin da ragazzina. Un approccio che aveva qualcosa di radicalmente sbagliato e lo sapevo – nel dubbio Angela me lo ripeteva in continuazione – ma che non riuscivo a cambiare.

«Ti trattano male e tu porgi l'altra guancia e poi l'altra e poi l'altra. Penso che in fondo non te ne freghi niente o non lo faresti succedere in continuazione», mi diceva la mia amica.

La guardavo e annuivo, cercando di immaginare a cosa mi sarei potuta interessare abbastanza da resuscitare una certa scaltrezza. Gli obiettivi concreti erano stati esauriti da quando ero stata assunta con un contratto a tempo indeterminato che festeggiai come fosse un buon voto, anche se dentro di me mi preoccupava l'idea che potesse essere una soluzione per tutta la vita. Come una sposa dopo un matrimonio combinato e non troppo ripugnante mi sentivo pacificata, non certo felice.

Una volta un cliente, complimentandosi per il mio lavoro, aveva citato il nome dell'agenzia di Londra e una sera, quando ormai avevo anche smesso di uscire, guardando su internet avevo scoperto che il loro sito ospitava una sezione sorprendentemente chiamata «carriere». Cliccai e vidi che stavano cercando un giovane con le mie caratteristiche, che parlasse più di una lingua: una posizione da neolaureato, con molte mansioni amministrative e senza tutta la pompa con cui mi si convinceva che i miei mille euro al mese fossero un dettaglio rispetto alla grandezza della missione che avevo in ufficio. Era come se nel mio cervello fosse entrato uno spiffero fresco. «Sembra parli di me» pensai. Chiedevano un curriculum e una lettera di motivazioni e non avevo a disposizione nessuno dei due. Il primo l'avevo scritto appena laureata ed era servito solo per entrare come stagista nell'agenzia, dove l'unica motivazione che mi era stata chiesta era quella necessaria per restare in ufficio fino a tardi, fino alle dieci se serviva, e comunque sempre oltre le otto. L'avevo espressa a voce, con un sorriso. Mi misi a scrivere il curriculum in italiano, con l'idea di tradurlo in inglese in un secondo momento. Raccontare le proprie gesta universitarie e professionali in una forma minerale era un buon esercizio per allontanarsi dall'eccesso di riflessione e elencare le cose fatte con obiettività. L'ostacolo era tradurre tutto in una lingua nuova, quella dell'autopromozione, che però in inglese mi suonava meno stridente che in italiano.

Scrissi ogni riga con la stessa sensazione con cui si mettono via i panni dopo averli stirati per bene, con quella pace interiore che solo fare ordine riesce a darti. Raccontai della maturità classica con il massimo dei voti, della laurea, anche quella con il massimo dei voti, e degli anni nell'agenzia, dell'anno di Erasmus in Spagna e dei tre mesi estivi ad Avignone come ragazza alla pari per studiare il francese.

Raccolsi le idee con entusiasmo, pensando che qualcuno si sarebbe potuto innamorare di quel curriculum e che una palpitante epica dei risultati raggiunti trapelasse anche al di là della loro fredda presentazione. Scrissi una mail a una ragazza irlandese conosciuta all'università e le chiesi di aiutarmi a correggere quello che avevo scritto. Ci incontrammo in un bar nel fine settimana e tagliò a metà quasi tutte le mie frasi, costringendomi a riformulare le parti più tortuose.

«Cerca sempre il termine più semplice. Non ti perdere mai in frasi lunghe, non servono» disse con una professionalità che, quando le avevo retto la testa mentre vomitava dietro a una colonna dopo una festa a Testaccio, non avrei mai indovinato.

Mi chiamarono la settimana successiva per fissare un colloquio via Skype. Me lo aspettavo, non perché fossi mai stata particolarmente sicura delle mie capacità ma perché mi era subito sembrato un incontro fortunato, quello tra me e quell'annuncio. Invece di rallegrarmene troppo, cercai di conservare quel senso felice di direzione e mi organizzai. Non dissi niente a nessuno e passai le serate a leggere un libro trovato al Lion Bookshop, la vecchia libreria inglese di Roma, su come superare con successo un colloquio di lavoro. «Le mie qualità fanno di me il candidato ideale per questo impiego» è una frase che facevo fatica a pronunciare in qualunque lingua, e ripiegai su qualcosa di più sfumato per mettermi in luce senza esagerare. Mi sembrò di aver trovato la nota giusta e questo dovette essere l'effetto anche per i due che mi intervistarono, una giovane donna con i capelli scuri e l'aria severa, Sally, e un ragazzo nero che guidava il settore marketing, Ben. Mi ero informata su di loro guardando il sito dell'agenzia, dove entrambi erano indicati come «senior», anche se in realtà a occhio sembravano nati senz'altro dopo di me. L'impressione mi fu confermata durante il colloquio e mi colpì come quelle due persone dalla parlata tersa dei giovani e dall'aspetto implume sembrassero del tutto a loro agio nella loro età e nel loro ruolo. Nel parlargli eliminai ogni riferimento a quanto fossi da tutti giudicata precoce per i miei anni, un aspetto che nell'ufficio mi veniva ricordato in continuazione. A Sally e Ben avrei voluto chiedere cosa avvenisse ai veri senior, quelli al di là dell'orizzonte ancora astratto dei trent'anni, e una risposta parziale la ebbi quando feci il secondo colloquio, sempre via Skype, con il direttore dell'agenzia, un quarantacinquenne brizzolato con un forte accento olandese a colorare l'inglese spedito. Andò molto bene. Mi prendevano da gennaio, era ottobre.

Gli ultimi due mesi e mezzo a Roma furono i più belli, come se tutto quello che avevo sempre avuto davanti si fosse acceso di una luce nuova. In ufficio la notizia della mia partenza fu accolta dapprima con stupore e poi travolta da uno sforzo collettivo di cinismo: in molti ridimensionarono l'evento chiedendomi se mi ero trovata un fidanzato inglese e una collega si spinse a dire che avrebbero dovuto assumere un'altra bamboletta per sostituirmi. Solo il mio capo mi fece i complimenti, come se quel mio successo desse un respiro internazionale anche alla sua, di carriera, e mi diede il numero di telefono di un suo amico che viveva a Londra.

«Gli ho scritto che l'avresti chiamato, salutamelo di persona quando lo vedi» si raccomandò.

In casa non tutti si erano stretti con affetto intorno alla mia scelta.

«Tu a Londra non ci vai, punto».

La voce di mia madre era ferma. Non un'emozione, non un vibrato a tradire quella che io, e solo io, sapevo essere disperazione. Per tutti gli altri, marito e figlio compresi, la maniera che Marisa aveva di parlare esprimeva solo inflessibilità frutto di chissà quali certezze.

«Ti rovini la vita. Tutto quello che ti sei costruita qui non ti servirà a niente e quello che farai lì non ti servirà quando tornerai» disse. «Inutile parlarne, tanto non ci vai».

«Ci vado, eccome. Parto tra un mese».

«Non vai da nessuna parte, e se non ci arrivi con la logica ti tolgo i documenti, fine».

«Non sono d'accordo, vado a fare una bella esperienza» risposi sorridendo.

«Non ti serve l'esperienza, tu hai già un lavoro» osservò, cercando di sembrare più gretta di quello che era.

«E ora ne vado a fare uno migliore, in una città più grande. E poi quello vecchio l'ho già lasciato, ormai è troppo tardi».

«Idiota. Richiamali subito e digli che ti sei sbagliata. Tu resti qui».

Era una sera di inizio dicembre, mancava poco alla partenza e mia madre aveva passato le ultime settimane a incubare la sua opinione definitiva sulla mia scelta. Fino a quel momento si era fermata al lato positivo – sua figlia stava per fare qualcosa di più interessante e inconsueto di quello che facevano i figli delle sue amiche – ma non mi illudevo che mi avrebbe lasciata partire illesa. Non tenevo a sentire le sue parole taglienti, ma sarei andata via con un senso di vuoto se non le avesse dette.

«Come fai a dirlo proprio tu, che hai vissuto in Francia?» risposi, attingendo al repertorio classico delle nostre litigate.

«Embè? A me serviva davvero, per il mio lavoro» rispose come al solito.

Marisa era professoressa di francese in una scuola alberghiera e nel tempo libero, tra le correzioni di compiti e durante le vacanze, si dedicava alle traduzioni, sia tecniche che, più di rado, letterarie. Da giovane raccontava di essere stata libera e stravagante, ma mi era sempre sembrata un'affermazione azzardata, di cui non avevo mai trovato riscontri nella realtà. Di certo c'era che aveva viaggiato e aveva vissuto per sei mesi a Parigi, esperienza che l'avevo sentita rievocare centinaia di volte. Aneddoti a cui ogni volta veniva cambiato un dettaglio, come le favole che mi raccontava da piccola e di cui la imploravo di rivelarmi aspetti sempre nuovi – ma Cenerentola portava le calze? – per mantenerle vive ai miei e soprattutto ai suoi occhi. Quando era partita, mio padre, con cui già si vedeva, l'aveva salutata dicendole:

«Marì, non mi costringere a restare signorino per troppo tempo».

Da quella coppia unita e diversissima eravamo nati io e, due anni dopo, Marcello. La maternità l'aveva colta tardi, e se nell'infanzia era rimasta una figura alla periferia del mondo delle cure, appena ero diventata una ragazzina era entrata in scena lei, rivendicando un'autorità che non si era conquistata ma che, per far piacere a mio padre, piano piano io e mio fratello le avevamo riconosciuto, cedendo alle richieste e al desiderio di controllo che tutt'a un tratto le era esploso. Il nostro equilibrio di figli di madre distratta aveva vacillato. Marcello aveva ereditato la fibra quieta di nostro padre, con cui aveva uno di quei misteriosi rapporti maschili in cui non si parla di niente ma si fanno molte cose insieme. Per me era stato diverso. La durezza di mia madre era motivo di costante, inesauribile struggimento, come fosse uno sfregio su un volto splendido: mi dispiaceva per lei, costretta a vivere con un carattere meschino.

L'espressione di Marisa si era distesa: aveva detto quello che doveva dire, sicura che mi sarebbe rimasto conficcato come una spina nel dito, e decise di passare a qualcosa di altrettanto ostile ma più costruttivo. E siccome non avevo ancora dato segno di essere passata alla fase organizzativa – l'agenzia londinese mi aveva comprato un biglietto d'andata con ritorno aperto e, oltre a una data di partenza, non avevo altro – decise di andare a solleticare quel punto molle.

«Quando iniziamo a preparare tutto? Ti sei fatta una lista di quello che devi portarti? Hai iniziato a cercare casa?»

«Mamma, io pensavo di partire solo con una valigia grande, le altre cose me le porterò pian piano. E la casa non ha senso cercarla da qui».

«Ma non puoi dire a Ilaria che affitti la sua camera per un anno?»

Finsi di non sentire il suo suggerimento e cercai di ignorare il ronzio rabbioso che lo accompagnava.

«Venerdì prossimo ho organizzato un aperitivo di saluto con i miei colleghi, mentre i parenti li vedrò a Natale e gli amici a capodanno» aggiunsi.

Il suo volto si illuminò, nascondendo appena il piacere di trovare così tante pecche nel mio piano. Si tolse gli occhiali da lettura, chiuse il libro e incrociò le gambe all'indiana sul vecchio divano. Il maglione celeste scollato le stava bene, era un tono che donava a lei, bionda e chiara di carnagione, e stava malissimo a me. In una foto in bianco e nero saremmo state identiche, ma i colori ci separavano così tanto che chi ci incontrava di persona a volte non se ne accorgeva.

«Alina, ti trasferisci a Londra e parti con una sola borsa? Domani andiamo a fare compere, ti serve almeno un piumino pesante. Ti va bene domani mattina?»

«Mamma, vado a Londra, voglio comprare lì le cose di cui ho bisogno».

Per una abituata a farmi sparire i vestiti che non le piacevano non era una bella prospettiva.

14.

Una certa idea di infelicità

Oxford, giugno 2001

La busta azzurra arrivò nella cassetta della posta del dormitorio con gli angoli già logori, ma la sua consistenza era promettente almeno quanto il francobollo italiano. Nell'indirizzo c'era un errore e un estraneo avrebbe potuto pensare che anche quel «Viky» ricalcato più volte fosse sbagliato, ma non era così: si trattava di una stupidaggine di cui lei e Dario avevano riso una volta e che, ripetuta a sorpresa in una lettera, quella mattina strappò a Vicky un'esplosione di ilarità sconnessa. Come ogni giorno, era scesa giù per le scale appena aveva visto avvicinarsi l'anziana portiera con le lettere da distribuire in quella parte moderna dell'antico college, fatta di piccole costruzioni a due piani, squadrate ma simili nelle proporzioni a quelle secolari che costeggiavano l'altro lato del giardino. Quando aveva capito cosa le era finalmente arrivato, dopo tanti mesi di lettere, cartoline e telefonate senza risposta, Vicky aveva sentito le gambe alleggerirsi fino a evaporare, ormai del tutto incapaci di sostenerla. Senza riflettere aprì la porta del dormitorio e si mise a sedere sulle scale d'ingresso, con ancora addosso i pantaloni del pigiama e una canottiera. Ma tanto era estate, e anche se il cielo era grigio faceva abbastanza caldo. Si girò la lettera tra le mani: non c'era il mittente. «Il mio è un indirizzo troppo prestigioso per essere scritto» le aveva detto una volta Dario.

La aprì e trovò quattro fogli a quadretti scritti con una grafia grossa da bambino, in italiano.

Cara Viky,

sai che ogni volta che ti scrivo non so come cominciare? Io sto bene, e tu? L'altro giorno stavo leggendo il libro che mi hai consigliato, quello di Dickens, e hai ragione che non è noioso. Mi ci sto quasi appassionando e poi mi aiuta a passare il tempo qui dentro, che va avanti lento lento. Parla di gentaccia, eppure mi fa pensare a te: ha proprio tutte le qualità! Penso che Dorina abbia capito qualcosa, perché quando è venuta in visita l'altro giorno e mi ha trovato che lo leggevo mi ha fatto uno sguardo strano e mi ha detto «Viky ha lasciato il segno, eh». Per me sì, certo che Viky lo ha lasciato, le volevo dire (ma non l'ho fatto, stai tranquilla). E poi ho pensato che dovrebbe farsi più gli affari suoi, Dorina.

Però ho pensato pure un'altra cosa, e te la devo dire, bella Viky. Io e te non c'entriamo proprio niente, ma proprio proprio niente, e non è perché io sto in carcere e tu a Oxford, perché tu hai studiato e io ho fatto solo stupidaggini da quando sono ragazzino. Da qui prima o poi uscirò e ti posso giurare che di fare stupidaggini mi è passata la voglia per sempre. Soprattutto, e te lo dico, dopo averti incontrato. Però ce n'è una, di cretinata, che continuerei a fare se credessi che quello che ci siamo raccontati io e te quel giorno dopo la recita è qualcosa di vero. Viky, tu sei fatta d'un'altra materia, vieni da un altro mondo, hai fatto ventuno anni da poco, hai pure un fidanzato bravo, ma posso io pensare che va bene che io scriva lettere a una così solo perché le ho tenuto la mano una sera e mi ha pure permesso di darle un bacio? Non lo posso certo pensare, e non voglio che succeda. Quindi me ne vado via e ti chiedo di andare via e ce ne andiamo via tutti da quella sera che non deve più esistere se non nei miei ricordi. A te può restare in testa solo a condizione che non ti dia fastidio, che non ti faccia mai soffrire e che non ti distragga mai da quello che stai vivendo. Tu sei proprio speciale, Viky, e il fatto che hai pensato pure per cinque minuti soli a uno come me dimostra che non sei come tutti gli altri, che hai la testa libera per davvero. Però io, che sto qui in cella da tre anni, ti devo dire una cosa importante: la vita è la cosa che stai facendo, non quella che farai o hai già fatto. Non ha senso aspettarmi, aspettarci, pensare che l'unico ostacolo sia il tempo quando invece è tutto il resto. Fidati di uno che c'ha tanto di quel tempo per pensare che già gli viene da risolvere i problemi di tutti, pensa di quelli a cui vuole bene.

Io ti voglio bene, Viky, e voglio che tu continui a essere libera come ti ho conosciuto io. Lo capisci? Non ci cerchiamo più, promesso?

Ciao, addio.
Dario

Mentre leggeva il cuore le pulsava contro lo sterno e sentiva torcersi qualcosa nella gola, qualcosa che non aveva mai visto neanche nei libri di anatomia di Iain. L'euforia con cui i suoi occhi si agganciavano alle prime parole, sperando in un tratto tenero, un bacio, l'istinto che l'aveva portata ad annusare la lettera cercando un odore conosciuto, le fiamme che le arrivavano fino alla punta delle dita mentre teneva i fogli, tutto si fece cenere quando sentì che Dario stava usando il faro alieno della ragione per illuminare quei momenti belli, per far luce in quell'intercapedine tra giorno e notte in cui si erano annidati loro. Appena sentì arrivare le prime lacrime, rientrò di corsa per le stesse scale da cui si era lanciata piena di speranza pochi minuti prima e si andò a buttare sul letto ancora sfatto della sua camera piena di tazze di tè abbandonate. Il dolore le arrivava con lampi di immagini che la riportavano al rovesciamento avvenuto sotto i suoi occhi, al senso di libertà sfrenata che le aveva dato il fatto che tutt'a un tratto il mondo dell'uomo più lontano da lei fosse diventato il suo mondo grazie a un cementino invisibile che era andato dall'una all'altro in un istante, e allora qual era il limite, dove erano tutte le proibizioni che si era immaginata, tutti gli obblighi di cui aveva sentito parlare? L'ostacolo lo stava mettendo Dario, lei proprio non ne vedeva, grazie a lui aveva imparato che l'unico senso del dovere va indirizzato su quello che porta al bene, al bene per tutti. E quello che aveva fatto lei in passato e che si preparava a fare con l'attività politica non bastava affatto. Lei poteva aiutare chi stava male, ma il mondo in cui queste persone lottavano, che mondo era? Pensava veramente che si potesse cambiare smuovendo due inetti come lei e Iain dal centro di Londra verso una qualunque presunta periferia che non aveva alcun bisogno di loro? O che vedere due volenterosi ingenui di buona famiglia calarsi in camice o con la pettorina da cooperante in una situazione disperata avrebbe fatto la differenza? La differenza la faceva la politica, la lotta attiva per una società migliore, non l'ipocrisia delle pezzette colorate che lei e la sua cerchia apponevano su qualche spuntone di realtà angosciante, selezionata come fosse stato un pasticcino su un vassoio. Povertà infantile? Mmh, preferirei abusi, grazie, ma sulle donne. E la malattia mentale? Ci pensasse qualcun altro, mica posso fare tutto io. E poi via a guardare dall'alto in basso tutto il resto del mondo, a giudicare la gente dal modo in cui dice la «aaaa» o la «eee», da come prende il tè e sa indossare la sciarpa. Come le sembrava piccino tutto quello, e com'era invece grande quello che le diceva Dario, il suo essere regale pure tra gli ultimi, con la voce piena di musiche misteriose che non capiva. E tutto quel mistero che era stato concesso loro dal destino lui voleva farlo evaporare, rimettendola al suo posto come una bambola sul suo scaffale. Ma lei glielo avrebbe detto che non andava bene così. Come glielo avrebbe detto? Si allungò verso la scrivania, facendo cadere una confezione vuota di biscotti mentre prendeva carta e penna.

Caro Dario, non sono assolutamente in accordo con te...

Dario, come fai a dire

Ma non lo capisci che i

Cercava le parole e intanto immaginava il tempo che il loro scambio avrebbe preso, i giorni in cui il dolore che si portava dentro sarebbe rimasto senza risposta e decise che dovevano parlare. Si spogliò di corsa, infilò lo stesso vestito lungo di lino che aveva messo il giorno prima e un paio di scarpette di tela, afferrò la borsa e corse giù per le scale per la seconda volta in quella mattinata. Prese la bicicletta e pedalò spedita fino dal giornalaio, dove comprò una tessera telefonica internazionale, e poi si diresse sicura verso la sua cabina preferita, appartata ai margini di un enorme prato. Aspettò che l'uomo davanti a lei finisse di parlare e si precipitò sulla cornetta. Fece il numero del centralino del carcere – lo aveva imparato a memoria nelle notti insonni, come se pure quelle cifre avessero qualcosa da dirle – e chiese di essere messa subito in contatto con Dario Giordano.

«Lei è la signorina Vittoria, vero?» disse il centralinista cercando di suonare comprensivo. Vicky se lo ricordava, era un siciliano dal fare mellifluo. «Lo sa che non è possibile parlare con i detenuti, è inutile che continui a chiamare».

«Ma io devo parlare con Giordano, subito» rilanciò lei, imperiosa.

Dall'altra parte del filo l'appuntato stava riflettendo. Vicky chiamava più volte a settimana, usando uno dei numeri che aveva scoperto quando era a Reggio Emilia, e non c'era modo di convincerla di smettere di farlo. Ne aveva parlato anche con i suoi colleghi: la ragazza non dava certo fastidio, ma la sua insistenza era preoccupante.

«Mi dia un istante, signorina Norman». Dopo pochi minuti l'uomo, il cui passo pesante si sentiva andare e tornare in lontananza, riprese la cornetta.

«Come immaginavo, signorina, è orario di visita e Giordano è con la fidanzata» disse con puntiglio.

«Come con la fidanzata, non capisco» rispose Vicky confusa.

«Sì, anche oggi è venuta da Torino a trovarlo».

«Ah, certo, da Torino» disse Vicky cercando di darsi un tono disinvolto. Aveva capito chi era, gli stava addosso da anni. Meno male che per Dario bisognava vivere nel presente, pensò.

«Signorina Vittoria, le posso dire una cosa? Scusi se m'intrometto, ma non si dispiaccia, suvvia. Lui non c'entra niente con lei, la smetta di perdere tempo così».

Vicky si era ormai accasciata sul pavimento della cabina.

«Grazie, dica al signor Giordano che ho chiamato» rispose cercando di suonare composta. E poi, rialzandosi, aggiunse con un tono sprezzante che la sorprese e che, pensò, sarebbe stato bene in bocca a sua nonna: «Ah, e per il resto la incoraggio a farsi i fatti suoi, signore».

Stava per girare sul vialetto del dormitorio quando si accorse che c'era la bicicletta di Iain. Questo le diede la tentazione di tirare dritto. Si fermò un attimo all'angolo, riprese fiato e sperò che i suoi pensieri scompigliati trovassero un loro posto e un loro spazio. Non avvenne. Erano ancora tutti lì appuntiti, dolorosi come prima, volevano lacrime, volevano disperazione, chiedevano di trascinare tutto giù. Era così triste che pensò di sdraiarsi sull'erba, di lasciarsi svenire, di farsi inghiottire da quel giardinetto con le piantine basse e i fiori ordinati e rossi che odiava, ma era troppo, e poi non le piaceva l'idea di farsi vedere dagli altri studenti. L'estetica spigolosa dei nuovi dormitori era accentuata da aiuole che sembravano pensate dalla moglie di un nazista nascosto a Bariloche. Per svenire avrebbe preferito mille volte il giardino sul retro, frondoso e così inglese, ma per arrivarci bisognava passare dal dormitorio e per passare dal dormitorio bisognava incontrare Iain. Respirò. Prese il tabacco dalla borsetta, si rollò una sigaretta e se la fumò così, accovacciata tra i gerani rossi rigidi come fucili, col dolore che pulsava e l'umidità della pioggia della sera prima che le lambiva il vestito. Si concentrò sul volto di Dario, ma non riusciva a immaginarlo accanto a lei. Poteva tornare a quella notte a Reggio Emilia, a quei pomeriggi di prove, poteva rivedere il suo volto scuro in quel contesto, con il mento che a ogni parola sembrava giocare con le labbra, ma non riusciva a immaginarlo lì accanto a lei. Provò a vedere sé stessa lì, com'era adesso con i capelli corti, in quel collegio in cui stava costruendo il suo futuro, ma non le veniva neanche quello. Il buio, un muro buio, solo quello aveva davanti. Ci sarebbe voluto Iain, ma come poteva chiedere proprio a lui un aiuto, lui che aveva tradito così spesso con la testa e una volta pure dando un bacio, lungo e appassionato, a un altro? Solo a pensarci ricominciava il suo pianto violento, che la faceva scivolare giù verso il prato, la terra umida, tra i fiori brutti. La moglie o la fidanzata, Dario aveva richiamato quella Cinzia che gli era stata tanto accanto negli anni, quella Cinzia paziente e così giusta con le sue poche aspettative, sicuramente era lei. La odiava violentemente, avrebbe voluto ucciderla per il fatto che lo toccava, che stava accanto a lui, che ne poteva sentire la pelle ruvida, quell'odore che Vicky riconosceva prima ancora di entrare in una stanza dove lui era passato mezz'ora prima. La odiava perché i cocci dei loro due mondi sbeccati combaciavano e unirli sembrava possibile. Ogni pensiero era un singulto, uno scatto nelle sue gambe sottili e muscolose che non sapevano dove correre, scosse da una febbre interna che sarebbe potuta essere gioia fisica e invece restava lì a pungerla e a farle male.

«Vicky, ehi». Iain, arrivato in silenzio e ormai seduto accanto a lei, le mise una mano sul braccio. Ma aggrapparsi era più difficile del previsto questa volta, le lacrime erano fuori controllo, per riprendere un senso del mondo esterno Vicky si morse le labbra, sperando di riuscire a farle sanguinare.

«Iain, io volevo amare te, non volevo innamorarmi di un altro» furono le uniche parole comprensibili di un discorso accartocciato a cui seguì un sospiro lungo interrotto solo dal «mmh» ipnotico del giovane, che la guardava con l'amore e il distacco di un adulto davanti a un bambino. Vicky riuscì a rialzarsi, a togliersi la terra umida dal vestito e a schiarirsi la voce e con un balzo Iain fu davanti a lei, molto più alto.

«E io non voglio essere amato per forza, Vicky, ma non è questo il punto. Prima devi calmarti».

Lei lo guardò con una certa sorpresa e, dopo un sorriso tirato di quelli che servono a tagliare corto, pronunciò un flebile «Grazie». Fece due passi verso l'ingresso dello studentato e quasi subito, con un singulto, si accovacciò per terra e ricominciò a piangere. Appena Iain le si avvicinò, Vicky si alzò e prese a dargli pugni contro il petto.

«Sei così buono tu, neanche hai bisogno di essere amato, però non mi lasci mai e mi fai sentire indegna. Ti fa stare bene questo ruolo da eroe, eh?»

In realtà Iain non si sentiva per niente bene e anzi, dopo una serie di riflessioni, negli ultimi tempi aveva iniziato a sperare che Vicky trovasse presto un equilibrio sufficiente da permettergli di allontanarsi almeno in parte da lei. Che quello che provava non fosse più amore non era detto: era sicuramente un sentimento ancora abbastanza forte da non fargli rimettere del tutto in discussione l'idea a lungo coltivata, anche se sempre più evanescente, di un futuro con lei. Solo che il senso di responsabilità aveva finito per occupare uno spazio smodato in quella relazione. Lui si spaventava davvero quando la vedeva crollare e tutta la sua persona era concentrata nell'urgenza di proteggerla da sé stessa. In passato era capitato che, oltre ai tagli che andavano avanti dall'adolescenza, Vicky si spegnesse una sigaretta sulle gamba o si spingesse i denti della forchetta nel dorso della mano fino a provocarsi ferite simili al morso di un cane, e lui la osservava sempre più impotente, convinto che l'unico modo per fermarla fosse la sua stessa presenza, il non perderla mai di vista. Da quando erano tornati dall'Italia non si era mai presentata una situazione abbastanza serena e duratura da permettere un chiarimento vero, oltre al fatto che c'erano l'università, la vita nuova, gli amici e mille altre cose a non rendere impellente una decisione. Solo quella sera da Gino a Abingdon l'esistenza di Dario, per un istante, si era materializzata tra di loro. I motivi per cui Vicky l'aveva evitato fino a quel momento erano chiari

– non voleva ferire Iain e poi Dario era in carcere e lei doveva ancora trovare un modo per stargli più vicino per il tempo che gli restava a Reggio Emilia – mentre la ragione per cui Iain non aveva mai affrontato la cosa, neppure con Jacopo ai tempi delle loro serate in vineria, erano più complesse. C'era voluto tempo perché mettesse a fuoco la situazione, il cui indizio più evidente era una Vicky danzante e fresca come non la vedeva da anni, dai tempi in cui avevano fatto le prime esperienze insieme e sfoggiavano anche loro la vistosa furtività degli amanti recenti. Riconoscere quei comportamenti in lei non gli dispiacque del tutto, un po' perché erano sintomo di felicità, un po' perché era consapevole che tutta quell'emozione difficilmente sarebbe tornata a benedire la loro, di coppia, e allora tanto valeva che l'amore finisse a circolare sotto altre forme, o così raccontava a sé stesso. Solo che il rapporto che aveva con lei non era solo romantico e il fatto che lei si stesse accendendo per qualcuno di così lontano dal loro mondo in realtà non faceva che aumentare il peso che lui si sentiva sulle spalle. Non voleva che lei lo lasciasse o almeno non ne aveva ancora coscienza, ma avrebbe volentieri fatto a meno di questo ruolo di tutore che si era ritagliato negli anni e che, soprattutto negli ultimi mesi, si era fatto quasi insostenibile.

Qualunque cosa pensasse sul prato di fiori brutti, non era più in condizione di dirlo a Vicky, che lo stava ancora picchiando.

«Perché non mi lasci? Vaffanculo, pensi che io abbia bisogno di te, credi che da sola non ce la faccio? Cosa sei il mio infermiere, la mia guardia? Ti senti importante così, eh?» urlava con il viso stravolto. «Bravo ragazzo, bravo ragazzo» aggiunse sprezzante.

«Se vuoi ti lascio, ma prima calmati!» Le strinse forte i polsi per immobilizzarla e la guardò negli occhi infuocati di pianto. Quando era così vicino che le si vedeva la cicatrice lasciata dalla varicella, sembrava la Vicky di sempre, senza quel taglio di capelli punitivo che si era fatta per sembrare più indifferente, più adulta, magari pure più felice. «Calmati!» urlò prima di trascinarla dentro il collegio e di farla sedere su una sedia della cucina comune, deserta a quell'ora. Le preparò una tazza di tè e si mise accanto a lei.

«Cos'è successo oggi, Vicky? Me lo puoi raccontare?» disse con dolcezza. «Parliamo?» Il medico che stava diventando iniziava a chiedersi se ci volesse un ricovero, o almeno una telefonata a uno psicologo. Occorreva pensarci per bene, rifletté, perché quello a cui stava assistendo non era più solo cattivo umore o la conseguenza di una delusione sentimentale.

Lei sembrava esausta e continuava a guardare la tazza. Ogni tanto qualcosa la scuoteva e sospirava, ma non sembrava voler parlare. Iniziò lui:

«Per me non è uguale se stiamo insieme o non stiamo insieme. I miei sentimenti li conosci da sempre, Vicky. Però se non serve a essere felici l'amore non è niente».

«Non credo proprio Iain. L'amore non smette d'esistere davanti all'infelicità, anzi, tira dritto e va avanti» disse Vicky rollandosi un'altra sigaretta. Poi ci ripensò e aggiunse: «Ma non è giusto dirlo proprio a te, che sei infelice da tempo con me». Fece una nuova pausa e suggerì: «O forse resti felice perché in fondo non mi ami».

Davanti al suo tono piatto era impossibile capire se fosse un'accusa, una constatazione o un tentativo di suscitare una smentita. Nessuna delle due cose ipotizzate da Vicky era del tutto sbagliata, al contrario. Il disincanto di Reggio Emilia, tutto raccolto tra quelle pietre e quelle piazze, era stato talmente radicale da somigliare all'infelicità, almeno all'inizio. Poi era servito a fare spazio ad altro, scoperte e rivelazioni che nella memoria di Iain si susseguivano vivide come le immagini di un filmato e che gli erano diventate care almeno quanto i momenti di felicità più zuccherina. Aveva imparato a controllarsi, in quell'anno, alimentando il suo distacco con un'analisi attenta della realtà e un ricorso forsennato allo sport e alla lettura. Quando erano tornati nel Regno Unito avevano ripreso una versione più rigida della loro vita normale, rafforzati e irrimediabilmente cambiati da quello che avevano vissuto insieme in Italia. Andare a Oxford senza neanche considerare l'ipotesi di vivere meno distanti, vedersi sempre più spesso in compagnia di altri come piaceva a Vicky e ritrovarsi con i pochi momenti di intimità travolti dalle scenate si era dimostrato meno doloroso del previsto per Iain, che non aveva ancora dato un nome a questa situazione. Si volevano sempre molto bene.

Mentre erano ancora seduti in cucina a parlare entrò Katie, la vicina di stanza di Vicky, appena rientrata dalla biblioteca. Guardando il volto segnato dalle lacrime dell'una e l'aria preoccupata dell'altro capì all'istante quello che stava succedendo.

«Ragazzi, io sono di là se volete. Più tardi vorrei andare al cinema con Macca, danno un film francese, venite?» Mentre parlava lanciò un'occhiata a Iain, come a dire «ci pensiamo noi a lei, se vuoi».

«Ah, che bello, cosa?» chiese Iain, sperando di sentire un titolo frivolo e divertente.

«*Les Enfants du paradis*» rispose Katie.

Impegnativo, pensò Iain mentre Vicky sorrideva flebilmente, come fosse in un altro posto, e ringraziava Katie per qualcosa di cui sembrava già essersi scordata. Disse che si sentiva stanca e che voleva andare a dormire per qualche ora. Iain la accompagnò nella sua stanza, chiuse le tende, si sdraiò accanto a lei e quando il suo respiro si fece regolare se ne andò in cucina a prepararsi un sandwich e a studiare in attesa che si svegliasse. Fece due chiacchiere con gli altri ragazzi che abitavano nel dormitorio e era già pomeriggio inoltrato quando Vicky si alzò con gli occhi gonfi e il volto più disteso. Accese la luce – il tempo era cambiato e stava per venire di nuovo a piovere – e si sedette accanto a lui.

«Scusa se sono stata offensiva prima, Iain, e se ti ho picchiato. Spero di non averti fatto male, non era mia intenzione» disse mettendogli la mano sul braccio.

«No, stai tranquilla, non è niente. Sono contento che tu stia meglio».

«Vuoi parlare?» chiese lei gentilmente.

«Forse oggi sei stanca, vogliamo rimandare? Che fai stasera?» Chi li avesse visti dal di fuori non avrebbe trovato una coppia più unita e attenta

«Vorrei andare al cinema con Katie e gli altri. Tu vieni?» Vicky iniziò a tagliare una mela che stava sul tavolo ad avvizzire da alcuni giorni.

«Il film l'ho visto da poco, ma lo rivedo volentieri, se vuoi». L'importante è che tu stia bene, Vicky, solo così saremo tutti di nuovo liberi. Dicci, dicci a tutti cosa possiamo fare, dillo a me, pensava Iain, chiudiamo quest'incubo, torniamo giovani. Tutto quello che vuoi, amore mio, amica mia.

«Iain, basta, sono in grado di andare al cinema con gli altri, non ti preoccupare. Tu passati la tua serata tranquillo, va bene?» Vicky stava facendo la faccia saggia e Iain le fu grato. Pensò che avrebbe chiamato Macca per una birra, sicuro di riuscire a convincerlo facilmente a rinunciare a un film francese in bianco e nero per due pinte in compagnia. Era anche meglio che Vicky stesse da sola con Katie, con cui sicuramente poteva parlare di quello che era successo meglio che con Macca, amico da compagnia più che da introspezione.

«Sicura?» chiese un'ultima volta.

«Sicurissima. Io un ragazzo così buono non me lo sono mai meritato».

Iain fece un sorriso, il primo della giornata, e abbracciando forte Vicky le baciò la clavicola prima di prendere il sellino della bicicletta e infilarsi le scarpe per uscire. Era oramai sera. La minaccia di pioggia sembrava scomparsa, sostituita da un cielo blu elettrico con qualche nuvolone in lontananza. Chissà perché è così facile distinguere le nuvole che stanno arrivando da quelle che vanno via, pensò Iain mentre dava un'ultima occhiata a Vicky che, con il suo lungo vestito di lino stropicciato dal sonno, lo salutava dalla porta.

15.

Per chi taglia i fili

Londra, 2012-2013

L'ultima giornata con Iain continuavo a ripercorrerla come una poesia che sapevo a memoria. Quando dimenticavo un momento, ripartivo dall'inizio per riportare tutto a galla. Me la ripassavo ogni giorno prima di andare a dormire alla ricerca di qualcosa che non avevo notato – un bacio non ricambiato, una frase che avrebbe potuto dare un corso diverso agli eventi – e invidiavo la me stessa dei giorni immediatamente successivi, quando potevo stare sul divano di Francesca a piangere senza dovermi vergognare. Quella tristezza voluttuosa non mi chiedeva niente, niente se non restare lì con lei.

«Però c'è una cosa che non capisco, Alina. Onestamente: a me sembravi irrequieta da tanto tempo. Pensavo sarebbe stata una liberazione, quella da Iain, ne ero convinta» disse Francesca rannicchiandosi accanto a me e allungandomi un pacco di biscotti italiani comprati al *corner shop* accanto a casa sua. Ne presi uno e cominciai a decomporlo di morsi tra i singhiozzi: prima le stelline bianche in rilievo, poi i bordi, infine il centro in un solo boccone.

«Ma che cazzo stai dicendo» risposi, più arrabbiata di quanto ne avessi l'intenzione, decisa a difendere quella storia morta come se si trattasse di salvare l'onore di Iain. Non avrei permesso a nessuno di sottovalutare il nostro rapporto. Ma quello che intendeva Francesca lo capivo bene, non mi sorprendeva e sapevo da tempo che lo pensava. O forse ero io stessa a pensarlo? Quando l'avevo conosciuta e avevo preso a raccontarle qualcosa della mia vita, mi era sembrato di tradire Iain e il suo mondo, di buttarmi tra le braccia di qualcun altro, qualcuno di noto, come fosse un ex che mi conosceva bene e che, vedendomi nelle mie nuove vesti, mi avesse sussurrato nell'orecchio: chi credi di ingannare. Chi credi di convincere che non ti manco. Che non ti manca il mio umorismo, che non ti mancano le risate sceme, le confessioni fino all'alba, gli intrighetti, i pettegolezzi, il sole, i gelati, le canzoni leggere, le battute becere, le serate in riva al mare, che non ti mancano anche le nostre litigate e tutti quei sentimenti estremi, e tenersi il broncio e ridere come pazzi e fare come ci va senza un piano, senza prospettive, e la curiosità anche quando diventa invadenza, i cornetti all'alba, quel mio modo di spaccare il capello in quattro e di offendermi per poco per poi fare pace, di parlare forte, fortissimo, di gesticolare, di non essere perfetto, di avere parenti indiscreti, di soffrire tanto quando c'è da soffrire, di non tenersi mai nulla per sé, di camminare senza meta, di immalinconirsi davanti a una pasta scotta, di complottare sempre un po'; dimmi che stai bene con tutti i tuoi nuovi amici di cui non sai nulla, con cui parli del tempo e della pioggia, con cui vivi da anni rispettando i loro segreti, fingendoti colpita perché vanno avanti lo stesso, nonostante le loro ferite e i loro guai, con tutto quell'alcol e mai un bicchiere di vino decente; dimmi che ti va bene così, in una lingua in cui non riesci a dire tutto tutto, a vedere le persone una volta ogni sei mesi organizzandoti tre mesi prima, in un paese in cui tutto quello che sei non va bene, e se me lo dici non ti credo, perché tu sei come me e stai solo recitando una parte.

«Oh, non te la prendere con me, mica sono io che ho rifiutato una proposta di matrimonio» disse lei allungandomi un altro biscotto mentre la pioggia continuava a battere contro le finestre della sala, che era anche cucina e, all'occorrenza, stanza degli ospiti.

Tramite il mio nuovo giro di amici avevo cercato subito un altro appartamento, finendo a vivere con Emanuele, un architetto quarantenne a Hoxton, epicentro di una di quelle costose imitazioni di una scena artistica con cui Londra stava sostituendo, senza pensarci due volte, la sua vecchia anima irriverente. La casa era più piccola e arrangiata di quella di Shepherd's Bush – niente bianco soffice né lumini disseminati nel salottino dalle belle proporzioni – ma aveva una vista sulla distesa elettrica della City e meno spifferi vittoriani dalle finestre ben sigillate. Potevo andare al lavoro in bicicletta e nel tragitto, volendo, avrei potuto attraversare una città vera, caotica e urbana, senza perdermi nei dedali cremosi delle casette di chi si crede in campagna, godendomi traffico, smog, grandi arterie di scorrimento, cantieri edili, aria di riforma, autobus, camion, ciclisti nervosi come me e tutte le altre ragioni per cui avevo lasciato Roma per scappare in una metropoli.

Anche Katie stava per lasciare Netherwood Road. Era in trattative per comprare un appartamento tutto per sé in una strada elegante di Richmond, non lontano da dove abitava sua sorella insieme al marito e ai figli. L'unica cosa che sapevo della sua futura destinazione è che dalla finestra si vedevano i cervi del grande parco e che per andare al lavoro ci avrebbe messo solo cinquantadue minuti.

«Penso sia giusto passare a un capitolo nuovo» mi disse una sera mentre mettevo le mie cose negli scatoloni. Ci eravamo evitate per un paio di settimane, limitando le conversazioni al minimo indispensabile per organizzare la nostra separazione. Lei rientrava sempre tardi la sera e a volte si fermava a dormire fuori. Non avevo osato chiederle dove e con chi, ma la vedevo felice, cosa che non si poteva dire di me nonostante gli sforzi di mantenere un contegno davanti a lei.

«Vuoi tu le posate con il manico azzurro?» mi disse mettendomi una mano sulla spalla mentre, accovacciata in salotto, incartavo le pentole che mi aveva portato mia madre tra le pagine di una vecchia copia del *Guardian* cercando di non piangere. Non avevo voglia di parlarle, di fare conversazione gentile con tutto il non detto che c'era anche tra noi, dopo tanti anni, di far finta di non volerle chiedere come stava Iain, di non volerla implorare di convincerlo a rispondermi al telefono. La ringraziai senza voltarmi e le dissi che le poteva tenere.

«Come preferisci. Io esco, stasera non torno, così hai la casa tutta per te». Rimase in silenzio dietro di me, sentivo il respiro di chi non sa se aggiungere qualcosa. «Comunque siamo state bene, Alina» disse, e se ne andò facendomi una carezza sulla testa.

Mi alzai dopo qualche secondo, il tempo di ricacciare indietro le lacrime, e la guardai dalla finestra mentre andava in direzione della metropolitana con gli occhi fissi sul cellulare. Forse avrei potuto richiamarla indietro, convincerla a parlare, ad aprire una bottiglia di chardonnay cileno e a sederci sul divano per un'ultima conversazione in punta di fioretto. Ma non aveva più senso, non si poteva recuperare il tempo perso, mi sarei portata dietro il punto interrogativo della persona con cui avevo condiviso dentifricio e barattoli di Marmite, lavatrici e tanti momenti indimenticabili, ma quasi nessuna confidenza. Mi avvicinai senza pensare alla sua stanza, nella quale avevo messo piede solo per portarla a letto certe sere che tornava ubriaca, e aprii la porta bloccata da una pila di vestiti buttati per terra. Il letto era sfatto, le tende ancora abbassate, nell'aria c'era quell'odore di tuberosa intensa che oramai avrei per sempre associato a lei. Stava leggendo un libro di un autore italiano e sul suo comodino, oltre al pesante volume e alla sveglia, c'era una cornice di quelle che avevamo comprato anni prima nel negozio svedese per riscaldare il salotto con le foto del suo cane. La presi in mano, registrando mentalmente il posto esatto dove l'avrei dovuta rimettere, e accesi la luce per guardare bene: era un'immagine di gruppo scattata su un prato. Gli occhi corsero a cercare Iain e lo trovarono subito, in ginocchio, giovane e con gli occhiali, accanto alla figura in primo piano, che non era Katie ma una ragazza magra con i capelli corti e gli occhi all'ingiù, avvolta nella pettorina della sua squadra di canottaggio. Dietro c'erano molti amici – una figura corpulenta con il viso girato poteva essere Macca, gli altri non riuscii a riconoscerli – e alcune figure più adulte, forse allenatori. Iain le porgeva un mazzo di fiori con un gesto teatrale – il suo volto non si vedeva bene – mentre la ragazza rideva abbracciata a un'altra giovane che le stava dando un vigoroso bacio sulla guancia: era Katie, molto più magra e graziosa di adesso, con addosso la stessa divisa, spensierata, felice di essere accanto alla sua amica e di mostrarle tutto il suo affetto. Girai la cornice e mi graffiai un'unghia alzando le linguette di metallo del dorso per estrarre la foto. La girai, dietro c'era solo una scritta in corsivo: *Giugno 2001, Oxford.*

Grazie a Emanuele, che si era lasciato anche lui da poco con il suo fidanzato di tanti anni, e a Francesca, energica e generosa, mi ero ormai del tutto trasferita nella colonia italiana a Londra, un mondo che nei miei anni con Iain avevo visto solo da lontano e, per lo più, evitato. L'inglese lo usavo quasi solo sul lavoro, anche perché delle mie vecchie amicizie non ne avevo mantenuta nessuna. Nel mio nuovo mondo, precario, competitivo e familiare, mi sembrava di vedermi riflessa e moltiplicata come nella stanza degli specchi del vecchio Luna Park dell'EUR: incontravo miei doppi in continuazione.

«Da quanto sei qui?» era sempre la prima domanda che ci si rivolgeva.

«Quanti coinquilini hai?» era il modo in cui, in società, si cercava di capire più o meno quanto guadagnasse l'interlocutore.

«Torni spesso in Italia?» esordiva chi voleva sapere se fosse già in atto un ripensamento.

Erano questi i motivi ricorrenti dei miei nuovi incontri, nell'affollato esilio di quegli anni. Le persone scivolavano via rapidamente tra serate senza fine e calorose cene senza tovaglie, con gli ultimi arrivati costretti a bere vino nelle tazze da tè. Ci si incontrava, si condivideva tutto per una sera e poi ci si perdeva di vista in questi gruppi misti di persone subito amiche, già quasi parenti, in cui venivano cancellate provenienza, educazione, professione, spesso anche età. Eravamo tutti lì a tenerci per mano nella grande città, a misurare passo per passo il nostro progresso nei confronti degli altri, di chiunque. Qualcuno, per dimostrare di essere lanciato in maniera irreversibile sulla via dell'integrazione, parlava con l'accento inglese o fingeva di aver scordato la grammatica italiana.

«Ci vediamo *in* Dalston!» annunciava disinvolta una ragazza con i pantaloni larghi da *hipster*.

«Sei tu la *flatmate* di Emanuele?» indagava un milanese con ufficio nella City.

«Torno adesso dalla mia *classe* di pilates» asseriva un'amica in bicicletta con la verdura biologica nel cestino.

Francesca era una delle matriarche indiscusse di questo circuito. Lei e il suo compagno spagnolo avevano una casa molto scalcagnata a Dalston, non lontano da noi, e i loro divani sfondati erano un rifugio per buona parte degli italiani del nord est di Londra. Ci si guardavano le partite la domenica, addirittura Sanremo quando era stagione, e buona parte delle iniziative serali partivano da lì. Ero ipnotizzata dalle infinite possibilità di questo sottomondo italiano in cui esistevano così tanti strati che ci si poteva perdere. Film italiani in lingua originale al cinema, bar italiani per italiani, lavori italiani da non dover mai incontrare un inglese neanche per sbaglio. E io mi lasciavo trascinare, ma la sera, quando rientravamo a casa con Emanuele e vedevo alcuni rassicuranti segni di un buon gusto adulto, ero felice di riposarmi da quel mondo confuso e sconclusionato.

«Basta con questa vita da ragazzini, ora le regalo una tovaglia a Francesca. E tu le fai il set di bicchieri. Abbiamo quasi quarant'anni, santo cielo!» si lamentava scherzoso Emanuele mentre studiava la posizione migliore per le luci e per le piante, in modo da dare all'appartamento quell'atmosfera *bohémienne* della casa dove viveva anni prima a Berlino. Il nostro era un caseggiato popolare bruttino ma raccolto, diverso dalle distese distopiche che si incontravano qualche strada più in là e che Emanuele mi descriveva nei dettagli nel corso delle nostre lunghe passeggiate del fine settimana. L'architettura di quei quartieri, ma anche di buona parte della città, era stata decisa dalle bombe tedesche che avevano creato gigantesche radure, riempite negli anni Cinquanta e Sessanta da edifici popolari di elaborata malagrazia. Era difficile non pensare fossero stati concepiti con il preciso obiettivo di stroncare qualunque ambizione degli abitanti. Palazzoni miopi con finestre piccole in un paese che le ama grandi, pesanti porte e infissi di metallo da prigione vittoriana, tutto molto solido, quasi a dire che non si sarebbe scappati facilmente. E seguendo l'idea encomiabile di non costruire ghetti, oltre a dover colmare le lacune lasciate dai tedeschi, questi palazzi erano stati disseminati in tutta la città, anche nelle zone dalla ricchezza ultraterrena, dando al milionario e al povero una continua prospettiva l'uno sull'altro che col tempo si è trasformata nella più radicale delle indifferenze. Il mio quartiere era così, solo che la ricchezza era arrivata da poco, mentre la povertà era, se possibile, peggiorata, aggiungendo al disagio di quelle vite la prospettiva concreta di dover cedere il passo e lo spazio a una classe media più agiata, colta, carina e anonima.

Emanuele, per molti versi, era un coinquilino molto migliore di Katie: eravamo più complici, ridevamo molto, lui era premuroso nei miei confronti e mi faceva sentire a casa con tanti pensieri gentili e un frigorifero sempre pieno. Ma la mia nuova vita, per quanto piacevole e a tratti ipnotica, mi lasciava costantemente in balia di un senso di disagio: non c'era più niente di mio in quella città, ero una pedina interscambiabile su una grande scacchiera e mi sentivo defraudata di un'esperienza che mi sembrava personale e che invece, avevo scoperto, era di tutti.

«Mi annoiavo a Firenze, mi sentivo soffocato dalla mancanza di opportunità. Sono venuto qui con una borsa di studio. Poi ho trovato subito lavoro» mi diceva qualcuno.

«In Italia non avrei mai fatto nessuna carriera accademica, il mio relatore è morto il giorno dopo la mia tesi» raccontava con una risata un giovane professore di lettere classiche.

«Nel mio paesino se entri in un bar da sola sei considerata una puttana» spiegava la giovane parrucchiera sarda con la voce coperta dal rumore del phon.

E via dicendo. Ci stavamo tutti avventando su Londra come sull'ultimo boccone da sbranare per la nostra generazione di italiani delusi. In Italia la crisi era al picco e giustamente non ero l'unica a essere venuta a godersi il banchetto londinese. Per le strade del centro si sentiva parlare solo italiano, ogni caffè veniva servito da un italiano, c'era un paese parallelo che si stava costruendo e stava prosperando e io non sapevo più perché ero partita.

Anche solo per un fine settimana, Londra era diventata il grande specchio dentro cui l'Europa misurava i suoi fallimenti. Gli europei del sud, stanchi di tutto quel passato mal digerito che faceva da zavorra alle loro vite, andavano a vedere una città con molta storia, certo, ma soprattutto con questa consapevolezza e fierezza di avere un futuro. Futuro che destava l'ammirazione di tutti coloro che non ne conoscevano la ricetta: che fosse ripugnante dipendeva dai punti di vista, ma sicuramente era fatta di elementi neanche lontanamente possibili da replicare. Ci vogliono secoli di regole non scritte, di passaggio di mercanzie e di abitudine agli stranieri per diventare Londra, oltre a un'idea di individualità e di ordine sociale così diversa da quella continentale che nessun paese l'avrebbe fatta sua a cuor leggero. L'unica possibilità era trasferircisi, approfittarne per un periodo e decidere cosa fare una volta che, nella pulsante città, si era imparato a fare come gli inglesi: pensare solo a sé stessi e alla propria versione economicamente più efficiente, guardando il resto del mondo come un luogo di vacanza da cui tornare dopo un lungo giro. Attirati da altri spettacoli sociali – i vestitini delle ragazze mezze nude a gennaio, qualche eccentrico che ancora sopravviveva a una massificazione senza sfumature, il multiculturalismo che fino a un certo punto aveva attecchito benissimo e che ora si era fermato – ci si dimenticava cosa c'era dietro tutto questo, ossia un paese che non è Londra, dove i vuoti lasciati dalla fine dell'industria non sono mai stati riempiti e dove fino all'altro ieri le ragazzine di sedici anni sceglievano di diventare mamme per avere i sussidi statali. La città cresceva e ci crescevamo noi. Del resto del paese, delle sue frustrazioni e dei suoi risentimenti, non importava a nessuno.

«Ti va una partita a racchettoni?»

La voce della mia amica Angela mi risvegliò dal fiume di riflessioni nate dall'osservazione del polpaccio, fittamente decorato da rose con le loro immancabili spine su un gambo tortuoso, della donna sdraiata sul lettino davanti a me. Bel corpo per una quarantenne, si vede che siamo in Italia. Essere circondati da gente con il mio stesso senso estetico fa parte della vacanza: gli occhi si appoggiano felici sulle linee piene e nitide di questo paese, e poi c'è la luce color miele e tutto viene prima o poi graziato da un momento di bellezza.

La partita a racchettoni era una mano tesa dopo la discussione del pranzo, in cui io e Angela eravamo tornate sul tema dell'Italia e della mia scelta di non prendere il lavoro in un'agenzia di Milano. Lei era diventata vicedirettore dell'ufficio di Roma e, forte della sua nuova posizione, aveva fatto il mio nome a un amico che dopo poco, attirato dal mio profilo internazionale, mi aveva chiamato per offrirmi qualcosa che in altre circostanze avrei trovato interessante. Ci avevo pensato a lungo, ma alla fine avevo deciso di restare a Londra.

«Però torni sempre qui, Alina».

Era la prima volta che parlava così chiaro.

«Appunto, Angela, torno, c'è una differenza. Stare qui in pianta stabile non mi va».

«Ti posso chiedere perché?»

Neppure ad Angela riuscivo a dirlo, quanto la vicenda di Marcello c'entrasse nella mia decisione di non tornare mai più in un paese che ai miei occhi, in quegli anni, appariva solo come un macero di slancio e energie. Il mio rifiuto dell'Italia aveva preso i contorni della fobia, me ne rendevo conto, e per questo non ne parlavo volentieri: preferivo nascondere i sintomi del mio disagio con gli amici italiani, fare pochi confronti con il paese in cui vivevo, non lasciare trapelare mai quanto la mia rabbia fosse viscerale per non togliere credito ai miei argomenti facendoli passare per la sfuriata di una mente impressionabile. A Londra no, a Londra avrei potuto dire tutto, erano tutti d'accordo con me, solo che proprio per questo preferivo non dire nulla: in parte per distinguermi dal coro dei lamentosi, in parte perché dietro quella condanna senza appello di un sistema vedevo intrappolato anche mio fratello, la sentivo come una sentenza definitiva sul suo destino.

La vita di Marcello si era risolta, per così dire, in una sorta di fissità: era talmente fermo da sembrare quasi saldo. Il lavoro non era più tornato, non in quella forma tanto ambita, e l'incertezza, dopo una fase iniziale in cui gli aveva concesso di restare sé stesso pur nello stordimento e nella confusione – la mattina scriveva rapporti per un piccolo centro studi, il pomeriggio organizzava ripetizioni di matematica per due o tre ragazzi del quartiere, la sera dava una mano a un suo amico che aveva aperto un ristorante, il tutto per pochi spiccioli – aveva pian piano iniziato a intaccare quel gioco continuo che era il suo carattere. Per non perdere i mille fili ai quali si aggrappava per restare a galla, la sua energia si era presto fatta irrequietezza fisica per segnare il tempo di una vita piena di ansie. Ansie a cui lui negava ogni spazio: quando i corsi di matematica venivano a mancare per qualche tempo o il sedicente centro studi proponeva il finto conforto di una collaborazione fissa per una somma risibile, incassava tutto con la stessa metodica pacatezza, come stesse a lui decidere attraverso le sue reazioni se una notizia fosse buona o cattiva. Incartava tutto nello stesso involucro, sperando che lasciando intatto quello la trama sarebbe rimasta uguale, il finale comunque lieto.

Dopo un anno aveva rimesso in piedi uno stipendio simile a quello del lavoro precedente, esiguo ma pieno di promesse e di possibili evoluzioni, e mi aveva costretta a interrompere da un giorno all'altro quel ruolo da benefattrice che non mi pesava e in cui, anzi, avevo trovato una certa fierezza in quegli anni sterili e individualisti.

Giulia, a cui sembrava tacitamente proibito arrabbiarsi, seguiva con preoccupazione la componente quasi scaramantica del nuovo approccio di Marcello: se non ci aspettiamo niente non ci succederà niente, e andrà bene così. Pensare a dove le loro energie, i loro desideri e la loro voglia di rivalsa fossero andati a nascondersi per sfuggire a questo disincanto robotico mi faceva rabbrividire. Escludevo fossero scomparse e mi sembrava più probabile che, dopo un periodo di compressione, avrebbero finito col prendere forme strane e disordinate.

Grazie alla decisione di andare a vivere altrove, con gli anni l'ottimista di casa ero diventata io. Ai miei occhi era un'aberrazione che prima o poi avremmo pagato, ne ero certa.

«Perché mi sembrerebbe di negarmi delle possibilità, di togliermi aria» risposi ad Angela, riassumendo tutti quei pensieri.

«Ma mi spieghi perché hai sempre paura di finire strangolata dalla felicità? Sembra un film dell'orrore».

«Per me sì, sono ancora così, in quella fase lì in cui voglio fare di più, vedere di più, divertirmi di più».

«Non riesco a capire perché questo debba passare attraverso il fatto di stare peggio».

«È da ragazzini e lo so, ma l'unica scelta al momento è quella che mi permette di non scegliere. È problematico anche per me, ma non riesco a fare altrimenti. Londra non è un'esperienza chiusa, la rimpiangerei».

«Ti crederei se non fossi sempre sulla difensiva quando ne parli».

«Angela, siamo in vacanza e tu mi attacchi su queste cose, come devo parlarne? Sono partita da sei anni e guadagno sei volte quello che prendevo prima, ho chiuso una storia importante nella quale non ero felice, sto cercando di capire cosa posso fare da sola, e ora voglio vedere se posso affrontare Londra così, senza protezione. Sei la mia amica, non sei qui per farmi venire mille dubbi».

«Alina, la storia l'hai chiusa da anni, ti ricordo».

Sulla questione dei tatuaggi non mi ero ancora fatta un'opinione, anche se ci pensavo spesso. Era frequente vedere sia a Londra che a Roma gente con più fregi di un tempio indiano. In che modo combaciasse con il senso estetico degli italiani o con la sovversione degli inglesi non mi era molto chiaro. In quel periodo a Londra era in corso un processo di sterilizzazione estetica che faceva impressione, soprattutto tra gli uomini. La diffusione delle barbe e delle magliette a righe dava l'impressione che in città ci fossero migliaia di cloni e rinforzava il senso di ripetizione a cui già tutto tendeva. Tutti volevano travestirsi in un unico uomo generico, né bello né brutto, che però si trovava tutt'a un tratto ad avere molti strumenti a sua disposizione per liberarsi di sé, nascondendosi dietro una peluria ben curata. Chi non aveva la barba giusta poteva farsi un trapianto oppure, se non c'era speranza, coprirsi con un berretto floscio, nella speranza di indossare una divisa da creativo uguale a mille altre. Si era smesso di sognare forte, nella Londra del 2013: la città era come un corrimano che aiutava la gente a salire, ma anche a non perdersi, e i più ambiziosi e affamati eravamo rimasti noi, gli stranieri. Su questo pensiero mi girai e andai a prendere un gelato al chiosco.

La ragazza che serviva al bancone aveva sedici anni e una bellezza che poteva finire il giorno dopo oppure restare intatta per sempre. Sulla caviglia già dichiarava perentoria «Sono di Giovanni». Io e Angela l'avevamo notato subito e ci eravamo sforzate di ricordare a chi ritenevamo di appartenere da adolescenti: il povero tatuaggio sarebbe stato modificato già tante volte e poi probabilmente cancellato del tutto. Tra una risata e l'altra Angela diceva che stavo diventando ossessiva nelle mie rivendicazioni di indipendenza, ma non sapevo fare altro. L'unica

cosa che capivo del tatuaggio della giovane bari[illegible]
a fotografare qualcosa di importante nel caso spa[illegible]
in cui ero stata più tentata di farmi tatuare la stell[illegible]
Popolo erano proprio quelli in cui provavo solo [illegible]
senso di vuoto e il timore che il mio rapporto co[illegible]
sarebbe mai più stato quello spensierato che avevo da bambina
o incantato dell'adolescenza.

L'Italia continuavo a spiarla via Facebook, dove perdevo troppo tempo e che consideravo un vizio pari al fumo o all'alcol. Di tanto in tanto mi dicevo che dovevo smettere e nel frattempo, per giustificare a me stessa tutte quelle ore perse a seguire storie di cui in teoria non mi sarebbe dovuto importare niente, mi raccontavo di aver bisogno di uno sguardo alternativo sul paese, che non fosse quello predominante nella vasta comunità italiana di Londra, una narrazione della scoperta e della libertà che però era nata già logora, per il semplice fatto che nessuno voleva raccontare la propria storia per quella che era. Con la crisi che ruggiva, era facile immaginare che in patria molti se la fossero vista con cocenti sconfitte professionali e avessero deciso di ricostruire la propria immagine come la sognavano. Nessuno voleva veramente dire perché era partito – dietro c'erano famiglie asfissianti, storie d'amore iniziate o finite, adolescenze prolungate, ribellione, conformismo, crisi economica – ma tutti erano alle prese con il problema di farsi accettare, di mettersi dentro il prossimo stampino, uno stampino ben più largo ma molto più inafferrabile, in cui muoversi con discrezione.

E quindi il social network brillava per la sua schiettezza, era un ballo in maschera. Era un ballo in maschera più vario e divertente rispetto a quello in corso nella comunità italiana della grande città. C'era gente che si portava biglietti da visita anche ai rave nei capannoni lungo i canali nei quartieri a est e in anni difficili per l'Italia la politica veniva discussa con il terrore dire qualcosa di sbagliato. Gli inglesi semplificano, si era tutti a Londra per semplificare. C'era più varietà di opinioni, su Facebook, e in anni in cui il dibattito sulla politica italiana era spesso ridotto a «Come fate a tenervi ancora quello là», con un piglio da rifugiati politici e le argomentazioni ridotte al minimo, c'era un piacere sottile a leggere cose che non fossero così prevedibili.

C'era poi un'altra ragione, più perversa: seguire alcuni miei vecchi amici o vecchi contatti che mi ero fatta per lavoro a Roma e sentirli raccontare della città con una normalità che invidiavo. Parlavano di traffico e di brutture, certo, ma fotografavano anche l'estasi collettiva davanti a una giornata di sole, narcotizzati davanti a una bellezza che se non fosse stata eterna non avrebbe avuto gli strumenti per rinnovarsi. Quello era il loro posto, il teatro unico della loro vita, mentre io avevo rimescolato tutte le mie carte e ora non sapevo più a cosa appartenere, a cosa essere leale. Li invidiavo, ma non sapevo imitarli.

Il lavoro andava sempre meglio, come per molti miei colleghi e amici di Londra, come per quasi nessuno in Italia. Grazie alle lingue e ai contatti che mi ero costruita negli anni ero diventata responsabile per tutto il sud dell'Europa ed ero finita a guadagnare il doppio di mio padre, ad avere un ufficio tutto mio e una segretaria che si occupava quasi solo di me. Mi divertivo, ero sempre in giro a incontrare clienti e, con una sorpresa che si rinnovava a ogni occasione, ero io a fare i colloqui agli italiani che volevano venire a lavorare a Londra. Una marea: qualcuno ancora aveva l'energia per fingersi cosmopolita in erba incuriosito da orizzonti nuovi, ma nella maggior parte dei casi si vedevano ormai chiaramente rabbia, determinazione e bisogno urgente di rivalsa. Ricevevo curriculum ogni giorno e soprattutto ogni giorno c'era qualche conoscente di amici che mi contattava e mi chiedeva di dargli una mano. Le mail suonavano spesso così:

Ciao Alina,

sono Michela, la cugina di Angela, ho 19 anni e n
diplomata. Non parlo inglese ma con una mia cariss
vogliamo trasferire non oltre metà giugno. Prima di tu
trovato un paio di appartamenti in zona 2/3 a 100 £ a
Ti sembra un buon prezzo? L'ultima cosa per cui ti distu o è per chiederti se hai qualche indirizzo o contatto per la ricerca del lavoro.

Grazie,
Michela

Ma almeno questa Michela allo sbaraglio era giovane. La stessa cosa mi capitava con persone adulte, trentenni, addirittura un quarantasettenne, tutti pronti a mettere la loro vita precedente in una scatola e ricominciare da capo. A Londra si stava dislocando il futuro di una quindicina di paesi europei, come già era avvenuto in precedenza con caraibici, pakistani, somali. Tutti avevano trovato una loro fetta di città, l'avevano animata e tenuta sveglia, ma c'era qualcosa di diverso, una componente trasognata e infantile, nell'immigrazione europea.

«Francesca, ma secondo te perché stiamo tutti qui?» chiesi una volta che stavamo rientrando a casa su un bus notturno da cui era da poco sceso un chiassoso gruppo di connazionali. Era una sera di marzo ed eravamo state a ballare in un locale a sud del Tamigi. Emanuele aveva deciso di fermarsi lì con un analista finanziario canadese che pareva un cherubino.

«Fa impressione, vero? Io penso che sia perché possiamo sentirci grandi senza crescere. Non rinunciamo a niente, venendo qui, lo sappiamo che casa nostra non ce la toglie nessuno».

«E in cosa ci sentiamo grandi, allora?» le chiesi.

«Qui lavoriamo senza bisogno di intrallazzi, paghiamo le nostre tasse, conosciamo tanta gente come noi, anzi, quasi troppa: a volte mi sembra che *tutti* quelli come noi siano qui».

«Ah, non sono solo io a pensarlo?» osservai con sollievo.

«Io e Jorge non siamo come quelli che vogliono restare, alla fine ci piace il mare e la domenica dalla mamma, ma vogliamo prenderci una pausa da noi stessi. Fino a quando funziona, bene, poi si vedrà» disse con la leggerezza di sempre. «Tu forse sei diversa, tra tutti noi sei quella col lavoro migliore, quella che parla meglio inglese. Tu sei quasi diventata inglese» aggiunse.

«Ero, Francesca, ero. Ora sono tornata di nuovo italiana e mi sembra pure di essere di nuovo in Italia, onestamente. Questa situazione mi diverte, ormai non ho più bisogno di fare amicizia, si stanno trasferendo qui anche i miei vecchi amici. Però è un posto reale questo? Mica lo so più...» dissi. «E poi, se fossi britannica, inizierei a essere confusa, a questo punto».

«Mah, alla fine la facciamo girare noi, questa città» rispose mentre i neon delle insegne le scorrevano sui capelli rossi da normanna.

«E noi cosa cerchiamo da questo posto, se poi stiamo sempre tra di noi e non scopriamo cose nuove? A volte mi chiedo perché in tanti non tornino direttamente a casa, se non vogliono stare qui per sempre».

«Te l'ho detto, non tornano perché sanno di poter tornare in qualunque momento. E poi lo sai anche tu, fa paura tornare a casa, uno non sa mai cosa troverà».

«Hai ragione. E quindi uno se ne sta sospeso tra due mondi. Ma tu non sei mai stata curiosa di avere amici inglesi, di mischiarti?»

«Se una persona è simpatica perché no, ma per ora non ho mai avuto l'occasione».

Né in quel modo l'avrebbe mai avuta, pensai.

«Quindi ci piace avere una vita italiana con le cose organizzate dai britannici?»

«Più o meno».

16.

Xavier

Londra, aprile 2013

Dietro un numero eccessivo di bicchieri sottilissimi e illuminati solo da una candela, il suo sorriso e i suoi occhi si moltiplicavano per mille. I capelli scuri erano pettinati all'indietro, troppo folti per stare composti e gli occhi, che sembravano neri ma da vicino si rivelavano blu scuro, avevano un'espressione di affettata tristezza che mi incuriosiva: era una tristezza vincente, quella di Xavier, la malinconia di chi ha imparato a cadere sempre in piedi. Il naso era grande, aquilino, provocante, e la bocca sottile, una fessura tirata in un sorriso eterno, scoordinato come quello di un mimo, non lo rendeva simpatico. Era amaro e rideva poco, quell'uomo, però da quando ci frequentavamo mi sembrava di sottopormi a una sorta di ortopedia sentimentale di cui vedevo già i primi risultati positivi. Ero spesso euforica e mi sentivo addosso le tracce di un certo benessere, di una spensieratezza sparita da tempo. Ci eravamo conosciuti a casa di Wouter, il mio capo, che aveva organizzato una cena ristretta a cui ero stata invitata, immagino, per pareggiare il numero di donne presenti. Il suo appartamento affacciava su uno dei canali di Angel ed era un bello spazio ampio, meticolosamente arredato con quel gusto da divorziato che vuole conferme: divani neri e affilati, mobili antracite dalle linee spietate, tulipani bianchi graficamente disposti in piccoli vasi rotondi e anch'essi bianchi. Xavier e Wouter si erano conosciuti da poco e il mio capo ci teneva a stringere i rapporti con questo quarantenne parigino a capo di una divisione importante di una delle più grandi banche d'affari francesi. Conoscendolo, immaginavo che l'amicizia con Xavier lusingasse l'ego di Wouter, sperando che sotto sotto qualcuno notasse una qualche somiglianza tra lo sfolgorante francese e il suo metodico emulo olandese.

«È una cena abbastanza elegante» disse dopo avermi invitato. Ero subito corsa a comprarmi un vestito adatto e scarpe con i tacchi molto alti, intaccando appena il tesoretto che stavo mettendo da parte in vista dell'ipotetico acquisto di una casa.

Al mio arrivo c'erano già due coppie di mezza età. Grethe, la nuova fidanzata norvegese di Wouter, era impegnata a servire i canapés del catering, quadratini di pane nero resi simili a specchietti colorati dalle salse su cui poggiavano gamberi, polpettine di carne, tempura di verdure, tutte contenenti la lieve eccitazione di una marinatura. Wouter aveva pantaloni neri di una stoffa pesante e vagamente vellutata e una camicia bianca, mentre sulla tunica blu notte della biondissima Grethe scintillavano vari gioielli a forma di sciabola che aveva disegnato lei stessa. Elegante, pensai, anche se quei monili restavano appesi come simboli oscuri, distanti dalla persona che li indossava.

Mentre mi intrattenevo con le due altre coppie – un produttore televisivo e una dirigente della BBC, un industriale dei prodotti per l'infanzia e una scultrice – suonarono alla porta e Wouter balzò in piedi. Dopo pochi minuti entrò Xavier, con il suo completo di sartoria, i pantaloni di taglio inglese, attillati sulle gambe magre, e il sorriso sleale. Mi piacque subito.

Nelle serate a Londra non c'è mai il problema della conversazione, non si cade mai nel silenzio. Non mi è mai successo, anche nei lunghi weekend d'inverno in cui si fa la spola tra il tavolo e il divano per ore tra mille chiacchiere, molti bicchieri di vino e qualche tè. Quella serata in particolare fu molto divertente grazie a Xavier, bravissimo a coinvolgermi in una serie di battute usando la galanteria effimera e trascinante che gli inglesi sono incapaci di simulare. Mi piaceva che non avesse paura di suonare sfrontato o inopportuno davanti ai nostri commensali nordici e io, mi ricordai con piacere, sapevo come fare con quel tipo di persona.

«Wouter, meno male che hai trovato Grethe, l'unica donna di Londra più bella della tua collega italiana».

Complimenti chiassosi ed esagerati, che dopo tanti anni di riserbo mi fecero ridere e diedero luogo a una dialettica scherzosa a uso delle due altre coppie, facendo da intermezzo a una serata di argomenti più alti di quelli che capitavano di solito.

La politica britannica, nella sua energica imperfezione, era un antidoto rispetto a quella di cui leggevo sui giornali italiani. Anche se non mi riconoscevo nella società che avevo intorno, ne apprezzavo la capacità di gestirsi e amministrarsi cercando sempre un punto d'equilibrio ideale che non arrivava mai.

«Ogni volta che c'è un incidente, vi mettete tutti a cercare una legge o una soluzione universale per fare in modo che non succeda mai più. Non vi importa dare via grosse porzioni di libertà personale per provarci. Mi fa molta tenerezza» osservò Xavier dopo essersi tolto la giacca per aprire un'altra bottiglia di vino. Wouter gli stava lasciando campo libero. «E poi pensate che il settore pubblico debba sostituire cose come la famiglia e gli amici e il senso di comunità. Ma non è possibile!» proseguì annusando il tappo.

«Stiamo cercando di riparare ai danni fatti in passato, ma per gli stranieri sembra troppo difficile da capire» disse la donna della BBC. Si chiamava Alison e aveva occhi verdi chiari e tondi, un naso importante e la fronte molto alta.

«E chi li ha fatti questi danni?» chiese Grethe col tono pugnace da figlia di una socialdemocrazia riuscita. «La Thatcher, quella stronza, che ora celebrate con funerali di Stato che neanche la regina» aggiunse contrariata. «Ieri la città era tutta bloccata».

«Io sono d'accordo con te, non capisco come sia stato possibile» le fece eco la scultrice. «Sono stata a una manifestazione di protesta con le mie amiche, c'era tanta gente anche lì. Peccato che Richard non sia venuto» aggiunse guardando il marito imprenditore con cui, evidentemente, su quel punto si scontrava spesso.

«Care signore, il problema è che se non ci fosse stata lei noi non saremmo qui» disse Xavier facendomi l'occhiolino. «Possiamo odiarla, cosa che faccio volentieri, ma se Londra è quella che è il merito è anche suo e non mi piace non dare a Cesare quel che gli spetta» aggiunse proponendo un brindisi.

Avendo escluso di seguire le sue ospiti nella loro indignazione, Wouter stava valutando come rendersi interessante agli occhi di Xavier senza apparire servile e, soprattutto, senza rischiare di dispiacere all'imprenditore e all'altra coppia, che non si erano ancora espressi.

«Ha smantellato tante cose senza avere un piano alternativo e questo è un limite enorme, anche se Xavier non ha torto quando dice che senza di lei in questo paese forse un francese, un olandese, una norvegese e un'italiana non si sarebbero mai incontrati» dissi, ed era una cosa a cui pensavo spesso. Avevo visto amici inglesi urlare di rabbia appena si nominava la Thatcher, il giornalaio sotto casa mi aveva raccontato che da dieci anni metteva da parte i botti per quando sarebbe morta e io non avevo nessun motivo particolare per averla in simpatia, anzi, ma non riuscivo a non pensare che la disinvolta spietatezza del paese era anche la ragione per la quale l'avevamo scelto tutti noi, figli di terre irriformabili.

«Era una donna tremenda e sono stati anni brutti, anni di spaccature difficili da raccontare. Il paese è cambiato molto con lei, le famiglie si sono divise, il senso di solidarietà che ci teneva insieme si è frantumato. Però undici anni di vita nazionale sono tanti, era giusto che ci fosse il funerale di Stato» disse Alison con una voce talmente profonda che sembrava che a ogni sua parola le luci si abbassassero.

«E poi i funerali servono a tutti, anche a chi odia il morto. Sono riti catartici» aggiunsi.

Wouter mi diede un'occhiata di assenso. Non avevamo mai parlato abbastanza da capire se avevo o meno opinioni e sembrava grato che avessi creato un ponte tra i punti di vista dei due lati del tavolo.

Dando qualche colpetto con il coltello sul bicchiere, annunciò un brindisi per la cena e per Xavier, che stava per investire nella società di Richard, magnate dei biberon e dei prodotti per bambini. Mentre brindavamo, Xavier mi fece il secondo occhiolino e, con una sfrontatezza di cui Londra non aveva mai avuto notizia dalla sua fondazione, disse:

«Fa bene investire in un po' di innocenza, di tanto in tanto».

Quando la scultrice accennò a un impegno l'indomani mattina presto, ci mettemmo tutti in assetto da saluti.

«Dove abiti?» chiese Xavier aiutandomi a indossare il cappotto nuovo.

«Non lontano, prendo un taxi».

«Vorrei riaccompagnarti».

«Hai la macchina?»

«No, ho la moto anche se sono francese».

«Ma, no, guarda, prendo volentieri un taxi».

«Come vuoi. Ma non mi costringere a chiamare Wouter domani per chiedergli il tuo numero di telefono».

Sorrisi, come se qualcuno mi avesse invitato a fare un giro in bicicletta a dieci anni dall'ultima pedalata. Il flirt mediterraneo era una cosa che mi riusciva benissimo e non farmi riaccompagnare a casa mi sembrava il primo, fondamentale passo per alzare la posta. Avevo appena iniziato a dirgli a voce il mio numero quando mi prese la mano con forza – Wouter e Grethe stavano salutando gli altri ospiti, non ci vedevano – e mi disse all'orecchio, sfiorandomi la guancia con la sua:

«No, scrivimelo, ti prego».

Il primo contatto arrivò una settimana dopo, quando già pensavo che si fosse perso il foglietto.

«Il signor Bouchard vorrebbe invitarla a una festa a casa sua domani sera» mi disse una segretaria con voce neutra.

Rimasi interdetta.

«Il signor Bouchard?»

«Sì, Xavier Bouchard, la chiamo da Société Générale». La segretaria sembrava seccata di dover dare tutte queste spiegazioni.

«Certo. Non sono sicura di potere domani, dica al signor Bouchard che mi dispiace molto» dissi ferma e gentile.

«Certamente. Il signor Bouchard voleva sapere se sarebbe libera a cena la settimana prossima».

Quante pose, quest'uomo.

«Guardi, ho dei dubbi, forse potrei dover partire, ma nel caso rimanessi a Londra glielo farò senz'altro sapere» spiegai, cercando di suonare come una che sta prendendo sul serio una proposta molto interessante nonostante gli ostacoli oggettivi.

Riattaccai e mi misi a ridere. Stavo per scrivere un messaggio a Emanuele per raccontargli tutto quando mi arrivò una telefonata da un numero di cellulare che non conoscevo.

«Alina, sono quel cafone di Xavier, scusami tanto, sono appena uscito da una riunione. Dai, vieni domani sera, è il mio compleanno». Modesto e implorante, che farabutto, pensai.

«Domani sera ho già un impegno, mi dispiace. Vediamoci un altro giorno, dai».

«Stasera?» azzardò.

Non ero sicura di poter reggere tutta una serata con questo teatrante, non era una persona con cui mi immaginavo ad avere lunghe conversazioni, anzi. Se mi avesse chiesto «Ti va di cenare in silenzio?» avrei accettato immediatamente. Ma non avevo neppure voglia di non vederlo, quella elaborata superficie mi attirava molto ed ero curiosa di scoprire dove mi avrebbe portata. Non mi pareva neppure una cosa impegnativa: non lo immaginavo a mettermi con le spalle al muro e a costringermi a prendere gravi decisioni esistenziali. Se lui giocava, potevo farlo anche io.

«Va bene, stasera, sul tardi però» concessi.

«Tutto quello che vuoi tu. Dove ti vengo a prendere?» La voce si era fatta complice e più dolce di prima.

«Con la tua moto da francese? A St Paul, in ufficio, uscirò verso le otto».

«Alina mia, come siamo finiti a dirci che le otto è tardi, io e te. Londra ci sta facendo molto male». Prima di riattaccare, aggiunse: «Verrò in macchina, spero non ti dispaiccia».

Bravo era bravo, non c'era niente da dire. Alle otto mi feci trovare che fumavo una sigaretta sotto l'ufficio. Non mi ero cambiata, ero sempre con il mio tailleur nero preferito e una camicetta a pois sotto. Mi sentivo proprio a mio agio e sapevo che un francese avrebbe apprezzato.

Guidava la sua macchina potentissima con l'aria di chi ha il cuore altrove ma si lascia circondare da cose belle per cercare di lenire la tristezza. Non mi sarei stupita di trovare un libro di filosofia nel cruscotto. Anche di profilo, a suo agio nella luce azzurrina della sera, aveva un suo modo speciale di essere bello, di esprimere più intensità di quanta mi venisse da attribuirgli. Dopo il mio periodo ad Avignone facevo sempre fatica a vedere un francese a Londra, mi sembravano due mondi troppo distinti. Ad esempio, come decidere dove andare a cena in una città che pullula di ristoranti di cui forse solo un paio hanno una certa atmosfera?

Finimmo da un giapponese d'alto bordo di St James, uno di quei locali che ti fanno pensare di non aver mai mangiato sushi in vita tua e di essere finito in mezzo a qualche rituale sconosciuto dove qualcuno prima o poi suonerà un gong. Era un posto che si prendeva sul serio, ma mi piaceva essere circondata di cose belle senza quella sensazione che da un momento all'altro avrebbero acceso le luci e la messa in scena sarebbe finita. Anche se l'unico luogo dove questo brutale ritorno alla realtà accadeva davvero era anche il più autentico di tutti, ossia il pub.

«Mi permetti di ordinare per te? Mi ci sono voluti anni a capire qualcosa del loro menù e metto volentieri la mia *expertise* a tuo servizio».

Era tutto ridicolo e abbagliante.

Nonostante i miei timori, la serata andò molto bene. Xavier non aveva assolutamente niente di vero, tranne il fatto di essere senza dubbio molto attraente e di avere un'età indecifrabile, compresa tra i ventidue e i cinquant'anni.

«L'età non te la dico, ma spero che quella dei miei figli ti stupisca almeno un po': hanno quindici e dodici anni».

Vivevano a Parigi con la madre, un'attrice da cui Xavier si era lasciato da qualche anno, appena si era trasferito a Londra. Li vedeva due volte al mese, quando andava a Parigi, e poi passava con loro le vacanze nella loro casa in Costa Azzurra. Più parlava della sua vita, più riconoscevo qualcosa di noto: era uno sradicato come me, anche se si muoveva in un'altra galassia.

Gli parlai di me, di Roma, del mio lavoro, della convivenza a Hoxton con Emanuele e dei soldi che stavo mettendo da parte per comprare casa. Dopo tanti anni a Londra non mi sentivo più in dovere di inventare favole su me stessa.

«E non hai un compagno?» chiese come se la cosa non potesse comunque interferire con i suoi piani.

«No, non più. Sono stata un po' con un inglese».

Era uno dei rari momenti in cui non mi ero intristita a dirlo.

«Gli inglesi sono molto *family men*, forse troppo per un'italiana» osservò, e io gli diedi ragione.

La bottiglia di sakè mi aveva dato alla testa in una maniera nuova, dalla quale non sapevo difendermi, e l'atmosfera ovattata di quel ristorante mi confondeva. Arrivati vicino all'ascensore interno del ristorante, mi venne facile farmi avvicinare da Xavier e baciarlo dietro l'orecchio, sul collo forte. Dietro l'acqua di colonia e il fumo aveva un odore umano, corporeo. Mi strinse a sé:

«Vieni da me?» mi chiese mentre mi teneva il viso tra le mani e continuava a baciarmi. «Prendiamo un taxi, in questa città ormai non si può fare niente senza essere arrestati» disse quando ormai eravamo scesi in strada. L'aria era calda, erano probabilmente i giorni più belli dell'anno, e per la prima volta trovarmi in quella zona che odiavo mi piacque. Era come se Londra mi appartenesse un po' di più, mentre salivo su quel taxi. Non tanto perché c'era un uomo accanto a me, ma perché stavo facendo qualcosa che non aveva nulla a che fare con la mia vita normale.

Il suo appartamento di South Kensington era la versione di lusso di una casa da studenti, con i soffitti alti, il vecchio pavimento di legno scuro come le grandi porte, le pareti dipinte di un colore che le faceva sembrare di gesso, i divani ampi e bassi, le pareti piene di libri. Uno spazio enorme che Xavier teneva per sé e, quando c'erano, per i suoi figli, Anne-Laure e Jerôme. Bastava entrare e sfiorare un interruttore perché la musica riempisse l'aria che sapeva di brezza di mare e legno bruciato grazie a una costosa e innocua versione in bottiglia prodotta a Parigi di un incendio sardo.

Il salotto lo vidi solo la mattina dopo, perché quella sera ci fermammo a lungo sulle scale, e quando arrivammo in camera da letto i nostri corpi erano già consumati e pronti ormai ad abbandonarsi tra le lenzuola bianchissime del grande letto nella stanza vuota. Il fatto di provare un sottile disprezzo umano per Xavier rendeva l'esperienza fisica molto più incisiva: non avevo tenerezza nei confronti di quell'uomo cinico, che voleva ottenere tutto fingendo di mettersi in gioco attraverso uno schema prevedibile e ben recitato, e restavo io stessa dura per non permettergli di arrivare dove non doveva. Ma parlava continentale, Xavier, e aveva una maniera di intendere i sentimenti, o di negarli, che sapevo riconoscere.

«Alina, perché impazzisci per le cose francesi e vivi a Londra? Non ti converrebbe andare direttamente a Parigi?» mi diceva Emanuele, ascoltando avidamente i miei racconti sulla mia vita con Xavier.

«Perché a Parigi c'è solo Parigi, mentre a Londra c'è tutto» gli rispondevo.

Con Xavier ci vedevamo, andavamo a cena insieme, lui mi presentava in giro con fare ambiguo e liberale, e mi sentivo cretina e rivoluzionaria a non essere legata ai codici consueti dei fidanzati, degli sposati. Eravamo amanti pur essendo entrambi liberi e questo rendeva il poco che condividevamo molto più intenso. O così mi sembrava quando mi prendeva per i capelli e mi sdraiava sul pavimento del suo salone grandioso con le lampade ossidate e i muri di gesso.

Avevo cambiato il modo di vestirmi, spendevo di più, la rapidità con cui ero scappata dal mondo dei gin and tonic bevuti nelle tazze della colazione mi faceva sentire sleale nei confronti di chi mi aveva accolta quando ero in difficoltà.

Francesca, che era sempre migliore di quello che sembrava, era stata molto comprensiva verso la mia nuova vita.

«Sei proprio una battitrice libera» commentò quando, per l'ennesima volta, le dissi che non sarei uscita con lei nel fine settimana.

Il fatto che io frequentassi Xavier non era sfuggito a Wouter, che aveva preso a trattarmi con un altro riguardo. Quando ci aveva visti insieme in una galleria d'arte di Mayfair all'inaugurazione della mostra di un giovane artista messicano, era corso incontro a noi pieno di emozionato sussiego. Durante il breve scambio di battute aveva lasciato scivolare una serie di complimenti sul mio lavoro, suonando pomposo e goffo. Provai imbarazzo per lui.

«L'unica qualità di Wouter è Grethe» commentò Xavier mentre ci dirigevamo verso un ristorante italiano dove avevamo preso l'abitudine di cenare.

Credevo che il fatto di non sentirmi né innamorata né fidanzata facesse parte del mio benessere, ma quando non ci sentivamo per un giorno iniziavo a essere irrequieta e annusavo i vestiti che avevo indosso l'ultima volta che l'avevo visto. Non sapevo molto di lui: alla fine aveva poco più di quarant'anni, la sua era una grande famiglia parigina con una nonna celebre pianista e un nonno industriale, si era sposato giovane, aveva divorziato dopo una decina di anni, aveva fatto una carriera brillante nella sua banca d'affari, in bagno aveva più medicinali di quanti ne avessi mai posseduti. Non ero in posizione di indagare, non c'era tenerezza tra noi, solo un'ossessione fisica alla quale non volevo rinunciare ma che, pensavo, non volevo neanche portare oltre. Xavier non conosceva i miei amici né il mio mondo di Hoxton e quando erano venuti i suoi figli a Londra non avevo neanche suggerito di incontrarli. Lui me ne era sembrato grato, così come io gli ero grata di avermi portato lontano dai miei pensieri.

«Sono contenta che tu abbia cominciato un nuovo capitolo, Alina, dopo tanti anni di stallo» mi disse una sera Angela per telefono.

Da quando mi vedevo con Xavier, Roma mi sembrava più vicina, mi sembrava di non vederla più solo attraverso il contrasto con Londra. Ci tornai per il compleanno di mio padre, qualche giorno, e da tempo non riuscivo a starci così bene, senza farmi tante domande su tutto. Sulla mia allegria pesava solo un'ombra: Xavier non mi aveva chiamata dal giovedì sera, né mi aveva mandato un messaggio come faceva quasi ogni giorno. Se inizialmente la presi come una prova di anticonformismo e fiducia, bastò poco perché mi accorgessi che il mio umore stava cambiando. Il sabato sera, con tutta la famiglia riunita a casa, iniziai a inquietarmi e, simulando disinvoltura, gli mandai un messaggio. «Ciao, tutto bene? Sono andata a vedere quella chiesa di cui mi avevi parlato, meravigliosa. Un bacio». Non lo lesse e non rispose. La mattina dopo l'aveva letto, ma non mi aveva risposto. Quando arrivai a Londra la domenica sera, mi sentivo arrabbiata e spaesata, come se la città mi fosse cambiata ancora una volta sotto gli occhi. Cercai di non pensarci mentre prendevo l'ultimo treno per Gatwick, chiamavo un Uber per tornare a casa, scoprivo con una punta di delusione che Emanuele già dormiva.

La mattina dopo avevo una serie di appuntamenti in giro e quando arrivai in ufficio era già tarda mattinata. Accesi il computer, preparai un caffè per me e per la mia collega, vidi dall'altra parte dell'*open space* Wouter che parlava al telefono. Era l'unico contatto, l'unica persona a fare da tramite tra me e Xavier, ma anche l'ultima con cui avrei potuto parlare liberamente. Quando mi vide mi venne incontro con un sorriso tirato.

«Ciao, ti sei divertita a Roma?» Continuava a cambiare colore di occhiali, era insopportabile.

«Sì, molto, grazie. Tu? Avete passato un bel weekend?»

«Molto, siamo andati alla festa di raccolta fondi per la Siria organizzata da SocGen alla Tate».

«Ah, bene, deve essere stato magnifico».

«Moltissimo. Ora ti devo lasciare» disse continuando a guardarmi attentamente, mentre si allontanava, con quella che sperava essere un'espressione indecifrabile.

Tra le righe si potevano leggere molte cose, in quella breve conversazione, ma decisi di non farlo e di concentrarmi sul lavoro, di pensare il meno possibile. A pranzo chiamai Angela.

«Credo che Xavier mi abbia lasciata» le dissi con un sospiro che sollevò polvere intorno ai cocci del mio orgoglio.

«Cosa ti ha detto?»

«Proprio niente, è sparito...»

«Magari si rifà vivo. Certo, resta da capire cosa ci fai con uno che sparisce per qualche giorno. Niente, temo».

«Niente» ammisi con un'ombra di dispiacere mentre fingevo di scegliere con cura il panino da portarmi davanti alla scrivania, finendo con l'afferrare sempre il solito, una sorta di parodia dell'Italia da cui spuntavano pesto, origano e altri intrusi.

Il pomeriggio passò con il pensiero rivolto a cosa avrei fatto dopo questi sei mesi in cui ero riuscita a frequentare qualcuno senza conoscerlo neanche un po'. Mi sentivo stordita, ma non c'era dolore, anzi: quella rabbia particolare che si prova quando ci si mette nella posizione di essere feriti, anche se in teoria si partiva da vincenti.

Quando stavo per andare via e raggiungere Emanuele in un pub sotto casa, vidi Grethe, la fidanzata di Wouter, che mi veniva incontro avvolta in uno di quei cappotti dalle forme strane che donavano solo a lei con la sua grazia giudiziosa da nordica.

«Alina, mi dispiace tantissimo di te e Xavier. Tu stai bene?»

La sua osservazione mi colse in contropiede, ma cercai di non mostrarmi né ferita, cosa che ancora non ero, né sprovveduta e fragile come in realtà mi sentivo.

«Sì, sì, sto bene, sono appena tornata da Roma». E le feci un sorriso.

Lei si accorse che il suo slancio di empatia si scontrava contro un muro, probabilmente dovuto al fatto che non sapevo di cosa stesse parlando, e rimase in imbarazzo. Poi, invece di tornare indietro come avrebbe fatto chiunque, fece un passo avanti.

«Certamente è un bell'uomo, ma si vede che è inaffidabile. Vedrai che ne troverai uno più adatto» osservò mettendomi una mano sul braccio.

Non osai chiederle i dettagli, non tanto perché non mi fosse simpatica ma perché non avevo voglia che questa storia si riverberasse sul mio rapporto con Wouter.

«Grazie, sei molto premurosa» le dissi semplicemente prima di andare a raggiungere Emanuele, che mi aspettava con un suo amico, Peter, e a cui raccontai per sommi capi il finale evanescente di una storia inesistente.

Di Xavier non seppi più niente, né tentai di sapere altro fino a quando un giorno, facendo jogging per Hampstead Heath, mi sembrò di vederlo, di spalle, che camminava con una ragazza. Lui era vestito come una rockstar di lusso, con la disinvoltura impeccabile di una serie di indumenti carissimi, e aveva gli occhiali da sole, ma la criniera curata e il senso di possesso che emanava da ogni passo erano proprio i suoi. Accanto a lui ondeggiava un cappello a falde larghe da cui spuntavano capelli biondi lunghi e gambe dalle proporzioni innaturali. Corsi più veloce per fare il giro e andargli incontro, per passargli accanto, guardarli meglio, farmi vedere. Era proprio lui, il mio vecchio amico, con una donna molto giovane con la faccia da gatto. Mi fece un suo sorriso dei suoi e dopo poco mi mandò un messaggino.

Eri bella tutta accaldata. X

17.

Tempi elettrici

Londra, settembre 2013

Nel tempo del dopo-Iain, al di là di Xavier, avevo avuto così tante storielle da perdere il conto. Nessuno di questi personaggi filanti aveva lasciato traccia, qualcuno era diventato un buon amico, per altri avevo finto o forse sperato di soffrire, come se questo mi potesse portare via da quell'anestesia emotiva che continuavo a provare. Gli inglesi mi suscitavano paragoni dolorosi ed era meglio lasciarli perdere. Ero uscita per qualche mese con un ragazzo giovanissimo di Amburgo che faceva il ballerino all'English National Ballet, ma quando finiva le sue piroette era così stanco che voleva solo tornare a casa a guardare una serie poliziesca tedesca che trovavo noiosissima. Per un periodo mi ero vista con un avvocato italiano, di Milano, molto spiritoso e terrorizzato dai legami: dopo due settimane mi aveva detto che non se la sentiva di illudermi di poter proseguire una relazione per la quale non si sentiva pronto. Io non gli avevo chiesto assolutamente niente. Mi ero dovuta riabituare alla gente che spariva, a quelli che dovevi vedere a cena il sabato sera e che il sabato pomeriggio ancora non si erano fatti sentire, a quelli che si lasciavano da soli, a quelli che si facevano lasciare da te, a quelli che bisognava lasciare gentilmente, a quelli che diventavano ossessivi ed era meglio stare attente. Dopo i trent'anni Londra mi sembrava una gigantesca Arca di

Noè attraversata da una maggioranza di coppie molto affini e da una pletora di single annaspanti, sfiancati dalle distanze e dalla difficoltà logistiche della megalopoli.

«Ho conosciuto uno carino, ma vive a Dulwich» sospirava un'amica di Emanuele finendosi una bottiglia di birra sul divano. «Gli ho detto subito che è meglio se la finiamo qui».

Era una vita divertente, confusa, in cui mi sembrava di avere vent'anni. Non mi era chiarissimo che senso avesse avere vent'anni a trentacinque anni, ma ero abbastanza impegnata perché tutto questo non si trasformasse mai in noia. Solo ogni tanto, mi veniva una vertigine a pensare a quanti pochi vincoli al mondo avessi: qualcosa che certi giorni era libertà, la più grande libertà mai conquistata, e in altri, più rari, diventava solitudine, incapacità di costruire qualcosa, di prendere una direzione. Ero ancora giovane, avevo i soldi, la forza di volontà, le capacità, l'energia, un equilibrio ormai consolidato con la mia famiglia, abituata a non avermi accanto anche se quando ero a Roma mi trattava come se tutto fosse rimasto immutato dal giorno in cui ero andata via. L'unico interessato alla mia crescita era mio padre. Aveva preso a farmi telefonate sul cellulare con una specialissima scheda con cui pagava poco per parlare con me al di fuori di quella che chiamava «la parata» su Skype, dove a distanza di anni nessuno di noi aveva imparato a essere sincero: io raccontavo le mie giornate in termini quasi propagandistici, Sergio annuiva e faceva domande pertinenti alle quali non volevo rispondere davanti a mamma. Era sempre la stessa e sollevava obiezioni taglienti su qualunque cosa, sperando così di recuperare un controllo che aveva ormai perso da tempo. Per lei l'unica consolazione, oramai svanita, era stata sapermi insieme a Iain, con il quale aveva effettivamente creato un rapporto inatteso e speciale, fatto di premure che io trovavo soffocanti e lui apprezzava come qualcosa di mai visto prima: il caffè portato a letto la mattina, ma solo a lui visto che dormivamo in stanze separate, le scorte di calzini regalati per Natale, le mille domande sul suo lavoro e la sua famiglia. Marisa si sentiva capita da Iain, ricompensata per i suoi sforzi educativi, lusingata dalle sue belle maniere semplici e cortesi. Quando ci eravamo lasciati, dopo una litigata iniziale non mi aveva parlato per settimane e non aveva mai cercato di capire le mie ragioni. A un certo punto avevo anche temuto che volesse telefonargli per convincerlo a darmi una seconda possibilità, ipotesi scongiurata solo grazie all'intervento di Marcello e alla prontezza con cui aveva cancellato di nascosto il numero di lui dal telefono di lei. Per papà era diverso: non pensava fossi pronta a prendere una decisione importante come un matrimonio, anche se gli dispiaceva che la vittima di tutta questa indipendenza fosse Iain. Una volta, anni prima, erano rimasti insieme tutto un pomeriggio in negozio mentre io accompagnavo mamma a fare compere. Senza mai ammetterlo davanti a Marisa, mi ero spesso chiesta quale demonio mi avesse portata a sfregiare un quadro così bello.

Una domenica di settembre io e Emanuele decidemmo di andare a vedere la Battersea Power Station prima che il suo cupo magnetismo venisse fatto a pezzi e imbalsamato nei cristalli azzurrini di cui tutta la città si andava rivestendo. Non c'era più spazio per edifici inutili a Londra, troppo impegnata a compiacere il gusto incerto dei suoi nuovi clienti, miliardari di ogni luogo alla ricerca di prestigio e discrezione. Tutti dovevano adattarsi a produrre qualcosa, a generare un reddito, anche quell'enorme costruzione nera sormontata da quattro colonne bianche, sognata fin dall'adolescenza guardando la copertina di un disco dei Pink Floyd di mio cugino, Partenone del mio Olimpo personale pronto a dissolversi sotto i colpi di un'estetica insulsa.

Eravamo in buona compagnia. C'erano migliaia di persone, sembrava di essere davanti alla camera ardente di un sovrano, come quando all'inizio del millennio era morta la regina madre e una lunga fila aveva circondato Westminster giorno e notte. Era la mia prima volta a Londra e, abbagliata da tutta quella solennità, mi era rimasta l'immagine di un popolo imbattibile nel rendere omaggio a chi ne aveva saputo proiettare la grandezza. Che si trattasse di una vecchia aristocratica con i piedi ben ancorati nella storia o di una centrale elettrica tutta fumi e progresso, in fin dei conti, era uguale.

Da esperto, il mio coinquilino soffriva più di me per lo scempio imminente. Si era vestito di nero e, nonostante la giornata grigia, portava gli occhiali da sole. Era ancora abbronzato dalle vacanze.

«Questa città ormai pensa solo ai soldi. Tutta questa roba, questi appartamenti di plastica, come saranno tra trent'anni?» mi chiese indicando quel punto del lungofiume satinato di palazzi senza identità. «Vecchi, nati vecchi, destinati a essere orribili alla prima crepa, appena avranno perso quello scintillio che adesso ce li fa sembrare quasi accettabili».

Per conservare le sue casette vittoriane periclitanti, Londra si era venduta tutto il resto. Non sapevo biasimarla, ero lì anche per quello.

«E poi i costruttori costruiscono, e vogliono che le zone in cui costruiscono abbiano alcuni negozi, alcuni servizi. Mai nessuno che dicesse 'Io ci vorrei una discoteca, un posto che lo rendesse vivo tutta la notte'. No, vogliono i ristorantini in posa, tutti uguali, che ricordino ai loro clienti chi sono e qual è la loro posizione nella città, nel mondo, nella società» aggiunse Emanuele. «E il peggio è che, se sta succedendo qui, succederà presto ovunque al mondo, visto che per qualche strana ragione qui siamo avanti di quindici anni rispetto al resto d'Europa».

«A me fa paura quanto il posto in cui vive sia importante per definire una persona» osservai. «Hai notato che nelle storie di cronaca nera sui tabloid ti dicono quanto costa sia la casa della vittima, sia quella dell'assassino?» chiesi.

«Che ti devo dire, se non fosse così noi architetti faremmo la fame e non staremmo tutti qui».

Piano piano ci stavamo avvicinando all'ombra del pachiderma nero e alle impalcature che i nuovi proprietari avevano messo prima di iniziare i lavori. Spenta da decenni di incuria e non ancora riaccesa da un nuovo utilizzo, aveva il sapore di una Londra in piena riconversione rispetto al suo passato industriale, come una Berlino Est che doveva ancora trovare la sua ragione d'essere, una terra di possibilità e di ombre che ora veniva saccheggiata a piene mani e neutralizzata tra le forme blande di palazzoni a dieci piani, la meno britannica delle abitazioni. Erano esposte immagini di quello che la zona sarebbe stata una volta finiti i lavori, un paese di Oz irreale con il suo sentiero di mattoni gialli e le personcine impegnate a fare tutte le cose decise dagli architetti: camminare una dietro l'altra, andare in altalena, spendere soldi nei negozi, spendere soldi nei piccoli bar tutti uguali, portando a un livello superiore quella smania di uniformità apparente che ossessiona i britannici a tutti i livelli. E finisce per ossessionare anche chi viene a vivere in città.

«Ma ora che ti occupi di interni, queste case come sono dentro? La gente come le vuole?»

«Ci sono tre tipi di clienti. I primi, quelli che sono rimasti al minimalismo asettico perché hanno paura di sbagliare; i secondi, i russi che vogliono gli ori e gli stucchi anche negli appartamenti contemporanei; e poi i terzi, da non credere: quelli che vogliono ricreare l'atmosfera di una casa di campagna anche al ventesimo piano di un grattacielo».

«Sempre lì si va a parare, in questa estetica rurale» osservai.

Passeggiammo per gli enormi interni della Power Station e ammirammo ogni dettaglio Art Déco con cui i costruttori avevano deciso fosse giusto accompagnare i gesti degli ingegneri e di tutti coloro che dovevano azionare l'ingranaggio pulsante della più grande città d'Europa. Dopo aver per sbaglio abbassato una leva ormai innocua, suscitando le ire dei sorveglianti, io e Emanuele uscimmo mentre iniziava a piovere, ritrovandoci in quel punto in cui il Tamigi era particolarmente largo e impetuoso.

Magri e giovani nei nostri jeans neri, tristi per aver dato l'addio al nostro tempio, facemmo una passeggiata fino a Chelsea, passando sul sottile Albert Bridge, decorato come una giostra e coi colori tenui di una cassata, così distante dal mondo magnifico e cupo che non avevamo ancora finito di rimpiangere. Il cielo, mutevole come sempre verso sera, si andava rischiarando. In un pub dietro Cheyne Walk, la parte più rarefatta e immacolata della città, prendemmo una birra come se fossimo in un villaggio di mare, tra ragazzoni abbronzati con il maglione appoggiato sulle spalle e ragazze che prendevano freddo facendo fare l'ultimo giro alle loro camicette estive di sangallo. Si sentiva quasi la salsedine, in questa città che fino a un'ora prima era un posto completamente diverso, e io la odiavo tanto pur non riuscendo a staccarmene.

Dai palazzi di Chelsea i passanti erano tenuti a debita distanza da alcune ringhiere nere lucidissime, molto eleganti nel loro essere completamente storte. Come le armature e i vestiti d'epoca nei musei, quelle ringhiere erano lì a ricordarci quanto fossimo più alti dei nostri antenati. Rientrando verso la metro ero tutta presa da questa riflessione quando mi accorsi che qualcuno si era fermato e mi stava salutando. Vidi scintillare un sorriso.

«Alina, sei tu?», disse piantandosi davanti a me.

L'unico indizio era la sua bellezza.

«Sono Mary!»

La fidanzata di Alastair era una di quelle donne dai tratti così regolari che su di lei una frangia faceva l'effetto di un travestimento completo. Diventava subito un'altra donna splendida, riconoscibile solo per il marchio celestiale e lo straniamento che provocava nell'osservatore. Mary, oltre a un nuovo taglio di capelli, aveva un enorme pancione. Mi abbracciò una seconda volta.

«Come stai? Dove vai?»

Le dissi che stavamo tornando a casa. Sembrava aspettare solo che le dicessi che avevo tempo per un drink. Dopo essersi presentato e aver scambiato due chiacchiere, Emanuele ci lasciò sole e corse a finire un lavoro per il lunedì mattina. La serata era fresca, ma Mary era accaldata. Ci andammo a sedere in un bar francese vicino alla stazione di Sloane Square.

«Quando nasce? Sembra vicino ormai».

«In realtà dovrebbe essere già nato da due giorni».

«E cosa ci fai qui? Non dovresti essere a casa?»

«Vedrai, Alina, aspetta gli ultimi giorni di gravidanza per scoprire cosa sia la noia. Non so più cosa inventarmi e quindi passeggio».

«Evidentemente ti fa bene. Alastair come sta?»

Fece un sorriso comprensivo.

«Oh, cara. No, il bambino non è suo».

La cartolina che mi era apparsa in testa nel momento in cui avevo rivisto la bella Mary cambiò luce improvvisamente.

«Scusa, non sono affari miei».

«Stai tranquilla, sembravamo perfetti anche a me. Eppure non lo eravamo e meno male che ce ne siamo accorti prima di fare altri danni. Il papà è Jasper, fa l'attore» disse dando qualche gentile colpetto alla sua pancia avvolta in un camicione a fiori gialli.

D'istinto mi preoccupai per Iain: questa rottura gli sarà dispiaciuta, forse ne avrà sofferto. Sicuramente ne avrà parlato, ci avrà pensato, e il fatto di scorgere un istante del suo pensiero, seppur ipotetico, mi rese felice.

«Devo dire che sono sorpresa, ma non sono mai stata una brava osservatrice. Forse ero presa da altro, ai tempi».

«Alastair è una persona molto cupa, molto tortuosa, non sa essere felice. L'unico sano in quella famiglia è Iain».

Avvampai. Mary se ne accorse.

«E tu come stai? Come va a Londra? Hai cambiato i capelli, stai molto bene!» Me li ero tagliati da poco, lasciavano scoperto il collo e li tenevo sempre sciolti. Piacevano anche a me, sebbene mi facessero sentire più grande.

«Sto bene, faccio una vita molto diversa da quella che ricordi tu». Le raccontai del lavoro, del mio nuovo appartamento, dei miei viaggi. Poi presi il coraggio e aggiunsi:

«Iain non l'hai più sentito? Io non so più niente di lui, l'ultima notizia è che aveva trovato casa a Bristol». Non respirai fino alla fine della frase e ripresi solo quando lei mi rispose.

«No, mai più, purtroppo. Anche io so solo di Bristol». Si accarezzava la pancia come se avesse ormai un bambino in braccio. «Ci pensi ancora?» aggiunse.

«Ogni tanto, sì».

«Mmh, non lo immaginavo. Per me ha fatto una stupidaggine a metterti così tanta pressione addosso, ma non se ne è reso neanche conto. Noi inglesi siamo così, pensiamo che tutti ragionino come noi».

«Grazie Mary, sei la prima che non crede che io sia stata una stronza con lui».

«Ne sono onorata. Però devi capirli. Gli amici di Iain, Alastair per primo, sono molto protettivi nei suoi confronti, come una guardia pretoriana, ma non possono continuare a trattarlo come il bambino con gli occhiali nel cortile di scuola, quello che non si può toccare».

«Ma posso chiederti perché? Che gli è successo?» Volevo saperlo, ma al tempo stesso non potevo pensare che fosse qualcun altro a dirmelo. La interruppi prima che potesse rispondermi. «No, lasciamo stare, se non ha voluto raccontarmi niente ci sarà un motivo».

Mary mi guardava con dolcezza.

«Come vuoi, magari un giorno te lo dirà lui. Non mi stupisce del tutto che non lo abbia fatto fino a ora, è una storia complicata. Ma dal tuo punto di vista deve essere stato brutto. Comunque sono stati tutti troppo duri con te, con Alastair ne abbiamo parlato molto e, come al solito, non eravamo d'accordo».

Mi raccontò di come avesse incontrato Jasper durante un *Mercante di Venezia* a Stratford e di come il suo senso dell'umorismo fosse diventato una sorta di ossessione per lei.

«Andavo a teatro per ascoltare le sue battute asciutte e passavo la giornata a ridere sotto i baffi per quello che aveva detto. Ogni tanto di notte mi svegliavo ridendo».

«Mi sembra il miglior inizio possibile. E poi?»

«Intanto Alastair stava con la testa altrove, non ci vedevamo quasi più. Ci siamo lasciati e mi sono fatta avanti con Jasper, che stava anche lui divorziando e non ne voleva sapere di una nuova relazione. È stato un periodo complicato, ma alla fine ho vinto io. Lui ha già due figli dal primo matrimonio, non è stato facile avvicinarli. Dopo il mio parto forse saranno più indulgenti».

Aver capito così male Alastair e Mary mi diede un senso di insicurezza, come se avessi messo un piede in fallo.

«Continuerai a lavorare?»

«Sì, non voglio interrompere troppo a lungo, ho una serie di impegni già quest'estate, al festival d'Avignone. Eri tu che vivevi ad Avignone a un certo punto, vero? Mi dovrai dare qualche dritta. Prenderò una tata, mi farò aiutare, vedremo come andrà. Tu? Ti piacerebbe avere un bambino?»

Mary era più giovane di me, che ai figli non pensavo affatto.

«No, non tanto, Mary. Non ho più avuto una relazione seria dopo Iain, ancora non mi sento pronta, né tantomeno ho la persona giusta accanto. Certo, vedere te così in forma mi fa quasi venire voglia». Era vero.

«Scusa di nuovo se mi intrometto, ma hai provato a richiamare Iain?»

«Sarebbe una cosa stupida da fare. Ormai è finita, non posso rischiare di far soffrire di nuovo una persona a cui voglio bene. E poi ho provato, ma non mi risponde. E con gli amici non ho più abbastanza confidenza».

«Se non te la senti lascia stare, dimentica il mio consiglio».

Era tardi e dovevo tornare a casa, anche se ero felice di stare con Mary, di vedere il suo viso illuminato dalla gravidanza accendermisi davanti. Bastò un mio sguardo al cellulare per farla balzare.

«Oh, certo, tu devi andare».

«Sì, purtroppo. Però è stato bello vederti. In bocca al lupo con il parto. Sarà una creatura straordinariamente bella. Sai già se è maschio o femmina?»

«No, lo scopriremo quando nascerà. Mi ha fatto davvero piacere incontrarti, che fortuna. Restiamo in contatto, sentiamoci!»

«Volentieri, ci conto!»

«Va bene, un bacio e grazie per il drink».

Mi allontanai e, una volta accecata dalla luce estiva che dal Tamigi invadeva tutta Chelsea, mi resi conto che non ci eravamo neanche scambiate i numeri di telefono.

18.

Questioni di tweed

Londra, aprile 2014

«Alina, quando hai un attimo c'è Wouter che vorrebbe parlarti».

Charlotte, la segretaria, aveva un tailleur rosa antico portato su una camicia giallo pulcino. Bell'azzardo, eppure sulla sua pelle nerissima l'insieme era uno splendore, pensai mentre mi incamminavo verso l'ufficio del mio capo, lo stesso da cui mi aveva fatto il colloquio via Skype un secolo prima. Wouter era sgusciato indenne attraverso questi anni di tagli e di ristrutturazioni e ora si diceva stesse per andare ad aprire una nuova sede europea dell'agenzia ad Amsterdam, la sua città d'origine. Dopo aver brevemente goduto del prestigio irradiato ai suoi occhi dalla mia relazione con Xavier, con lui come con tutta la sfera del mio ufficio avevo un rapporto che si reggeva sul filo di un interesse comune e di una correttezza esasperata, ammorbidita dalle mille gentilezze quotidiane di un *open space* londinese: offrire il tè ai colleghi quando lo si prepara per sé, portare una torta per il proprio compleanno lasciando le ultime briciole a decomporsi per giorni su una scrivania, non tornare mai da un viaggio senza un pacco di dolci locali, anche di infima qualità. Negli anni avevamo sempre evitato gli scontri, facendo nostro il piglio fobico degli inglesi nel muovere critiche articolate con l'aria di chi sta facendo un complimento solo un po' sommesso. Nelle occasioni speciali, ossia durante lo sguaiato party natalizio annuale, quando si andava al pub tutti insieme, e durante il mio periodo con Xavier, io e Wouter avevamo recitato bene anche il ruolo di quelli che sanno scherzare insieme, un copione messo a punto nel tempo durante le riunioni e le telefonate quotidiane: gli piaceva pensare che avessimo un rapporto cordiale e io glielo lasciavo credere, non smentivo l'immagine di leader giovanile e capace di ironia che voleva che i suoi dipendenti gli rimandassero. Non mi era antipatico e mi offriva tutto quello che potevo volere, ossia un ottimo lavoro, molta autonomia e la possibilità di continuare a fare la mia vita da indecisa con tutti gli agi del caso. Come aveva sintetizzato Angela, mi permetteva di non scegliere.

«Entra pure» disse Wouter mentre riponeva un faldone nella sua libreria. Il suo ufficio non era arredato come quello di un manager, ma era troppo ordinato per essere quello di un creativo. Gli piaceva mantenere l'ambiguità e spiazzare il suo interlocutore, ma aveva una maniera troppo evidente di farlo. Si capiva subito che il creativo era scomparso da tempo.

Si schiarì la voce mentre io sorridevo.

«Mi dispiace, Alina, non ti devo dare una buona notizia oggi».

La testa mi si svuotò tutt'a un tratto.

«Di cosa mi volevi parlare?»

«Come sai il nostro settore è molto cambiato negli ultimi anni e assumerti è stata una delle scelte migliori della mia carriera, una di quelle di cui non mi pentirò mai».

Vidi la responsabile delle risorse umane, un'italiana dalla camminata fiacca di nome Annamaria, passare per il corridoio e avvicinarsi. Bussò leggermente, non aspettò la risposta, entrò e richiuse la porta senza dire niente, sedendosi molle sul divano.

«Le cose sono cambiate molto però e noi ci siamo evoluti rapidamente. Anche di questo sono molto fiero. I risultati sono ottimi, ci stiamo espandendo nei settori su cui abbiamo puntato per anni. Però la crisi c'è stata e ha cambiato tutto. Ci impone delle scelte».

«Capisco. Anzi, non capisco».

«Dopodomani annunceremo una ristrutturazione, ma non volevo che tu lo scoprissi all'ultimo momento. Purtroppo il tuo posto è uno di quelli che non sono più considerati indispensabili».

Il sangue se ne andò via tutto. Vedevo bianco, ma ero ancora in piedi. Sentii la mia voce parlare e percepii le mie labbra tirarsi in un sorriso.

«Cosa vuol dire in concreto?»

Guardavo Wouter, mi rispose Annamaria.

«Che purtroppo rientri nel piano di esuberi poiché è stato deciso di sostituire una figura manageriale come la tua con due persone più giovani. È un risparmio, ovviamente, ma anche un modo per adeguare la nostra presenza nell'Europa del sud ai tempi che corrono».

Mi sentii come se mi si fosse fracassata davanti una grande anfora. Respirai.

«Non capisco, però. I conti sono buoni, i clienti ci sono e continuano ad arrivare. Questa riorganizzazione chi altro riguarda?»

«Altre dieci persone in tutto il mondo al tuo livello. Per quelli con ancora più anzianità c'è un piano di prepensionamento, mentre per te e per gli altri ci sarà una buonuscita. Vuoi un bicchiere d'acqua?»

«No, grazie. Vorrei capire quali sono le mie opzioni».

La voce nasale di Annamaria intervenne nuovamente.

«Guarda, al momento nessuna. C'è questa liquidazione di cui se vuoi possiamo discutere. Noi la riteniamo congrua, ma ovviamente sta a te decidere se spendere soldi in una consulenza legale dall'esito incerto per contestarla. La tua unica altra opzione, in realtà, è quella di spostarti da Londra, se vuoi rimanere con noi». Guardava per terra soddisfatta, come se stesse pensando a quale altra piacevolezza sbrigare dopo aver liquidato me.

«Come forse sai stiamo pensando di aprire una sede europea a Amsterdam. Noi siamo fiduciosi che il Regno Unito resterà per sempre in Europa, però pensiamo che con la ripresa dell'economia della zona euro valga la pena investire nel continente».

Piano piano la polvere si stava abbassando. Ricominciavo a respirare.

«Se vuoi andare a lavorare lì, noi siamo disponibili a discuterne. Però si tratta di fare domanda, ricominciare la procedura. Niente corsie preferenziali» puntualizzò Annamaria.

Era finita l'aria.

Dopo che la donna se ne andò con la sua brutta giacca da chi pensa che l'Inghilterra sia una questione di tweed, Wouter mi trattenne.

«Scusa, mi dispiace davvero tanto, non pensavo sarebbe mai successo. Non sono stato io a decidere, anzi, ho fatto di tutto per salvarti. Di questa cosa di Amsterdam possiamo parlare, ma quello che dice Annamaria, ossia di fare domanda per vedere se c'è un posto analogo ma senza promozione, io la prenderei...»

«...un po' come una presa in giro».

«L'hai detto tu. Comunque, se vuoi posso fare qualche telefonata per te. Tengo le orecchie aperte, va bene?»

«Grazie» tagliai corto. A quel punto volevo solo andarmene via e riprendere fiato.

Era un giovedì pomeriggio di inizio aprile. Le giornate avevano preso ad allungarsi e Londra cominciava a essere avvolta da una luce color miele e da un vento gentile che faceva danzare le particelle nell'aria, regalando alla città uno dei sui momenti di massimo splendore. Sugli alberi spuntavano fiori che pensavo esistessero solo nelle illustrazioni vittoriane e tutto era pervaso da un senso di possibilità e di fiducia, o così mi sembrava mentre camminavo spedita attraverso la City, facendomi largo attraverso i gruppi di professionisti senza giacca né cravatta che già a metà pomeriggio riempivano i bar della zona, voltando le spalle agli strilloni che mi allungavano una copia dell'*Evening Standard*, guardando attraverso il prisma delle lacrime le vetrine in cui chissà quando mi sarei potuta nuovamente tuffare con serenità.

Non sapevo con chi volevo parlare di quel precipizio in cui stavo finendo tutta intera. Dopo aver camminato a lungo entrai in un pub, uno di quelli sfuggiti ai colori pastello e ai legni naturali con cui Londra si stava ridipingendo l'anima. Era un postaccio appiccicoso, e con il pavimento ricoperto da grandi pezzi di moquette di colori appena simili, che risalivano consunti verso il battiscopa su cui si intravedevano prese elettriche di due generazioni fa. Gli avventori sembravano essere lì dalla stessa epoca, sicuramente da qualche ora, con le loro facce gioviali e rossastre e quei giubbotti grigi e flosci che non avevo mai visto fuori da quel tipo di pub. Nell'aria risuonavano chiacchiere e rassicuranti successi musicali degli anni Ottanta, le birre erano industriali, le patatine appartenenti a un mondo mai sfiorato dalle mode. Presi una lager e mi misi in un angolo, troppo stordita anche per piangere mentre alla radio iniziava lo struggente giro di basso di *Johnny and Mary* di Robert Palmer, una canzone che avrebbe messo nostalgia anche a un neonato.

Che mi mancasse il terreno sotto i piedi era l'ultimo dei problemi. Il primo, il più grave, era che mi sentivo sola e a questo punto veramente troppo libera, un'ultratrentenne che non aveva più vincoli di nessun tipo. Potevo fare veramente qualunque cosa di me stessa, qualunque, con una liquidazione in tasca che mi permetteva di non dover scegliere subito. La situazione, sulla carta, aveva una sua beffarda perfezione per una che non voleva mettere radici e aveva demolito tante cose in nome di una presunta libertà personale. Stavo meglio, ora che non avevo vincoli? No, stavo malissimo. Non solo per il fatto che il mio lavoro di quegli anni era stato ricompensato con un bel licenziamento, cosa che mi faceva sentire come un pezzo di carta stracciato, ma anche perché avevo già avuto modo di vedere che la libertà nel deserto non serve a nulla. Senza Iain e senza lavoro non avevo più niente rispetto a cui essere libera. Cercavo di guardare al di là di quello che mi appariva un fatto incontrovertibile. Potevo fare tante cose, potevo cercarmi subito un altro impiego e ricucire lo strappo il prima possibile, prima che la mia testa prendesse direzioni strampalate, oppure potevo cercare di capire cosa mi interessava veramente e seguire una nuova strada in una città che era una cornucopia di opportunità. L'avevo scelta apposta. L'idea mi suscitava terrore: no, nessuna nuova strada, alla nuova strada eventualmente avrei pensato una volta al sicuro in un altro ufficio.

Da una cosa mi sembrava importante proteggermi, in quel momento. Ero troppo adulta per attaccarmi alle sottane di qualcuno, non volevo che su questa storia si creassero leggende prima che decidessi io che cosa mi era successo. Non volevo che nessuno si impossessasse di questo pezzo della mia vita, che mi influenzasse, che mi portasse a prendere decisioni che non volevo prendere. O che non accettavo neppure di poter eventualmente prendere, come ad esempio tornare in Italia, il paese da cui tutti continuavano a scappare.

Dopo due pinte da sola tra gli sguardi stupiti degli altri avventori – un omone pelato si consultò con un suo amico coi baffi e mi chiese se andava tutto bene – decisi di uscire. Mi veniva da piangere, mi girava la testa. Era una bella serata calda col cielo rosato, la gente camminava felice, c'erano coppie ovunque. Io non avevo idea di cosa fare, mi sentivo come un paziente scappato nel mezzo di un'operazione a cuore aperto, sola, nuda e in pericolo. Dopo aver percorso le stradine del mio quartiere senza riconoscerle più, mi sedetti sul bordo dei giardini di Hoxton, una cosa che non facevo mai perché una volta avevo visto due grossi topi muoversi tra le foglie. Tirai fuori il mio cellulare, guardai Facebook, c'era una mia collega che postava la foto del suo pancione nudo con due occhi disegnati sopra, mia madre che condivideva la ricetta di un pollo all'ananas e pinoli, e un numero infinito di articoli sul Partito democratico. Feci quello che facevo spesso: cercai tra gli amici di Katie «Iain Oldfield» e trovai la solita foto di lui in bicicletta sull'isola di Skye in cui il viso si vedeva male ma le gambe erano lì, forti e tornite come me le ricordavo. Aveva quarantatré amici, sulla sua pagina c'erano solo le frasi di benvenuto dei compagni di scuola ai tempi in cui l'avevo convinto a iscriversi. Non gliene era mai importato niente di rimandare al mondo l'immagine distorta di uno Iain da copertina, di mostrarsi quel lettore abituale dei pezzi del *New Yorker* che non era, di scrivere sentenziosi giudizi su cose di cui aveva a malapena sentito parlare. Non ne aveva bisogno. Il suo spazio nel mondo lo conosceva bene, gli piaceva e lo occupava con uno scrupolo e un'attenzione che mi commuovevano. L'unica persona con cui volevo parlare era lui, in quel momento. Cercai sulla mia rubrica, il numero era ancora lì, indicato solo come «I». Lo sfiorai con l'indice, la chiamata prese immediatamente la rincorsa. Riattaccai subito e con la mano tremolante mandai un messaggio: «Scusa, è partita per errore». Affondai subito il telefono nella mia borsa pienissima – presa dalla rabbia avevo raccolto tutte le cose importanti dalla mia scrivania, del resto mi sarei occupata dopo – come se volessi nascondere l'arma del delitto. Mi incamminai verso casa. Entrai. Emanuele, in tuta sul divano, guardava una serie danese che piaceva a entrambi:

«Scusa se non ti ho aspettato per finirla, se vuoi la riguardiamo insieme» mi disse con quella sua voce espressiva e teatrale che sembrava sempre preludere a una battuta fulminante. «Oddio, Alina, che faccia che hai» aggiunse quando mi feci più vicina.

Mi affossai su di lui con un lamento.

«Ehi, ehi, ehi, aspetta che stacco. Non voglio perdermi il secondo omicidio del misterioso seriale zoppo. Che c'è?»

«Emanuè, sono stata licenziata».

«Oh santo cielo. Che notizia».

Non riuscivo a parlare nell'intoppo di lacrime che si era formato. Più venivano fuori e più ne sentivo altre premere bollenti contro l'orlo irritato degli occhi.

«Una ristrutturazione, mi sostituiscono con due ragazzini».

Mi abbracciò e basta, a lungo, facendomi «shh shh» come si fa ai bambini, o ai cuccioli.

«Ora ci apriamo una bottiglia di vino e mi racconti bene. Magari alla fine brindiamo pure».

Feci un sorriso minimo che liberò nuove lacrime.

Gli dissi tutto, del tweed di Annamaria e di come l'unica possibilità di continuare a lavorare con l'agenzia fosse andare ad Amsterdam, un'offerta che mi era stata fatta senza troppe cerimonie.

«Senza un lavoro mi sento come un palloncino che vola via».

«Alina, visto che stai già piangendo e farti piangere di più è difficile, ti dico una cosa: smettila con quest'ansia che non stai costruendo niente, con queste crisi d'identità, smettila di sentirti un'ospite qui, di pensare che devi essere legata a doppia mandata a questa città per essere qualcuno, per essere nel giusto, per essere felice. Dai una tregua alla tua povera testa».

Non era la prima volta che Emanuele mi diceva che avevo un rapporto troppo contorto con Londra. Il suo era il tipo di discorso benevolo, giusto e generico che da sempre trovavo irritante. Che cosa vuol dire darsi una tregua, volersi bene, rispettarsi? Non ho mai pensato che sia possibile imparare questo tipo di cose se non attraverso l'esperienza, il tempo, e per me forse era ancora troppo presto. E poi il mio problema, al momento, era molto pratico: come non sentirmi un'ospite in una città a cui mi tenevano legate solo due cose, tutte e due ormai perdute?

«Guarda, se la storia che ti hanno licenziato ti aiuta a guardarti in faccia, a trovare una tua strada qui o a Roma o a Timbuctù, io vado a stringere la mano a questa Annamaria. Sembra una simpatica, da come la descrivi. Quel lavoro era diventato il pretesto per non scegliere, una foglia di fico per non sentirti in colpa. Ma mica funziona così, la vita».

Una foglia di fico.

«Hai lasciato quell'uomo splendido con cui stavi per questo diamine di lavoro, ma ti rendi conto? E allora realizzati al meglio, perché io che stai lì sul bagnasciuga a chiederti se puoi mettere il piedino nell'acqua o se farà freddo non ti sopporto più. E non è che non ti sopporto, perché io ti voglio un bene dell'anima, ma non penso che tu stia facendo un buon uso del tuo tempo». Pure io gli volevo bene.

Fece un sorriso dolce, mi prese la mano e aggiunse:

«Oh, ora se vuoi andare a vivere con una che ti consola e ti dice 'poverina' puoi cambiare subito anche il coinquilino, così ti rinnovi tutta».

Mi fece ridere. Mi alzai, gli diedi un bacio e mi avviai lentamente verso la doccia per togliermi di dosso la polvere della giornata. Mi misi un paio di leggings puliti e quella che un tempo era stata la mia maglia preferita, sforacchiata dalle tarme e ormai adatta solo per dormire. La mia stanza era grande, accogliente, un'alcova accattivante in cui passare le ore senza mai sentirsi in cattività. Mi sedetti sul letto con i capelli ancora bagnati, cercai su YouTube una canzone che mi cullasse e mi misi a pensare al discorso di Emanuele. Forse una parte di ragione ce l'aveva e piano piano quello che mi aveva detto mi sembrò fattibile, possibile, un'intenzione positiva da lanciare in aria e da inseguire con l'entusiasmo di un giovane bracco. Respirai profondamente. Ero stata a lungo nello stesso posto di lavoro, cosa strana per Londra, forse era davvero tempo di cambiare. Cosa avrei potuto fare? Lo stesso, ma meglio, in una società più grande. O forse mi sarei potuta mettere in proprio, chissà. Presi la mia borsa e la svuotai di tutte le cose che mi ero portata dietro nella foga del pomeriggio: appunti, penne, uno schedario, alcune foto, le agendine degli ultimi sette anni. Cercai il mio cellulare, sgusciante in fondo a tutto quel disordine. Sfiorai lo schermo e trovai un messaggio: «Peccato fosse un errore. Spero che tu stia bene. I.»

19.

Un giro di sedia

Londra, maggio 2014

Il concerto della notte era dominato dal basso continuo del frigorifero, dai trilli argentini dell'allarme antincendio e dal gracidio del parquet, che si faceva sinfonia appena ci passava sopra qualcuno. Capitava che dalla strada si aggiungesse la sviolinata di una volpe o l'acuto di una coppia di ubriachi e che dalla stanza di Emanuele arrivasse il vibrato di qualche conversazione in corso sul telefono. Cullata dal mio pigiama pulito e dalle mie buone intenzioni, mi sentivo sveglia nella mente e addormentata nel corpo, febbricitante in entrambi, quando mi sembrò di avvertire un rumore proveniente dalla mia scrivania, che poi era solo un ripiano di legno appoggiato su due cavalletti. Gesti precisi e delicati, il sibilo di un cassetto che si chiude sottovoce, una mano che sposta le pile di carta per fare spazio. Aprii gli occhi, il mio corpo non si muoveva, sedato come quello di una statua. Riuscii appena ad alzare la testa, credo, quando vidi una figura femminile accovacciarsi sulla mia sedia rotante e fare due giri spediti dandosi lo slancio dalla scrivania. Nel suo piroettare le si scomposero i ricci castani.

«Che stai facendo?» le chiesi appoggiando il gomito sul cuscino.

«Scusami, dici che si rompe?» rispose la figura in un italiano attentamente scandito interrompendo il vortice in cui si stava divertendo. Incrociai le gambe nel letto per guardarla meglio. Me l'aspettavo più magra, e se sembrava fragile era solo perché non era molto alta. Aveva un maglione a V blu, maschile, e un paio di jeans che mi sembravano molto famigliari, forse perché da ragazzina li avevo portati anche io per anni. Ora quel taglio largo e dritto della gamba mi sembrava desueto come un corsetto.

«Che sei venuta a fare qui?» le chiesi mentre la testa mi pulsava per la febbre e la stanchezza.

«Ho notato che mi pensi spesso e quindi ho pensato di venire a presentarmi» e allungò la mano verso la mia. Era gracile e fredda. «Piacere, sono Vicky».

«Piacere, Alina».

Dalle finestre che non si oscuravano mai entrava una luce siderale, bluastra, che dava alla mia ospite un'aria molto eterea. Aveva un viso simpatico, ancora infantile nei tratti, e mani piccolissime con le unghie mangiucchiate. Gli occhi erano azzurri e si allungavano lungo gli zigomi, verso il basso, in maniera dolce. Dopo un momento di imbarazzo, fu lei a rompere il ghiaccio.

«Come sta Iain?» chiese accavallando le gambe con l'aria di chi si prepara a interessarsi molto alla risposta.

«Ah, non ne ho idea. Forse lo sai meglio tu di me» risposi sorpresa. «Io non ci parlo da tre anni».

«È esasperante, vero? A me esasperava sempre molto» spiegò complice. «Non pensa di avere sempre ragione, quello no, ma pensa che la razionalità la capisce solo lui».

«Strano che tu lo dica, mi ero fatta l'idea che tu non ti arrabbiassi mai con lui» risposi davvero sorpresa.

«In base a cosa te l'eri immaginato, scusa?» chiese.

«Ti vedevo molto angelica e composta» risposi dopo averci pensato qualche istante. Che da un sorriso dolce in fotografia avessi potuto dedurre un animo pacifico non faceva molto onore alla mia intelligenza, in effetti. «Su questa cosa della razionalità capisco cosa dici, ne ho sofferto molto anche io, è sempre come se le decisioni degli altri, non so, fossero frutto di una logica inferiore» aggiunsi per riportare la nostra conversazione ai suoi toni confidenziali.

«Ahia, mi sa che è peggiorato rispetto a quando ci frequentavamo. Però non bisogna essere severe: è un ragazzo davvero buono. A me in quegli anni sembrava spesso di parlare da sola, anche se sapevo che mi voleva bene» proseguì mostrandosi comprensiva.

«Ma siete stati felici, no?» Non ero assolutamente pronta a sentire la risposta.

«Vedo che non avete parlato di niente voi due. Cosa sai esattamente di me?» chiese, questa volta davvero interdetta.

«Vicky, non lo so, so che sei molto carina e che Iain ha sofferto molto per te, ma non ho mai capito, né ho mai osato chiedere».

«Ah, pure tu, però, ci hai messo del tuo. Come hai fatto a non chiedergli niente. Come fai a essere così discreta, se sei italiana?»

«Perché non ho mai insistito? Non so... Perché mi sembrava non volesse parlarne, e poi anche perché eravamo felici».

«E magari avevi pure paura di scoprire la verità».

«Non so, questo lo stai dicendo tu. Non credo, perché poi?»

«Beh, quando ha fatto sparire le mie foto la cosa più logica era chiedergli il perché, o no? O almeno, io glielo avrei chiesto».

«Ma tu come le sai tutte queste cose?»

«Santa pace! Ma tu eri innamorata di Iain sì o no?»

«Ci penso tanto, sì. Lo amavo».

«E cosa è successo?»

«Non ero pronta a sposarmi e a sedermi».

«Ah, qui ti capisco, figurati io. Però forse potevi spiegarti meglio, se gli volevi bene. Ed essere più diretta. Io penso che se gli avessi fatto qualche domanda lui ti avrebbe risposto. Forse gli avresti anche fatto bene».

«Lo so, è un mio grande rimpianto, ci penso sempre».

«E allora chiamalo, scusa». Sorrideva proprio, mentre lo diceva. «Secondo me voi siete una bella coppia, molto più bella di quanto siamo mai stati noi».

«Mi ero fatta l'idea che foste perfetti, voi due».

«Mah, perfetti come fratelli forse, visto che siamo stati insieme per tanti anni, da quando eravamo ragazzini. È perfetto lui da solo, mentre io sono sempre stata confusa, ho sempre combinato solo casino».

«Ero convinta che tu sapessi sempre cosa fare» le confessai. «Con la sua famiglia, con quegli amici freddi».

«Poverini, gli amici li devi capire. A Katie ho fatto un brutto scherzo, a volte temo di averle rovinato la vita».

«Cosa intendi?» Mi tornò in mente quella foto sul comodino, quella in cui tutti ridevano.

«Le ho dato una responsabilità troppo pesante, sono stata crudele, anche se non era mia intenzione». Si rabbuiò.

La verità è che volevo sapere di Iain, solo di Iain.

«Ma com'è finita con lui?» le chiesi, pentendomi già a metà frase delle mie parole. Non era finita solo con lui, ora avevo capito.

«Io ho deciso di andarmene via tanto tempo fa» mi disse con un sorriso dolce e un po' triste.

Appena aprii la bocca per correggere il mio errore, Vicky fece un lento giro sulla sedia e quando mi svegliai, la mattina dopo, non c'era più traccia di lei.

Parte terza

Love Song

20.

Binari

Bristol, 2013

Quando finiva il suo turno all'ospedale di Bristol, Iain Oldfield andava a casa di corsa, con i vestiti da lavoro nello zaino. Ci metteva mezz'ora, trenta minuti ad andare e trenta minuti a tornare, e lo faceva tutti i giorni, con ogni clima, anche quando aveva il turno di notte. Potendoselo permettere, aveva preso un appartamento in una stradina panoramica di casette colorate a Clifton, la zona più bella della città, in alto, accanto a un parco. La casa non era grande, ma aveva due camere da letto e un salotto, e a Iain sembrava fin troppo per quello che doveva farci: dormire, mangiare, leggere libri, lavarsi e ospitare Macca quando lo veniva a trovare. Quest'ultima funzione veniva svolta ogni due settimane circa, tanto che l'amico si era dotato di una sua bicicletta locale, bristoliana, che teneva parcheggiata in stazione in modo da sfrecciare subito a Clifton quando il venerdì sera arrivava in città dal suo ufficio di Fitzrovia. Col tempo andare a Bristol era diventato un piacere in sé, per Macca, che a Londra gestiva l'azienda di famiglia – settore lanifici, pecore scozzesi, roba molto in crisi che era tornata in voga grazie a un riposizionamento nell'alta gamma – e viveva in un elegante appartamento che suo padre aveva comprato e sua sorella e sua madre avevano arredato al posto suo. Per andare al lavoro, gli bastava una camminata di un quarto d'ora attraverso le strade grigie e compatte. Quella era la parte preferita della sua giornata: stesso giornalaio dove comprare una copia del *Financial Times* ogni mattina, stesso bar dove fare colazione e leggere in pace, stesso barbiere dove andare a farsi dare una sistemata alla barba scura una volta a settimana. Macca, per nascita e privilegio, era uno dei pochi per i quali Londra aveva le dimensioni di una qualunque altra città europea, fatta di palazzi alti e di distanze raggiungibili a piedi. La sera, quando non era a cena con clienti, si vedeva con vecchi compagni dell'università o con qualche amico scozzese, anche se ormai la maggior parte di loro erano sposati con figli e avevano iniziato la migrazione verso zone verdi e remote, come Sally e Katie a Richmond. Non aveva paura di invecchiare, William MacKay, ma non capiva perché i trent'anni, rispetto ai venti, dovessero avere così pochi momenti tra amici, tutti insieme, così poche feste in maschera, così pochi risvegli sui divani gli uni degli altri. Se gli avessero detto che a novant'anni quel senso di amicizia e di comunanza sarebbe tornato, avrebbe preferito avere subito novant'anni. Andare a Bristol era un sollievo, non solo perché ritrovava il suo grande amico Iain, ma anche perché con l'aria morbida della città e quelle serate di concerti, di passeggiate lungo l'acqua, di cene lunghe e generose gli sembrava di essere tornato al mondo fresco dell'università, quando si abitava in appartamentini accoglienti e disordinati e non ci si lasciava mai soli.

A distanza di anni, passare un'ora e quarantuno minuti in treno a finire il lavoro della settimana, prendere la bicicletta parcheggiata appena fuori dalla vecchia stazione vittoriana di Temple Meads, pedalare veloce fino a Clifton e aprire la porta verde salvia della casa di Iain erano gesti che gli davano una grande emozione, quasi il batticuore. Spesso Iain non c'era quando arrivava e, sebbene non ne andasse fiero, quelle ore – una o due al massimo, molto raramente di più – che passava ad aspettarlo erano il suo momento preferito. Qualche volta aveva cercato di cucinare qualcosa, ma oltre a essere poco dotato non voleva dare a Iain l'impressione di essere lì per accudirlo. Per questo aveva deciso che buttarsi sul divano, accendere la televisione, guardare qualche programma di sport, aprirsi una prima birra dopo una settimana passata a discutere non solo di produzione della lana, tema che lo appassionava e sul quale si attribuiva una competenza impareggiabile, ma anche di tutti i risvolti creativi del loro prodotto, aspetto che tollerava a malapena e che lasciava fosse seguito soprattutto da sua sorella Sophie, fosse giusto non solo per lui, ma anche per Iain.

Macca era certo che la stanza sarebbe potuta essere più bella, ma non avrebbe saputo da dove iniziare per migliorarla. Non che a suo avviso fosse necessario, al contrario: quel salotto era il posto al mondo in cui si sentiva più a suo agio, lontano da tutti quegli spigoli minimalisti e quelle laccature dai colori acidi che Sophie gli aveva imposto nell'appartamento di Marylebone. I mobili della casa di Iain erano vecchi e non particolarmente belli presi singolarmente, ma avevano una loro unicità, non erano messi lì per rispondere ad aspettative o per simulare un effetto. Non c'erano le forme riconoscibili dei grandi classici Ikea, né quelle più insidiose dei pezzi creati e pensati per compiacere il gusto degli uomini che vivono da soli: scaffali ondulati, toni sgargianti ed estetica da vecchio videogioco per i più solari, solenne e cupa linearità per gli introspettivi. Il divano era un pachiderma di pelle brunita disposto lungo la parete e perpendicolare a un suo gemello appena più piccolo, che teneva le spalle rivolte all'enorme bovindo che dava sulla strada tranquilla. La seduta era larga e rigida e su entrambi si potevano passare giornate, serate, senza bisogno di cambiare posizione. Come in un sogno, quel divano non si deformava mai e non si macchiava se ci cadeva sopra un po' di birra, era comodo per dormire e non si spostava di un millimetro neppure quando Macca, con i suoi novanta chili e passa, ci si buttava sopra a peso morto appena entrato in casa. Iain aveva aggiunto poco all'arredamento iniziale: molti libri, molti CD, una cesta sempre piena di un numero spropositato di banane, una chitarra, una radio e una cornice con una foto di Vicky con i riccioli che si intrecciavano tra le foglie. Per il resto era l'appartamento dignitoso di un maschio che non sapeva da dove cominciare per dare calore alla sua vita.

La zona di Clifton era stata sottratta a quella pialla che, dopo essere passata su tutta Londra per smussarne gli angoli, rendere lucide le superfici, pareggiare i gusti e eliminare le tracce di passato che non fossero gloriose, si stava dirigendo inesorabile verso la provincia. C'erano piccoli negozi, esercizi che sopravvivevano senza il fiato sul collo di affitti astronomici e investitori avidi, e se qua e là si riconoscevano i colori caratteristici di una catena commerciale, la loro presenza era più diluita. Bristol era una città normale, simpatica. Si rischiava di mangiare malissimo, come in tutto il paese, ma i menù non erano pretenziosi e le porzioni sempre oneste. E poi c'era la musica, che piaceva sia a lui che a Iain e si poteva ascoltare con molte meno cerimonie che nella capitale.

Andare al pub lì, dopo anni nella metropoli, era come sperimentare l'assenza di forza di gravità. Era tutto talmente più facile che all'inizio Macca si sentiva quasi stordito dalla leggerezza con cui si iniziava a chiacchierare, ci si offrivano pinte e, ogni tanto, i dibattiti si facevano così accesi che darsi qualche spintone sembrava nell'ordine delle cose. Di solito arrivavano da soli, lui e Iain, e piano piano Macca iniziava a fare amicizia e a parlare con gli altri avventori nella speranza di lasciare al suo amico un patrimonio sociale sufficiente a tenergli compagnia nelle due settimane di sua assenza. Aveva conosciuto qualche collega dell'ospedale e gli erano sembrati amichevoli quasi quanto i suoi conterranei scozzesi. Alcuni di loro avevano colto la situazione e trattavano Iain con particolare premura, ma erano per lo più coppie con bambini, che la sera avevano smesso di uscire e aprivano le loro belle case comode la domenica per pranzo invitando amici e parenti. Non era diverso da quello che succedeva a Londra, ma c'era un'altra dolcezza. La cortesia di un londinese a un certo punto finisce, si scontra con il tempo. Finisce perché è ora di andare via, finisce perché non era nata per durare o perché dietro ogni atto gentile c'è il rischio di dover passare mesi a organizzare un incontro che, nel momento in cui avviene, ha ormai perso lo slancio con cui era stato pensato. A Bristol no. Ci si poteva citofonare, telefonare all'ultimo momento. Ci si poteva incontrare per caso in centro, decidere di cambiare programma la sera stessa, camminare lungo l'acqua per vedere chi c'era in giro. Sperare di rivedere una ragazza carina.

Per Macca, che non aveva ancora mai avuto una storia importante, quest'ultimo punto era cruciale. Dopo una delusione sentimentale devastante – una lontana cugina a cui si credeva vicino aveva sposato un uomo molto più grande di lei – aveva scelto per sé il ruolo dello scudiero, non solo di Iain ma di qualunque sua proiezione trovasse in giro. Sarebbe stato bello se lui e Iain avessero potuto fidanzarsi con due ragazze amiche tra di loro, o magari sorelle, pensava. Ma ormai la possibilità di trovare anche una figlia unica asociale si andava assottigliando, soprattutto per il suo amico che sembrava impermeabile a qualunque progetto che includesse una donna. Tutto per colpa di quella Alina, mannaggia a lei. Che perdita. All'inizio, ovviamente, era stato diffidente, non tanto perché fosse straniera, ma perché c'era in lei qualcosa che non capiva, come se fosse alle prese con un'avventura personale in cui loro erano solo personaggi secondari. Se Iain non fosse sembrato così colpito fin da subito – Katie e Sally avevano fatto di tutto per farli incontrare di nuovo dopo che Iain aveva accennato a un desiderio di rivederla – la vena eccentrica di Alina non l'avrebbe preoccupato, anzi. Neppure il fatto che fosse una ragazza ordinaria, secondo la definizione di cui Sally si era inspiegabilmente innamorata e che ripeteva all'infinito, lo turbava. A lui, semmai, sembrava l'esatto contrario: Alina era troppo fuori dai loro schemi, anche se non ci aveva mai veramente parlato. Però più la conosceva, più qualcosa in lei non gli quadrava: Macca, da scozzese, sapeva meglio dei suoi amici inglesi cosa significasse avere un'identità forte. Poteva abitare ovunque, ma per lui casa era sempre e solo il palazzo nero di famiglia nel centro di Edimburgo. Chissà dove la situava lei, casa sua.

Dopo la fine della storia con Alina, se possibile, Iain era stato peggio che dopo la morte di Vicky. Non solo non c'era nessuno con cui condividerla, quella perdita, ma soprattutto si trattava di una questione sentimentale, mentre il suicidio di Vicky era stata un dramma umano per tutti loro, straziati dal senso di colpa per non averla saputa salvare dalla fragilità che la consumava da sempre. Iain era quello nella posizione più difficile e lo era stato da quando, tornati dall'Italia, si era fatto carico di una situazione in cui per lui non c'era niente se non enormi responsabilità, molta frustrazione e qualche fugace momento di felicità. Ne avevano parlato, una volta, e Macca gli aveva suggerito di lasciarla, di interrompere quella relazione che non aveva più niente di palpitante, ma Iain non ne aveva voluto sapere. Si era sacrificato? Era particolarmente buono? Macca non l'aveva mai creduto, pensava piuttosto che la sua fosse stata paura e indolenza, unita a una vecchia idea di amore che non aveva avuto il coraggio di archiviare. Il resto l'aveva fatto la gelida famiglia di Vicky, contando molto su di lui. Fatto sta che una disattenzione di una sera in cui erano complici tutti aveva strappato loro la loro amica, una ragazza dolce: Iain l'aveva lasciata sola dopo una giornata difficile, rassicurato dal fatto che sarebbe andata al cinema con Katie, la quale a sua volta si era fidata del fatto che Vicky fosse andata a farsi una doccia. La telefonata di Katie sul pesante cellulare blu, ricevuta al pub dove lui e Iain erano andati a bere una birra, era un urlo che lo ossessionava ancora, a distanza di anni. E così la vita di tutti si era spezzata, anche se quel dolore – enorme, insostenibile, devastante soprattutto per Katie – era stato proiettato su Iain, che era diventato la persona da proteggere, quello da salvare dal male di ogni nuovo possibile sentimento forte.

In questo vuoto era arrivata Alina, inconsapevole e benevola a loro sembrava, così incline all'introspezione, così imbarazzante nel suo desiderio di capire le cose. La relazione tra

Iain e la ragazza italiana si era sviluppata nel vuoto lasciato da Vicky ed era venuta su anche abbastanza salda. O almeno così gli sembrava. A furia di osservare le coppie di suoi amici, quelle felici e quelle tirate, quelle che si rompevano e quelle che riuscivano a resuscitare dopo periodi che sembravano letali, Macca era giunto alla conclusione che ognuna ha una scatola nera che si inabissa subito dopo un incidente più o meno banale e che conserva registrate le ragioni della caduta. Di solito non la si ritrova mai.

La chiave girò nella porta di legno mentre Macca aveva appena chiuso gli occhi, ma solo per un attimo. Iain gli venne incontro sudato, con i pantaloncini e lo zaino con i vestiti del lavoro ripiegati con cura.

«Sai che sembri matto, di corsa un venerdì sera di febbraio?» disse Macca sollevando la testa dal cuscino.

«Ne sono pienamente consapevole. Ma con te ormai siamo ben oltre il rischio di fare brutta figura, spero. Hai già mangiato?»

«No, ti ho aspettato. Che facciamo, una pizza da asporto o usciamo? Io ho fame».

«Perché non ordiniamo due pizze prima di uscire, così intanto io mi faccio la doccia?» disse Iain togliendosi la pettorina catarifrangente con cui affrontava le strade buie.

Dopo una decina di minuti tornò che esalava ancora vapore nei vestiti puliti. Era dimagrito tanto, somigliava a uno *chansonnier* francese pieno di disincanto. Era diventato più meticoloso nel non apparire cupo e aveva imparato a sorridere spesso, forse per via del suo lavoro. Iniziarono a raccontarsi le rispettive settimane, da cui Iain spesso ometteva alcuni dettagli per non intristire l'amico. Rideva ascoltando le sue storie di pecore, di tosatura, ma anche di stilisti presuntuosi e di faide all'interno della famiglia, dove quasi tutti erano impiegati nell'azienda. Poi arrivò la pizza, tutta fumante nonostante il freddo intenso, e si sedettero sul divano a mangiarla.

«Ormai è impossibile trovare una pizza cattiva in questo paese, pure a Bristol di venerdì sera te la fanno come in centro a Napoli» osservò Iain. «Che nostalgia dei dischi cartonati della nostra infanzia, quelli con i wurstel e l'ananas».

«Quando ti porto a Edimburgo andiamo a mangiare italiano cattivo, promesso» disse Macca.

La mattina dopo presero le biciclette, superarono il ponte sospeso di Clifton e andarono verso la campagna. Si erano svegliati tardi dopo la bevuta della sera prima e avevano fatto colazione fuori, in un vecchio bar dalle superfici unte dove le uova erano troppo cotte e il tè troppo forte.

«Sai che non mi dispiace qui. Potrei amministrare le cose di famiglia da un posto più piccolo, di Londra non ne posso più. Troppo caotica e poco divertente, ora che siete andati via tutti. L'unica rimasta è Katie, ma non esce mai dall'ufficio. E quando esce è sempre troppo stordita per parlarci».

«Sai che Sally ha partorito?» chiese Iain ricoprendo la sua fetta di pane di una sottile coltre bruna di Marmite.

«Sì sì, si chiama Jeremy» rispose Macca con la bocca piena di funghi.

«Un altro maschio eh?» Iain alzò le sopracciglia e lo guardò negli occhi.

«Il terzo maschio, già».

«Io me ne andrei pure a vivere in campagna come lei e Jacob, se trovassi qualcuno con cui mettere su famiglia. Ma ormai mi ritengo fuori mercato. Tu? Non hai voglia di avere figli?» chiese Macca.

«Credo di aver perso troppi treni. Andiamo, dai» tagliò corto Iain.

Lasciò una banconota sul tavolo di formica e si alzò. Le loro biciclette li aspettavano nel sole freddo invernale, appoggiate contro una staccionata. Le inforcarono e andarono a fare il solito lungo giro. Macca chiacchierava ad alta voce mentre pedalava sorprendentemente forte e Iain concentratissimo cercava sempre strade nuove. Alle sette di sera, freschi di doccia e con in mano un dolce e una bottiglia di prosecco, si presentarono a casa di Ellen, una collega di Iain che aveva organizzato una festa per il suo compleanno. Mentre i bambini, con addosso i loro pigiami, andavano a fare il giro dei saluti della buonanotte, Iain vide entrare una giovane donna dalla pelle chiara e i capelli rossi con qualche filo bianco, il volto rotondo e strani occhi celesti anch'essi molto tondi e molto dolci. Era alta, piena ma aggraziata e aveva un passo irruento che strideva con il volto mite.

«Iain, ti posso presentare Lucy? È la sorella di mio marito, non credo che vi siate mai incontrati».

«Piacere, Iain Oldfield». Lucy aveva la mano morbida e soffice e portava un profumo che sapeva di bergamotto. Il suo vestito nero piuttosto ampio si appoggiava sul corpo matronale e piacevole, ma avrebbe potuto indossare un costume ottocentesco e l'effetto sarebbe stato lo stesso.

«Vuoi del vino? Che fai, vivi a Bristol?» le chiese Iain rispolverando maniere ormai cadute in disuso.

«Non esattamente. A Portishead, qui vicino. Conosci?»

«Sì, ci siamo passati questa mattina in bici. Poi sono vent'anni che tutto il mondo conosce Portishead. Cosa fai lì?»

«Sto finendo il mio dottorato di arte e insegno all'università tre volte a settimana. Sono rientrata da Londra due anni fa, l'aria aperta mi mancava troppo».

Lucy era veramente carina, pensò Iain, e aveva un modo tutto suo di sorridere che gli mise allegria. I suoi denti sembravano di porcellana antica, belli e un po' sbeccati, e aveva le guance color porpora sulla pelle chiarissima. Una delle rare rose inglesi ad aver superato indenne i trent'anni, pensò.

«Vivi sola?» le chiese al terzo bicchiere di vino.

«Sì, sono andata via da Londra anche per quello» disse lei abbassando lo sguardo.

Iain fece appena in tempo ad accorgersi del sollievo con il quale stava accogliendo la notizia quando sentì sulla sua spalla la mano di Macca.

«Ti stavo cercando, dove eri sparito?» gli disse Iain.

«Niente, una telefonata seccante con mia sorella, scusa tanto». Si fermò un attimo e squadrò Lucy. «Piacere, sono William» disse con la voce profonda, tirandosi indentro la pancia.

Iain non l'aveva mai sentito presentarsi con il suo vero nome, né l'aveva mai visto spogliarsi così rapidamente del suo piglio da orso scozzese.

«Lei è Lucy. Vive a Portishead e fa l'artista. Prendo anche a te da bere, William?»

Mentre si allontanava verso il tavolo delle bevande, sentì Macca esplodere in una risata gorgogliante delle sue. «No, no!» gli sentì dire tra una risata e l'altra. Tornò con i tre bicchieri in mano e subito il suo amico gli riferì l'accaduto: Lucy pensava che lui e Iain fossero una coppia.

«No, io vivo a Londra, ma vengo qui a trovare il mio vecchio amico e ad assicurarmi che mangi come si deve».

Lucy rideva, guardava Macca e rideva. Lui le raccontò della sua famiglia, della Scozia, delle pecore. Si era anche imbellito, nei cinque minuti in cui l'aveva conosciuta. Iain si allontanò con un sospiro lasciandoli soli. Dopo qualche minuto Ellen gli si avvicinò con una fetta di torta e disse:

«Oh, caro. Peccato. Non era esattamente quello che avevo previsto».

21.

La mia cara città

Londra, autunno 2014

Incamminandomi verso ovest lungo il Tamigi, prima di arrivare nella perfezione ormai insapore di Chelsea, ogni volta mi arrivava addosso un'aria da vecchia Londra che mi metteva allegria. Tanto tempo prima con Katie avevamo guardato un film del dopoguerra, Passaporto per Pimlico, in cui si scopriva che il quartiere era in realtà parte del ducato di Borgogna e non della triste Londra del razionamento. La notizia generava grande euforia e nasceva subito un governo locale formato dalla lavandaia, dal barbiere e dagli altri personaggi della zona, la quale però, in virtù della sua extraterritorialità, diventava presto terreno fertile per il mercato nero di beni alimentari. Il governo centrale era costretto a recintarlo con del filo spinato per riportare ordine e, dopo un momento di difficoltà, tutto si concludeva con una riunificazione festosa che mi tornava in mente ogni volta che passavo per quelle strade, anche perché quella era stata una serata felice con Katie, una di quelle in cui avevamo riso molto nonostante fosse notte fonda.

Pimlico era anche il posto dove io e il mio primo fidanzato Fabrizio, a vent'anni, avevamo preso una stanza in un albergo, una messa in scena di decoro vittoriano in cui tutto era cascante e umido, una copia a buon mercato di un Buckingham Palace immaginario. Quando la città mi sembrava un'enorme pozzanghera senz'anima ripensavo spesso a come, nello squallore di quel posto derelitto, non ci fosse un singolo oggetto senza la decorazione di un fiore. Era la nostra prima volta a Londra e l'atmosfera di quella costruzione sghemba, circondata da mille altre identiche, aveva qualcosa del paese che sarei venuta a cercare anni dopo, una fiammella di umanità che mi commuoveva e che faticavo a ritrovare nella Londra contemporanea e nelle sue finzioni. A volte, camminando per il centro, mi sembrava di essere a Cinecittà: vedevo spuntare nuove *brasseries* francesi o trattorie italiane in cui veniva ricostruito con minuzia ogni dettaglio salvo l'unico importante, la storia che le aveva portate a essere lì. Era come avere davanti le copie di Versailles costruite in qualche zona remota del mondo da nuovi miliardari bisognosi di arraffare pezzi di storia e di gusto. Ma in fondo questo faceva, Londra: arraffava storie altrui e così trovava la sua autenticità, esprimeva la sua natura. Tra i pochissimi, forse unici locali ad essere riusciti a mantenere il loro aspetto originario c'erano i ristoranti dove si mangia il cibo più sgusciante di tutti, le anguille in gelatina. Era facile immaginare come fossero sfuggite al rinnovamento insieme alle maioliche dei posti che le servivano. Avrei voluto andarci per godermi un pezzo di quell'atmosfera vera, ma erano quasi sempre vuoti e la loro specialità non mi attirava affatto.«Cosa deve avere per te un luogo per essere vero, autentico? Esiste, la gente ci passa del tempo, ci vive ci ride ed è felice, ha il coraggio di rimetterci mano se non gli piace più. Sei sicura che starebbe meglio tra le pietre antiche?», mi aveva chiesto un giorno Iain.

Io, che dalle pietre antiche ero scappata, gli avevo dato ragione a malincuore, pensando che tutto fosse riassumibile nella differenza tra i due grandi musei nati dall'impero dello zucchero Tate.

Le migliaia di persone assiepate alla Tate Modern con la sua architettura grandiosa e algida mi irritavano, quello non era il posto di nessuno, era un luogo dove andare a rendere un corrivo omaggio all'arte contemporanea prima di salire a vedere l'unica opera davvero indimenticabile in mostra, ossia Londra, visibile dal bar come una selezione di delicatessen in un bancone di alimentari. E lo si faceva sentendosi avanguardia, perché si era in un posto la cui bruttezza era stata ribaltata in bellezza, mentre il resto d'Europa aveva spesso il problema di come far sì che dal suo splendore scivolasse via ogni forma di vita. L'ex centrale elettrica nera era il simbolo dello schiaffo che Londra stava dando al resto del mondo, in quel momento. Per gli europei del sud qualunque cosa li portasse via dalle loro sublimi chiesette cascanti era un santuario da visitare religiosamente. Ma era la vecchia Tate Britain, con la sua scalinata un tempo piena di studenti di arte e di gente che si aspettava, di perdigiorno e di lettori, la sua collezione antiquata e i suoi grandi saloni, a rendermi felice. Così come la Wallace Collection, che secondo Katie era il posto dove tutti gli amanti di Londra si davano appuntamento, la Tate Britain, con quel bar dimesso e il fiume che quasi si può toccare, rimaneva per me un posto pieno di mistero e di promesse, di una Londra progressista che cercava di farsi perdonare di aver saccheggiato tutto quello che di bello c'era al mondo.

Alla Tate Britain tornavo di tanto in tanto, affrontando tutta la brutta passeggiata da Victoria, anche per ripensare alle mie lunghe passeggiate con Iain di tanti anni prima. Di lui mi ero fatta un punto d'onore di non sapere niente: avevo deciso di essere più inglese degli inglesi e di non chiedere mai niente di lui quando sentivo Katie per Natale o per i rispettivi compleanni. Dopo la serata del licenziamento avevo deciso di non chiamarlo, anche se il suo messaggio secondo Emanuele era un invito a farlo. Ma mi sentivo troppo fragile, troppo insicura in quel momento.

Nei mesi successivi al licenziamento ero rimasta molto a casa – di soldi da parte ne avevo abbastanza per potermi pagare l'affitto ancora per qualche mese – e mi ero messa a cercare un altro lavoro. Vivevo in tuta, cucinavo elaborate cene per Emanuele e facevo più yoga di quanto fosse ragionevole. Ma la sera non volevo uscire e non mi permettevo di fare grandi voli prima di aver trovato una sistemazione. Ero in preda a un eccesso di libertà che mi paralizzava e che riuscivo ad affrontare solo pezzo dopo pezzo.

Angela mi venne a trovare un paio di volte nel giro di poche settimane per compensare il fatto che non poteva mai fermarsi molto. La seconda volta, a maggio, era per il suo compleanno: faceva quarant'anni e voleva passare la serata con me, prima di festeggiare con gli amici a Roma. Camminammo tutto il giorno in giro per la città e la sera ci fermammo a mangiare in uno dei ristoranti più alla moda di quel periodo, a Shoreditch. Intorno a noi si muoveva una gioventù splendida e scontrosa, ragazze magrissime con i capelli dai riflessi verdi e le scarpe brutte che addosso a loro si trasformavano in qualcosa di astratto e magnifico. Ma nessuna era bella come Angela col suo tubino rosso e il suo modo coinvolgente di riempire lo spazio intorno a sé.

Nelle ventiquattr'ore che aveva passato con me aveva osservato molto e fatto poche domande.

«Sono carini i tuoi nuovi amici. Il festival degli sradicati, sembra, ma tutti molto simpatici. Soprattutto Emanuele, che mi pare il più quadrato di tutti».

Lo pensavo anche io. Avevo intorno un calore e un affetto che mai mi sarei sognata.

«E tu come stai in tutto questo?»

«Beh, non sto facendo niente, però sto ragionando sulle varie opzioni. Mi sono presa una pausa per pensare. Alla fine il mio lavoro mi piace, vorrei fare domanda per una posizione che si è appena aperta. Si candiderà tutta Londra, ma ho fiducia, mi sembra una cosa per me».

«Faresti bene, secondo me. Più passa il tempo e più è difficile tornare in sella».

«Vero. E poi c'è un'altra cosa. Vorrei chiamare Iain».

Mi guardò quasi spaventata.

«Questo mi sorprende molto».

«Lo capisco. Per me ormai è un fantasma da cui non riesco a liberarmi».

«Mi stupisce che tu non lo abbia fatto anni fa. Ora pensavo davvero che l'avessi superata. Cosa sappiamo di lui?»

Dopo lo stupore iniziale, Angela era diventata subito operativa ed empatica, come al suo solito. Mi fece un sorriso largo e scosse la testa, facendo oscillare i suoi orecchini grandi persi tra i riccioli rossi di henné.

«Assolutamente niente, solo che vive ancora a Bristol».

«Riesci a indagare, a scoprire se si è sposato? Non gli andrei a sconvolgere la vita, se così fosse. Tu come la pensi?»

«Io non credo che sia sposato, sennò ti pare che nessuno si sarebbe preso la soddisfazione di dirmelo?»

«Sì, ma visto il contesto eviterei di contattarlo anche se fosse fidanzato, o all'inizio di una storia. Hai bisogno di qualcuno che ti faccia un quadro chiaro della situazione».

«Da Facebook non trapela nulla, neanche da quello degli amici. Sono anni che controllo tutte le foto di matrimonio, solo una volta ho riconosciuto Iain in un gruppo di almeno duecento persone, ma non era lo sposo e accanto a lui c'erano solo uomini».

«Non avevo idea che fossi arrivata a questo punto. Chissà, se lui fosse ancora solo magari potreste superare il vostro enorme errore».

«Non bruciamo le tappe. Intanto devo scoprire che cosa fa».

«A Katie o Sally non si può proprio chiedere?»

«Con Sally ci siamo perse di vista. Katie no, è l'ultima persona da cui mi farei aiutare».

«Ma Mary, la dea incinta? Sembrava carina, lei».

Il fatto che lei e Alastair si fossero lasciati me l'aveva fatta escludere d'istinto, ma forse poteva aiutarmi a indagare in maniera discreta.

«Buona idea».

La domenica sera, dopo aver accompagnato Angela a Victoria Station per prendere il treno per Gatwick, mi misi a cercare un modo per rintracciare Mary Sitwell. Su Facebook esisteva una pagina dedicata a lei, ma nessun contatto, mentre sul sito del teatro di cui era direttrice c'era un indirizzo email a cui scrissi chiedendo di essere messa in contatto con l'assistente personale di Mary. Il lunedì sera mi arrivò una mail:

Cara Alina,

*Mary mi chiede di comunicarle che sarebbe felice di vederla a pranzo questa settimana. Il suo numero di telefono è 075****8870, non vede l'ora di sentirla!*

Cordialmente,
Caroline

La chiamai subito. Il suo buon umore e le sue belle maniere mi sembrarono qualcosa di splendido almeno quanto il suo viso e ci mettemmo d'accordo per vederci a pranzo il mercoledì. Mi invitò da lei nel suo grande appartamento a Notting Hill e, facendomi largo tra i turisti spagnoli e quelli italiani, raggiunsi la grande casa di stucchi bianchi in cui si trovava l'appartamento di Mary, con il pavimento dipinto di bianco e qualche mobile antico a interrompere il candore del tutto. Il bambino di Mary, Rex, aveva ormai quasi un anno e il viso angelico della mamma. Se ne stava buono sul suo tappetino color carta da zucchero a giocare con dei cubi colorati mentre noi parlavamo. Ogni tanto provava a camminare, poi ricadeva a terra. Mi raccontò della sua nuova vita e di come il piccolino fosse stato per lei una fonte di energia inattesa, al di là delle notti in bianco e delle ansie che le venivano di tanto in tanto. Sembrava felice e libera.

Le dissi del mio lavoro e della strana fase che stavo attraversando, cercando di calibrare bene le parole senza che suonassero troppo lamentose.

«Mary, ti ho cercata per un motivo, è inutile che lo nasconda: questa volta voglio sapere che fine ha fatto Iain».

Sorrise davvero e prese un'aria complice.

«Guarda, capiti nel momento giusto: ho incontrato Alastair la settimana scorsa al compleanno di un amico in comune. Si è sposato, sai?»

La stanza divenne nera e mi sentii risucchiata dal divano di lana.

«Ah, ma dai? Lì a Bristol?»

«Ma no, Alastair si è sposato, che vai pensando! Con una sua collega di una decina di anni più grande di lui che è già incinta di due gemelli!» disse ridendo.

Mi rilassai, ma non troppo.

«Che effetto ti ha fatto?» le chiesi, sforzandomi di tenere a mente che anche lei era un essere umano.

«Per me è stato un grande sollievo, speravo che trovasse anche lui la sua strada».

«Immagino, è bello sapere che qualcuno a cui si è voluto bene è felice».

«Abbiamo parlato anche di Iain e mi ha detto che sta sempre a Bristol e fa una vita molto ritirata. Sai chi altro sta per sposarsi? Te lo ricordi Macca? Pare che abbia trovato una compagna andando a trovare Iain, pensa che coincidenza. Di Iain non so niente di più, ma Alastair sembrava un po' rassegnato sul fratello. Perché me lo chiedi, se posso?»

«Per essere onesta, Mary, sono arrivata al punto che vorrei richiamarlo, ma prima volevo essere sicura di non andare a fare troppi danni. E non sapevo a chi chiedere, perché Katie come sai è molto chiusa e protettiva nei suoi confronti e non volevo espormi con lei».

«No, hai fatto bene a chiedere a me, anche perché se non l'avessi saputo per caso mi sarei informata. Chiamalo, mi sembra una buona idea. Ce l'hai il numero?»

«Ce l'ho, sì. Pensavo di chiamarlo domani».

«Ah, non perdi tempo! Bene, così se avete voglia potete vedervi nel fine settimana».

Mi sentii messa a nudo: era esattamente quello che avevo pensato anche io. Parlammo ancora un po', le raccontai del lavoro.

«Cosa pensi di fare? Deve essere un momento veramente difficile per te, mi dispiace. Se organizzassi una cena con il mio amico che lavora in quell'agenzia di cui ti parlavo pensi che ti potrebbe essere utile?»

«Potrebbe essermi molto utile, sì. Ti posso chiamare dopo aver sentito Iain? Ora ti mentirei se dicessi che sto pensando al lavoro».

«Sono molto emozionata per te. Lo sai cosa penso: chiedere a una curiosa e avida di vita come te di andare in una città di provincia a trent'anni non mi sembrava una buona idea. Io, per dire, non ci sarei riuscita».

Avevo voglia di abbracciarla, non solo per la simpatia che mi aveva dimostrato ma anche perché era lì, solare e ottimista, a mostrarmi un mondo possibile, costruito con intelligenza e impegno. Mentre finivamo il nostro caffè, Rex aveva iniziato ad agitarsi e poi a piangere. Mary si alzò per prenderlo in braccio e contemporaneamente comparve una giovane tata francese che lo portò via. Erano le tre e mi alzai anche io.

«Questa volta il mio numero ce l'hai. Usalo» disse Mary con i lunghi capelli lisci che le ricadevano sulla maglietta a righe bianche e blu mentre scendeva con piccoli balzi le scale per accompagnarmi alla porta.

Tornai a casa felice, come se mi fosse stato restituito qualcosa di perso da tempo. Per la prima volta da molti anni a questa parte ero riuscita a parlare con qualcuno che aveva visto l'altra parte della mia storia, che ne conosceva i personaggi e la sceneggiatura, l'ambiente e l'atmosfera; i miei amici potevano solo immaginare che cosa fosse successo, la realtà inafferrabile di un rapporto che non aveva alcun modello di riferimento. Passai il pomeriggio in un bar a cercare annunci di lavoro e a scrivere mail sul mio Mac, circondata da altre persone che facevano esattamente la stessa cosa. Come se nulla ci legasse a questo mondo se non quelle finestre argentate.

22.

Carapace

Bristol, autunno 2014

L'indomani, alle sei e trenta in punto del pomeriggio, sfiorai con il pollice quel nome caro sullo schermo nero. Ci mise un po' a rispondere, forse per essere certo che questa volta non avessi fatto un errore.

«Alina?»

«Sì, Iain, sono io. Come stai?»

«Adesso molto sorpreso. Bene, ho appena finito di lavorare, stavo per rientrare a casa. Devi dirmi qualcosa in particolare?»

«No, in verità volevo parlare e sapere come stai. Vuoi che ti chiami dopo?»

«Ti dispiacerebbe? Tra mezz'ora».

Che tipo, pensai. Sulla sua voce erano passati gli anni, era più adulta e profonda, ma anche più monotona. La voce di uno sconosciuto, mi sembrava, mentre mi allungai sul letto e mi misi a pensare a cosa gli volevo dire ora che mi aveva sottratto anche il minimo vantaggio della sorpresa. Stavo pensando se aspettare qualche minuto in più prima di richiamarlo per non sembrare troppo ansiosa quando squillò il telefono. Era lui.

«Eccomi, scusa. Sono tornato a casa e mi sono fatto una doccia, ora va meglio. Cosa c'è?»

«Niente, tutto bene, volevo solo sapere come stai. Sai chi ho incontrato qualche giorno fa? Mary».

«Ah, avete fatto un raduno di ex, brave, brave. Come sta?»

«Bene, ha avuto un bimbo molto bello, Rex, e mi ha detto che anche Alastair sta per diventare papà. Ah, e che Macca si è fidanzato!»

La mia voce scorreva felice come non capitava da tempo. Mi sembrava di aver telefonato a me stessa.

«Sì, dovresti vederlo: Macca si è trasformato in William ed è diventato tutt'a un tratto un maschio alfa. Lei si chiama Lucy, è di Portishead, fa l'artista».

«Bristol *caput mundi*».

«Non per tutti, evidentemente. Tu come stai?»

Bravo Iain, attacca, pungi, usa il tuo sarcasmo finché puoi, nasconditi dietro al tuo accento affilato, alla vostra ironia nazionale così amara, tanto tra poco saremo costretti a essere sinceri.

«Bene, insomma. Ho avuto un periodo difficile».

E nel momento in cui lo dicevo non mi sembrava più difficile.

«Ho perso il lavoro» aggiunsi.

Detto proprio a lui, la cui perdita era un cratere in cui precipitavo ogni volta che ci pensavo, tutto tornava in prospettiva.

«Mi dispiace. Come mai? Quando?»

«Una ristrutturazione, mi hanno sostituita con due giovani e mi hanno proposto un trasferimento ad Amsterdam, ma senza tanta convinzione. E quindi ci siamo lasciati, io e l'agenzia».

«Non credo che avrai difficoltà a trovare qualcosa d'altro. Stai cercando?»

«Sì, ma ancora non con eccessiva convinzione. Sto pensando a quello che vorrei davvero fare».

«Capisco. Scusa se te lo chiedo, ma perché mi hai telefonato?»

«Per fare pace».

«Mah. Non abbiamo mai litigato».

Certo che no, Iain, e infatti tu sei diventato un eremita che pensa solo allo sport e al lavoro e che ha perso ogni fiducia negli altri. Dall'uomo splendido che eri ti sei trasformato in un secchione triste che la sera si scongela le lasagne monoporzione. Questo per una situazione di cui sono in parte responsabile, lo ammetto, ma che non potevo evitare. Non sono diventata quello che volevi nei tempi in cui lo volevi tu e mi dispiace, perché avrei evitato di dover vivere lontano da te, l'uomo che amo, per tanti anni. Però mi hai messa con le spalle al muro, non mi hai dato scelta. E la divisione tra torto e ragione è stata così netta che non sono più riuscita a parlarti, perché tu eri il «povero Iain» e io la spietata Alina. In mezzo non abbiamo lasciato niente, siamo rimasti a darci risposte da soli, parlando con la parete delle nostre camerette, noi che discutevamo di tutto. Abbiamo reciso la nostra relazione di netto, come due automi.

Bianco, nero e buonanotte.

«Pensi che le cose peggiorerebbero drasticamente se ci vedessimo per un caffè?»

Silenzio dall'altra parte.

«Io non ho voglia di passare altri quattro anni a cercare di superare la storia con te».

Neanche lui l'aveva superata. Volevo urlare fortissimo, ma non eravamo ancora così intimi.

«Secondo me ci abbiamo messo quattro anni perché non abbiamo parlato, perché abbiamo lasciato il tempo a smaltire da solo tutto quanto. Ti chiamo proprio per questo: neppure io ho superato niente, in quattro anni».

Eravamo tutt'a un tratto finiti in una discesa ingannevole, di quelle dolci in cui si può comunque cadere perché, dopo la salita, le ginocchia non sanno cosa fare di tutto il ritrovato slancio.

«Ma questi anni sono passati e non si possono buttare via».

«Se vengo sabato mattina a Bristol ci sei?»

«Alina, è proprio una cosa da stupidi».

Invece stare così a riflettere e a soffrire è astutissimo.

«Pensa, Iain: ci vediamo, dopo cinque minuti scopriamo che non abbiamo nulla da dirci e ce ne andiamo ognuno per la sua strada, serenamente».

«Magari, magari».

Il sabato successivo presi il treno alle nove del mattino e per tutto il tragitto feci finta di leggere i giornali del fine settimana mentre sorseggiavo un enorme bicchiere di cappuccino al latte di soia. Era un treno nuovo e sottile, quello che mi stava portando da Iain, con le grandi vetrate pulite da cui si vedeva sfilare la campagna come se il corridoio di un appartamento si fosse improvvisamente messo a scivolare via facendo intravedere tutte le stanze in un lampo. Non era una bella giornata, con il cielo bianchiccio e impastato e il solito freddo insinuante, e ne ero sotto sotto felice e grata, perché mi rendevo conto che tutto quel buon umore, quella sensazione di essere sulla via del ritorno a casa erano fuori luogo considerato quello che andavo a fare. Quelle nuvole opache, severe come censori, avevano di certo più buon senso di me.

Dovevamo incontrarci davanti alla stazione di Temple Meads verso le undici, ma poco prima Iain mi mandò un messaggio dicendo che c'era stata un'emergenza al lavoro e ne avrebbe avuto per un paio d'ore. Potevamo vederci per pranzo? Ne ero quasi contenta.

Iniziai a passeggiare per il centro, con quell'euforia che mi coglieva ogni volta che uscivo da Londra. Gli elementi dell'Inghilterra c'erano tutti, solo che disposti diversamente e soprattutto con quel senso di conservazione e di arretratezza relativa che la provincia dà sempre rispetto alle grandi città.

Mi fece pensare alla prima volta che andai a Napoli e rimasi incantata dai neon disseminati in giro per la città, nei negozi, nelle case e nelle edicole sacre. A Roma non si vedevano dagli anni Novanta, dalla mia infanzia. Era come fare un giro in una vecchia cartolina, così come Bristol aveva qualcosa che a Londra non si trovava più e che la cittadina, più serena e meno vorace, continuava giustamente a voler conservare.

Sarei stata più felice o meno felice tra queste stradine? Era valsa la pena passare questi quattro anni e mezzo di smarrimento, di senso di perdita, di storielle senza futuro per non diventare la moglie del medico a Bristol? La provincia inglese mi riportava sempre ai romanzi letti da giovane, alle ragazze bruttine ma di spirito che si innamoravano dei ricchi vicini di casa. Una volta che eravamo sul divano a guardare la vecchia serie BBC di *Orgoglio e pregiudizio* Emanuele mi aveva fatto notare che se avessi incontrato Darcy l'avrei preso a schiaffi o l'avrei terrorizzato a colpi di discorsi tormentati su Roma. Mi fece ridere molto.

Iain arrivò trafelato in bicicletta poco dopo l'una. Lo aspettavo in una zona lungo l'acqua che mi aveva indicato lui e che, dopo un quarto d'ora di osservazione attenta, mi era sembrato di gran lunga il luogo più profondamente felice dell'intero paese.

«Alina».

L'accento era cambiato, si vedeva che non era più abituato a pronunciare il mio nome, che ora suonava come un «Alinah» contratto, senza la disinvoltura quasi romana di un tempo.

Mi sembrò più alto, o forse erano solo i muscoli allungati di chi fa molto sport. Il viso era un reticolo di giovani rughe che accompagnavano i tratti irregolari della sua solita, fascinosa bruttezza. Era un volto più scavato di quello di quattro anni prima, ma lo stesso, pensai con un fremito, si sarebbe potuto dire di me. Gli occhi non riuscii a guardarli, ma mi sembrarono avere una fissità diversa rispetto a un tempo.

«Stai bene con i capelli così» fu il suo unico commento prima di chiedermi dove volessi mangiare.

«Portami in un posto che piace a te».

Ci pensò un attimo e mi indirizzò verso un locale grande e arioso in cui clienti di ogni età erano alle prese con grossi crostacei da spolpare.

Birra e granchio a Bristol con Iain: il cuore faceva enormi balzi.

Gli chiesi del suo lavoro, di quello che l'aveva trattenuto quella mattina, dei suoi colleghi. Quando parlava della vita in ospedale non sembrava più invecchiato, ma solo stanco come dopo una gloriosa notte insonne. La burocrazia e i tagli gli pesavano ma non voleva passare al settore privato, credeva molto nel sistema sanitario nazionale e nella sua missione sociale. Era fiero di come la reputazione del suo reparto stesse cambiando rapidamente grazie a un paio di terapie riuscite che gli erano valse qualche menzione sulla stampa locale.

«Non ti pesa mai?»

«Mai».

Ce lo vedevo, il suo bel carattere, ad adattarsi alle notizie buone come a quelle brutte, trovare le parole e dedicarsi talmente tanto a una cosa da riuscire a farle cambiare luce. Era cresciuto, emanava una consapevolezza diversa, un magnetismo in cui però non intravedevo la sensualità di un tempo, come se da una stanza fosse stato tolto un quadro splendido di cui rimaneva solo uno spazio più chiaro sul muro.

«E tu, come hai vissuto in questi anni? Ti sei vista con qualcuno?»

Non mi aspettavo che sarebbe stato così diretto. Gli dissi che avevo avuto qualche storia, come immaginavo l'avesse avuta lui, ma che niente mi aveva fatto desistere dalla mia indipendenza. Per tutto il viaggio in treno avevo deciso che sentirmi in colpa era l'unica cosa da non fare. Un sentimento peloso, il senso di colpa, tanto più quando riguarda qualcosa di cui non ci si pente fino in fondo.

«C'è un mondo orribile di gente che non richiama, di narcisisti, di persone molto noiose là fuori. Brr».

«Mi dispiace che tu non abbia trovato un cavaliere migliore di me».

Dalla rabbia affondai la chela del granchio nel mio dito.

«Non sto cercando un cavaliere, mai cercato. Al limite un compagno di viaggio, come lo sei stato tu per molto tempo, prima che decidessi di costringermi a sedermi».

«Ma quale costrizione. Ancora con questa storia. Mi hai crocifisso per averti chiesto di sposarmi. Lo so che non ci ho capito niente di te, però costringerti no. Volevo solo stare con te».

Parlavamo e tiravamo fuori argomenti dolorosi come se avessimo avuto tutto il tempo del mondo per ricucire, come se fossimo rientrati nella dimensione naturale di una convalescenza ormai in corso.

«Lo so che ti fa ridere, Iain, ma io mi sentivo troppo giovane. In quella fase volevo essere libera, non ero in grado di costruire qualcosa che non fosse me stessa».

«Lo so, non ti avevo capita bene. Lo sai che sono stato in Italia due anni fa?»

Rimasi veramente sorpresa.

«A fare cosa? Non ne avevo idea».

«Sono andato a trovare Jacopo, il mio amico di Reggio Emilia. E poi me ne sono andato in giro in macchina per un paio di settimane, da solo. A maggio, è stato bello».

«Però sei un po' masochista, dai».

«Se oggi sei venuta fino a qui, ritengo che anche tu ti sia fatta qualche passeggiata a Hampstead o in Cornovaglia in questi anni».

Era vero. Confrontarmi con la parte non viva della nostra relazione, con quelli che ne erano stati la scenografia, i costumi di scena e la colonna sonora mi era servito a sostituire un dialogo interrotto.

«Però io ho provato a chiamarti e tu ti sei sempre rifiutato».

La prima pinta non era ancora finita e il granchio aveva ancora alcuni anfratti da esplorare, ma Iain era un magnete con la sua aria assorta, competente, gentile. Iniziavo a fare fatica a non abbracciarlo.

«Stavo proprio male, troppo male».

E questo purtroppo lo sapevo.

«Tu hai avuto storie in questi anni?»

«No, sebbene i miei amici abbiano fatto di tutto per presentarmi candidate adatte alla tua successione. No, niente di serio, per qualche mese mi sono visto con una collega, ma era tanto tempo fa e la cosa non ha mai preso quota».

«E hai rinunciato? Figli non ne vuoi?»

«Non saprei, forse mi sono rassegnato. È una sfera in cui mi sono già fatto abbastanza male, i bambini mi piacciono e infatti ci lavoro tutti i giorni. Nel fine settimana ci sono quelli dei miei amici».

La conversazione si stava facendo sempre più tesa, difficile. Man mano che parlavamo era evidente che il nostro rapporto non aveva preso polvere e in quattro anni era rimasto preservato come un corpo nel ghiaccio, interrotto nel momento di massima vita e vigore. Le chele del granchio giacevano scomposte nei grandi piatti di vetro verdi accanto alle ultime patatine fritte.

«Vuoi un caffè?»

Io preferivo passeggiare, prenderlo fuori, gli dissi, mentre lui andava a pagare. Lo lasciai fare e andai in bagno, uno scantinato di piastrelle nere con i riflessi color scarabeo. Mentre mi lavavo le mani mi guardai allo specchio, illuminato solo da una fioca luce teatrale. Era un riflesso felice, quello che avevo davanti a me.

La folla del sabato pomeriggio camminava più lentamente che a Londra. Nei vestiti della gente c'era un desiderio normale di stare bene, di essere a proprio agio. Era uno spettacolo che volevo fermarmi a guardare. Mi accesi una sigaretta e chiesi a Iain, che un tempo di tanto in tanto fumava, se ne voleva una.

«No, no, ho smesso da anni. Qui un medico fumatore verrebbe fucilato».

Ero orgogliosa di aver lasciato il ristorante con alcune domande ancora aperte, per evitare che gli elementi di quella giornata venissero rimessi nella loro scatola come i giocattoli di un bambino prima di cena.

Ci incamminammo lungo l'acqua, chiacchierando delle nostre giornate e della nostra vita attuale, scoprendo con piacere che l'antica affinità non riguardava solo il passato ma anche quello che facevamo ora. Ci raccontammo delle nostre famiglie, degli amici comuni, di quelli nuovi.

«I tuoi amici, dietro quell'aria compassata, sono mastini napoletani. Ti difenderebbero da qualunque cosa, io ero terrorizzata da loro».

«Siamo molto legati, ma non hanno sempre ragione. Credo che siano tutti leggermente anaffettivi e fobici quando si parla di sentimenti. Anche Alastair, poverino, e infatti la sua nuova compagna è più frigida di lui. Pensa che quando hanno scoperto la gravidanza mi ha scritto che lui e Faith erano 'complessivamente piuttosto lieti' dell'evento».

«Da quando hai iniziato a notare queste cose?»

«Da quando ti ho conosciuta e ancora di più da quando ci siamo lasciati».

«È stata Mary a darmi il coraggio di richiamarti, sai?»

«Le manderò dei fiori».

Si girò di scatto e mi avvicinò a sé, abbracciandomi.

«Sono felice di vederti».

«Anche io».

E rimanemmo così a lungo, fino a quando non scoccarono le cinque. Per prudenza avevo fatto un biglietto di ritorno in giornata, perché non c'era circostanza al mondo in cui restare a Bristol quella notte sarebbe stata una scelta intelligente. Anche se, come era effettivamente il caso, fossi voluta restare lì con lui.

23.

Piccolo futuro

Londra-Roma, 2014-2016

La città quella mattina si svegliò tutta grigia e lucida di pioggia. Il traffico irregolare nelle strade, reso più disordinato dalle macchine che evitavano le buche piene d'acqua o che, in altri casi, le attraversavano in pieno, inzuppando i passanti, scorreva a singhiozzo, tra motorini sfreccianti e autobus che sembravano incapaci di alzarsi e camminare. Una donna portava a scuola una bambina con un impermeabile verde dalle fattezze di un ranocchio e le faceva sorvolare ogni pozza d'acqua con una strattonata che sapeva più di impazienza che di gioco. Non era il solito mese di giugno idilliaco, Roma aveva deciso di mostrarsi nel suo volto più sciatto e quotidiano, come una rinomata bellezza che si fa fotografare in tuta. Tutta questa intimità con la città mi metteva a mio agio, me la rendeva più amica. Ero arrivata nella veste di testimone di Angela, che stava per sposare Vincenzo, l'architetto che aveva conosciuto appena un anno prima. Lui era altissimo, brizzolato e molto spiritoso, insieme erano belli e adulti. Avevo deciso di prendermi una settimana intera per aiutarli con i preparativi e lasciare che Emma stesse con i miei genitori.

Vedendola seduta per la prima volta sul bancone del negozio di mio padre, con le gambette paffute che dondolavano mentre affondava il naso nel taschino della giacca del nonno, ero scappata a nascondermi nel vecchio stanzino dove facevo i compiti da bambina per respirare forte e lasciare che l'emotività si dissipasse un po'. Se mi avessero vista piangere, mi avrebbero probabilmente imitato, Sergio per primo. Da quando era arrivata, si era fatto mago e cantastorie, attore e artista di varietà, mentre Marisa era tutta impegnata a cucinare e a imprimere parole italiane nella giovane mente della bambina, che aveva sei mesi e, per il momento, nessuna inclinazione linguistica.

Venerdì sera ci saremmo spostati nel borgo toscano dove avevano organizzato la festa. A quarantadue anni, Angela non aveva voglia di mettersi a fare la finta castellana di un palazzo pretenzioso e quindi aveva preso un vecchio borgo rustico, di quelli ormai quasi disabitati, in cui ospitare tutti gli amici per un lungo fine settimana, con la cerimonia civile da tenere nel cortile, nella speranza che non piovesse. E non piovve.

Iain ci avrebbe raggiunti il venerdì: non solo doveva lavorare, ma il giovedì ci teneva ad andare a votare. Noi al matrimonio non pensavamo.

Quel giorno, a Bristol, ci eravamo salutati alla stazione con un lungo abbraccio e un arrivederci. «Abbiamo tempo», ci eravamo detti mentre io cercavo il biglietto nel fondo della mia enorme borsa e Iain era tutto preso a togliersi una macchia dalla giacca di velluto. Ero salita sul treno sentendomi anche io salda sulle mie rotaie e, poco dopo, arrivata a Paddington, avevo affrontato un viaggio altrettanto lungo verso casa, dove arrivai alle nove passate. Emanuele era già uscito e mi aveva lasciato una bottiglia di vino con sopra scritto *Bevimi! Servo sia a consolare che a festeggiare* e un hamburger in frigo. Avevo addosso un senso di pienezza e serenità che mi mancava da tempo, uno di quei momenti dolci e illusori in cui si pensa che la felicità non possa che crescere. Mi misi sul divano con un bicchiere di vino e con la cena, ripercorrendo i vari momenti di quella giornata segreta mentre guardavo distrattamente una serie scandinava in cui una donna bellissima e completamente matta andava ripetendo la stessa cosa fino a quando non aveva ragione lei.

Quando arrivò un messaggio, sentii la mia giugulare che pulsava.

Francesca: Tutto bene? Vieni alla festa di Susanna?

Andava bene così, ci voleva un momento di tregua da tutte le emozioni. E poi mi andava di continuare a vedere il mondo con gli occhi di quel giorno. Mi preparai rapidamente – avevo i jeans e i miei soliti stivaletti neri con il tacco da cowboy, cambiai solo la maglia e mi sistemai il trucco – e uscii, arrivando alla festa quando le chiacchiere erano ormai finite e tutti ballavano. Quando mi vide, Emanuele mi fece le facce buffe e mi venne incontro per abbracciarmi.

«Che arietta felice. Hai fatto casino?»

«Il più grande che potessi fare», dissi sorridendo.

Le danze durarono fino alle tre, quando ci cacciarono dal locale. Rientrando a casa finsi di essere troppo stordita per raccontare quello che era successo: avevo paura che i ricordi evaporassero. Quando finalmente mi buttai sul letto ero ancora tutta sudata e ridevo da sola. Tornai seria solamente quando mi misi a controllare il cellulare, verificando che non ci fossero notifiche trascurate, facendo il giro di tutti i sistemi di messaggeria che avevo. Niente. E poi Iain mi sembrava tipo da messaggio vecchio stile, di quelli che si pagano qualche centesimo o fanno parte di un'offerta telefonica indecifrabile. Una volta setacciato il telefono e stabilito che non c'era nulla, mi accorsi con sollievo che il mio senso di appagamento non ne aveva sofferto. La delusione non era cosa adatta a quel giorno. All'inizio mi addormentai come si dorme sulla spiaggia, quando intorno le cose sono troppo belle perché ci si lasci del tutto andare. Poi il mondo esterno scomparve e scivolai tra i sogni, tutti erotici e marini.

La mattina dopo, verso mezzogiorno, mi svegliò il suono del telefono che saltellava sul parquet accanto al mio letto, rimbombando come i carillon che mio padre posava sui mobili di legno per amplificarne il suono. Era Iain.

«Senti, senza impegno, ho deciso di venire a fare una passeggiata a Londra. Ti andrebbe di venire con me alla mostra di Anselm Kiefer alla Royal Academy?», disse con una bella voce tersa.

Io intanto mi ero alzata e ed ero andata ad aprire l'acqua della doccia. Emanuele era in palestra e mi aveva lasciato un bigliettino affettuoso dei suoi sulla caffettiera già piena.

«Mi farebbe molto piacere, molto».

Ci trovammo direttamente nel grande cortile della Royal Academy, in cui troneggiava una prima installazione dell'artista. Entrammo, sentendoci in incognito, come due studenti che stanno marinando una lezione importante. Ma siccome a Londra non si improvvisa mai niente, Iain disse alla ragazza della biglietteria che c'erano due biglietti a nome John Oldfield.

«Stiamo usando i biglietti dei tuoi genitori?»

«Sì, sono stati loro a propormelo».

«Ma sapevano con chi saresti venuto?»

«Mio padre sì, e ne era molto felice».

Rimasi davvero stupita. Pensavo mi odiassero.

«A tua madre non l'hai detto?»

«Perché tu hai telefonato a tutta la tua famiglia per dire che venivi a vedere Anselm Kiefer con me?» Mi guardò ridendo.

Attraversammo i grandi saloni con l'entusiasmo di due ragazzini alla prima uscita da soli. Quando arrivammo davanti a un enorme quadro con dei girasoli neri, Iain si voltò verso di me e mi prese la mano.

«C'è una cosa di cui è ora che ti parli». Il tono non era grave né troppo solenne. Non mi spaventò.

«Spara».

«Una vicenda che ti ho taciuto in tutti questi anni e che stupidamente non ti ho spiegato neanche quando tu me l'hai chiesta».

«Ho capito. Sei sicuro di volerlo fare ora?»

«Sì, adesso o dopo o quando vuoi tu. Innanzi tutto ti vorrei chiedere scusa per non essere stato sincero».

Era fermo davanti a me, mi guardava negli occhi, con le sopracciglia alzate e quel modo di concentrarsi che mi era mancato così tanto, che sentivo così mio.

«Io pure ti vorrei chiedere scusa per non essere stata pronta ad affrontare tutta la verità».

Mi raccontò quello che già sapevo e sul quale anni prima avevo preferito costruire castelli neri invece che cercare di capire e ascoltare. Anche quel pomeriggio, come quello precedente, si chiuse con un lungo, forte abbraccio, molto più compromettente di qualunque altro esito. Quella settimana ci telefonammo tutte le sere, senza bisogno di essere sentimentali. Anzi, la saggezza e la lentezza con cui stavamo affrontando il nostro rapporto clandestino ci sembrava molto più compromettente di mille notti insieme.

Chissà se la libertà si poteva usare in modo retroattivo, mi ero chiesta dopo il licenziamento. Nel dubbio, pur contando sulla generosa liquidazione che mi era stata versata, avevo deciso di vivere una seconda adolescenza professionale andando a cercare quei lavori che avrei voluto fare da giovanissima per divertirmi e vedere il mondo da prospettive diverse. La mattina andavo a gestire i conti e gli abbonamenti di una scuola di yoga a London Fields, rispondendo al telefono e facendo in modo che il frigorifero fosse sempre pieno di certe spremute di cavolo nero biologico da vendere alla tonicissima clientela, e la sera mi intrufolavo anche io in qualche lezione dal nome altisonante. Nel frattempo continuavo a cercare un lavoro ufficiale. Avevo fatto un colloquio con una grande società, la più grande del settore, e quando una giovane donna con l'accento americano mi aveva richiamata per riempirmi di complimenti ipocriti e annunciarmi che purtroppo non ero stata presa, per un attimo mi era balenata per la testa la possibilità di restare nel mio mondo protetto di yoga e cavolo nero. Ma appena avevo deciso di voler risentire Iain, mi era apparsa con chiarezza la necessità di aprire con tutto l'equilibrio del caso questo nuovo capitolo della mia vita.

Dopo l'estate ero stata contattata da una start-up di poche persone e dopo qualche settimana avevo deciso di accettare la loro offerta, anche se lo stipendio iniziale non era al livello di quello con cui avevo chiuso il mio periodo nell'agenzia. Ma eravamo pochi, molto motivati e quasi subito mi ero ritrovata a essere la vice del mio capo, una donna di nome Carole che dopo una lunga carriera in una grande società aveva deciso di mettersi in proprio, portandosi via molti clienti e acquisendone di nuovi, tra cui un paio di quelli con cui avevo lavorato io in passato. Lei era una bella signora matura, sposata con un ex deputato e madre di un numero stupefacente di figli ormai adolescenti. Il capitale di partenza non le permetteva di prendere subito l'ufficio che avrebbe voluto, tanto che inizialmente lavorai molto da casa, in attesa che l'avventura di Carole iniziasse a dare i suoi frutti.

In quel periodo Iain continuò a venire spesso a Londra, per un pomeriggio o una giornata intera in cui facevamo lunghe passeggiate e ci raccontavamo tutto senza chiederci niente, con la consapevolezza tacita che quando fosse arrivato il momento, l'avremmo saputo cogliere. Di questi incontri non parlavamo a nessuno e solo Emanuele, che aveva intuito tutto, una sera mi disse:

«Ma perché non lo invitiamo a cena? Posso dirlo anche al cherubino canadese, se vuoi, o fa troppo gioco delle coppie?»

E così nel tardo pomeriggio di un sabato di novembre Iain arrivò nel nostro appartamento di Hoxton, tutto illuminato con le decorazioni natalizie che in città ogni anno si vedevano in anticipo rispetto a quello precedente. Seduti sui nostri divani di terza mano, con Emanuele che officiava la cena, a tanti anni dalla nostra separazione, con il cherubino canadese giovanissimo che gli faceva mille domande su tutto, ricominciammo a costruirci un nostro mondo comune. Quando l'altra coppia decise di uscire e andare a una festa di loro amici, noi due rimanemmo per la prima volta soli in una stanza. E ci ritrovammo.

Non so dire cosa si provi a riabbracciare un corpo così amato e ad amarlo per quello che è oggi, forti di quello che si è provato in passato. È l'esperienza della fedeltà più pura, nei confronti di sé stessi e dei propri sentimenti più profondi, quelli che si è riusciti a mettere da parte per non tradirli. Io ero un'altra persona e così era lui, più forti di prima nel nostro abbraccio e nella solitudine, forse necessaria, che l'aveva preceduto. La mattina dopo, mentre il sole attraversava le mie tende imperfette e illuminava i suoi capelli scuri con qualche filo bianco, eravamo ancora stretti l'uno all'altra. Ho sempre ammirato gli uomini che ti tengono abbracciata tutta la notte, seguendo un riflesso che non permette loro di lasciarti andare neppure nell'abbandono del sonno, come le chele delle aragoste che continuano a muoversi anche quando la vita se n'è andata.

Dopo che fummo tornati a essere una coppia, Iain aveva mantenuto un riserbo quasi ossessivo nei confronti delle sue intenzioni future.

«Ti sto studiando, mica sei per forza quella di prima. Una persona intelligente in tanti anni può cambiare molto».

Il fatto che mi fosse stato restituito in una versione così cauta e tutto sommato poco prevedibile mi piaceva e mi dava una cosa che nella nostra precedente relazione non avevo avuto, ossia la libertà di azione, di decisione. Io avevo un mio mondo e il mio compagno stava cercando di capirlo, di addentrarcisi insieme a me.

Vivemmo i mesi successivi come si pattina: affittammo una casa dove Iain veniva nei fine settimana in attesa di ottenere un trasferimento a Londra, io rimasi incinta poco dopo, prendemmo un cane, nacque Emma.

Ogni tanto andavamo a trovare qualche coppia che aveva appena avuto un bambino e si era trasferita in una zona sperduta di Londra, rigogliosi satelliti ruraleggianti nei quali a una certa età i nostri amici andavano a raggiungere una tribù di loro simili, riducendo all'osso il rischio di imprevisti o di incontri sbagliati. Ne conoscevamo a nord e a sud, a est e a ovest: nella sostanza erano tutti posti identici.

«Iain, sia chiaro, neanche morta».

«Non sfugge a nessuno: tu in campagna non ci vai».

«Non ci vado».

Una domenica d'inverno eravamo stati invitati a pranzo da Macca e Lucy, che avevano la fortuna di potersi permettere una casa a Hampstead Heath facendo finta di essere in un villaggio. Avevano avuto una bimba, Aila, da poco più di un anno e lei era già nuovamente incinta. Emma, dall'alto dei suoi tre mesi, osservava il mondo sdraiata nella giostrina adagiata nel coloratissimo campo di battaglia dei giocattoli della padrona di casa, che aveva a malapena preso atto della presenza della neonata, troppo impegnata a far cadere pile di oggetti per incuriosirsi a lei. Noi nel frattempo eravamo seduti a tavola, nella grande cucina dove sempre e comunque a Londra si finisce col mangiare, anche quando la casa, come in questo caso, era ariosa e splendida. Lucy aveva gusto, l'aveva decorata con alcuni suoi lavori, grandi disegni circolari neri su fondo bianco, come fossero mirini, in cui facevano la loro comparsa chiazze di colori primari dalle forme inaspettate. Era tutto molto allegro, fino a quando si iniziò a parlare di quello di cui parlavano tutti: l'Europa.

«Voi avete deciso cosa votare?», chiese Lucy mentre metteva via la teglia in cui restavano gli ultimi avanzi di variopinti tuberi inglesi. La domanda era inattesa, a Londra non capitava mai di sentire persone in dubbio.

«Io non posso votare, purtroppo», risposi cercando di restare neutra.

Macca si schiarì la voce.

«Io e Lucy siamo molto tentati di votare per uscire, anzi ormai abbiamo deciso».

Guardai Iain, lo vidi impietrito.

«Non capisco, perché? Non pensavo che ce l'avessi con l'Europa». C'era autentica sorpresa nella sua voce.

«Non sono euroscettico, né Lucy lo è, al contrario. Per gli affari, nel mio settore, è una meraviglia».

«E allora?» chiese Iain amaro.

«E allora pensiamo pensiamo che il paese sia cambiato troppo, al di là di ogni immaginazione. Non è più lo stesso posto, non ha più niente del luogo in cui siamo cresciuti». Macca era calmo e paterno, ma deciso.

«Alina, ovviamente non abbiamo un problema con te né con gli altri stranieri, non siamo mica ciechi, questo paese senza di voi non sarebbe il successo planetario che è», aggiunse Lucy, che non riusciva a starmi antipatica neppure quando diceva cose con cui ero visceralmente in disaccordo. «Però una domanda che mi faccio è se sia giusto che un paese venga completamente trasfigurato per far posto alle persone di tutto il mondo, tanto più se sono le più brillanti e dotate. Da una parte è bellissimo, ma non è la legge della giungla quella che porta solo i più forti a sopravvivere?»

Lucy non aveva mai conosciuto suo padre. Sua madre era un'infermiera che aveva cresciuto lei e il fratello da sola in una casa popolare tra mille difficoltà. Non parlava per sentito dire.

«È un circo bellissimo, quello che si è visto negli ultimi anni, ma troppa gente è rimasta indietro. Mia madre mi racconta che non ha più colleghe inglesi e che anche i pazienti sono per la maggior parte stranieri. Trovare un posto a scuola è una fatica, i servizi sono al collasso. Insomma, secondo me ci vuole un freno, questa situazione è ingiusta per tutti», continuò con dolcezza. «Sono pochi quelli che scappano da situazioni di pericolo, per tanti altri Londra è un gioco».

Macca la guardava estasiato, non sembrava neppure più la stessa persona.

«Perché dobbiamo restare in Europa se la nostra forza è proprio che ce ne stiamo sempre in disparte rispetto agli altri paesi. Saremo sbagliati, eppure i giovani vengono da noi, diamo un futuro a tutti», aggiunse aiutandola a fare spazio alla gigantesca Pavlova di panna e lamponi che aveva preparato lei stessa.

Io e Iain rimanemmo in silenzio. Eravamo entrambi in difficoltà.

«Quello che dite ha senso in teoria», intervenne Iain con la voce tremante di rabbia, «ma nella pratica no. Ma santo cielo, Macca, cosa stai dicendo! Londra non è mai stata di nessuno, mai, né mia né tua, è di chi ci arriva, di chi ci mette energia. Ma ci pensate a che cosa succederebbe se vincessero quelli come voi?».

Intervenni, anche perché mi sembrava evidente che si stessero tutti trattenendo dal parlare chiaro per rispetto a me.

«Iain, dai, magari avessero tutti gli stessi argomenti di Macca e Lucy. Io me lo sono chiesta spesso, cosa vuol dire vedere il proprio paese trasformato così tanto, non è una cosa a cui noi stranieri non pensiamo, cosa credi».

«Sì, parliamo anche di quanti stranieri sfruttiamo e poi, tutti presi dal rigurgito di orgoglio patrio, respingiamo. Questa cosa è una cazzata, Macca, una cazzata grossa», aggiunse Iain.

«Sia chiaro, Alina, non ce l'abbiamo con gli europei qui. Mi dispiace, è un tema sgradevole da trattare senza suonare intolleranti, però noi non pensiamo di poter essere fraintesi: ti vogliamo bene!», disse Lucy prendendomi la mano.

Non ero offesa e, anzi, gli argomenti dei nostri amici mi colpirono per la loro filante efficacia, per l'ordine idilliaco che trapariva dal mondo che volevano costruire. Non stavano parlando del mio paese, ma della mia vita: io ormai ne ero fin troppo consapevole del fatto che un paese non ce l'avevo più. Mi andava benissimo così.

Per Iain era diverso, lui era uno di quegli inglesi da mare aperto che sotto sotto pensano che il mondo sia il loro giardino, oltre ad avere una visione troppo chiara del funzionamento di un ospedale britannico per pensare anche solo lontanamente che l'immigrazione fosse il problema. Ce ne andammo un po' rabbuiati appena Emma iniziò a dare segni di stanchezza. Dovevo fare le valigie, il giorno dopo si andava a Roma, si lasciava una Londra allucinata come non lo era mai stata.

24.

Figli di una cartolina

Roma, giugno 2016

Sono qui seduta nella mia vecchia camera da letto da ragazzina, con Emma che mi dorme accanto. Il suo faccino accaldato dalle temperature romane, il letto a due piazze su cui è sdraiata e la voce di Iain che arriva dal salotto sono le uniche novità di un piccolo spazio intatto nel tempo.

Guardando questa cameretta quello che mi sorprende non è tanto che i miei genitori non abbiano cambiato nulla, quanto che io stessa, andata via da otto anni, non abbia mai pensato di mettere via il portapenne a forma di taxi giallo di New York sul lato o la miniatura di Westminster che mi aveva regalato Carla la prima volta che era stata a trovare la sorella. Che sulla mia scrivania ci siano ancora articoli di cancelleria di un altro millennio, come il nastro adesivo metallizzato, sia verde acqua che rosa pesca, con i bordi anneriti dal tempo, graffette gommose e troppo grandi per essere davvero utili e che la scatola delle foto e delle lettere di quando ero adolescente sia ancora lì a rubare spazio al computer, insieme alle cartoline appese sulla parete: Parigi libertina, New York rutilante, Londra con le sue strade lucide perse nella nebbia. Immagini dozzinali, oggetti da poche lire con la longevità della plastica pura. Da ragazzina mi bastava guardarli e mi incantavo per ore. Sentivo il rumore dei clacson di Manhattan o una zolletta di zucchero cadere nel tè della regina. Tra un ritratto di Che Guevara e un poster di Escher, quella era la panoplia del mio immaginario, del mondo come pensavo che l'avrei visto, l'aroma sintetico da cui è nato tutto il resto. Fino a qualche anno fa ogni volta che viaggiavo immaginavo di restare a vivere nel posto in cui ero andata. Mi sarebbe bastato poco, pensavo, solo proseguire la strada che avevo già intrapreso scendendo dall'aereo, leggere qualche libro, imparare meglio la lingua. Giapponese in Giappone, cilena in Cile, francese in Francia. Una vita così mia che avrei potuto farla e disfarla, addirittura rifarla se qualcuno per caso me l'avesse rubata, con poche certezze da mettere in valigia e la lusinga dei punti fermi da ignorare giorno dopo giorno.

Ormai tutt'uno con il pannello di sughero sul quale è appuntata da decenni, nascosta da altri fogli e altre immagini, scorgo una foto con i colori pieni di ciò che non ha mai preso il sole. Raffigura un cottage di pietra color miele, con il tetto di paglia e un grande cespuglio di rose chiare accanto alla porta di legno. Rose del Kent grasse e morbide, non come quelle del giardino condominiale del mio vecchio appartamento di Hoxton, scure nei petali e nelle foglie, ispide nei gambi affusolati. Un giorno d'estate, vista l'ostinazione con cui fiorivano nonostante l'incuria, decisi di andare a dare loro acqua e togliere qualche foglia ormai sècca. Mi passò davanti una vicina, una donna anziana con la treccia grigia, il cappotto nonostante il caldo e due borse uguali, una per lato. L'avevo incrociata tante volte, non ci eravamo mai parlate.

«Non ti affannare, tanto moriranno comunque» mi disse spiccia.

Mi girai e, inseguendo con gli occhi l'abbaglio della luce rosa della sera, le sorrisi come una straniera che non ha capito nulla.

Ringraziamenti

Città irreale deve tanto a molte persone. Allo sguardo esperto degli amici e a quello affettuoso degli esperti. La mia gratitudine va a Laura Berna, a Letizia Muratori e a Giulia Civiletti, tra le prime ad aver conosciuto Alina, e a Simonetta Agnello Hornby per certi suoi incoraggiamenti che non ammettono replica. A Tom Rachman per essersi lasciato tempestare di domande e a Barbara Barbieri per l'occhio clinico e la pazienza angelica. A Vincenzo Ostuni per avermi guidata attraverso le pagine del libro e aver sempre trovato le parole giuste. A Chiara Petrolini perché sono vent'anni che non le sfugge nulla, a Liliana Faccioli Pintozzi per tutte quelle risate e a Giorgia Ugo perché in quello che dice c'è sempre saggezza. E soprattutto a Luca Casiraghi, con cui ho la gioia di condividere la vita e una bambina di nome Alice.
Città irreale è dedicato alla memoria di Paolo Zanotti.

Indice

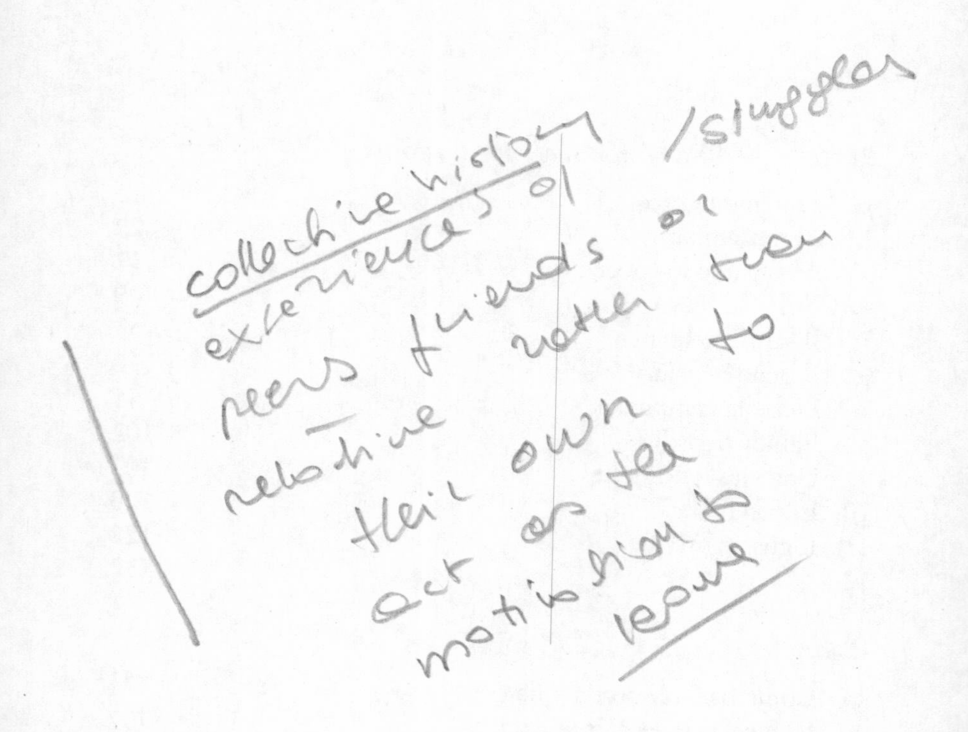
collective history /struggles
experiences of
peers friends or
relative rather than
their own to
act or feel
motivation to
leave

Finito di stampare nel mese di gennaio 2019
per conto di Adriano Salani Editore s.u.r.l.
da Grafica Veneta S.p.A., Trebaseleghe (PD)
Printed in Italy